13

Gilbert A. Jarvis   Thérèse M. Bonin   Diane W. Birckbichler

Nous tous

FRENCH 2

HOLT, RINEHART AND WINSTON, PUBLISHERS

New York · Toronto · Mexico City · London · Sydney · Tokyo

FIELD TEST SCHOOLS

Romeo J. Martens
Hughes Jr.H.S.
Long Beach, CA

Elizabeth Roelle
Rocky Mountain H.S.
Fort Collins, CO

Ralph Fittante
Trumbull H.S.
Trumbull, CT

Karen McVeigh
Hillcrest Jr.H.S.
Trumbull, CT

Andrea Merrifield
Bonny Eagle Jr.H.S.
West Buxton, ME

James Hassan
Wooton H.S.
Rockville, MD

Louise Winfield
Montgomery Pub.S.
Rockville, MD

Nancy Marcoux
Fairgrounds Jr.H.S.
Nashua, NH

Leona Michaux
Spring Street Jr.H.S.
Nashua, NH

Ursula Grossi
Parsippany H.S.
Parsippany, NJ

John Bergeron
John Jay H.S.
Hopewell Junction, NY

Mary Darcy
John Marshall H.S.
Rochester, NY

Conrad Gagnon
Van Wyck Jr.H.S.
Wappinger Falls, NY

Richard Nadeau
Van Wyck Jr.H.S.
Wappinger Falls, NY

Raymonde Weiser
John Bowne H.S.
Flushing, NY

Alice Wolfson
South Shore H.S.
Brooklyn, NY

Deborah Ames
Perry Mid.S.
Worthington, OH

Phyllis F. Kadle
Pleasant Run Jr.H.S.
Cincinnati, OH

Linda Keller
Centennial H.S.
Columbus, OH

Barbara Romanczuk
West Union H.S.
West Union, OH

Anna Shira
Mohawk Jr.-Sr.H.S.
Bessimer, PA

Judith Williams
Wilson Jr.H.S.
West Lawn, PA

ACKNOWLEDGMENTS

Casterman, for permission to use both the art by Hergé and the text of *On a marché sur la lune* (pp. 300–304), copyright © 1954 by Casterman, Paris.

Les Disques Gamma Ltée, for the lyrics to *Je suis* by Claude Gauthier. Reprinted by permission of Gamma Records Ltd.

Vidéo-Presse, for *Les conteurs* (originally titled *Les coutumes de nos ancêtres*) from *Vidéo-Presse*, Volume X, number 5, p. 32. Editions Paulines, Montreal. Excerpted by permission of *Vidéo-Presse* magazine.

ISBN: 0-03-002242-8

78   071   6543

Contents

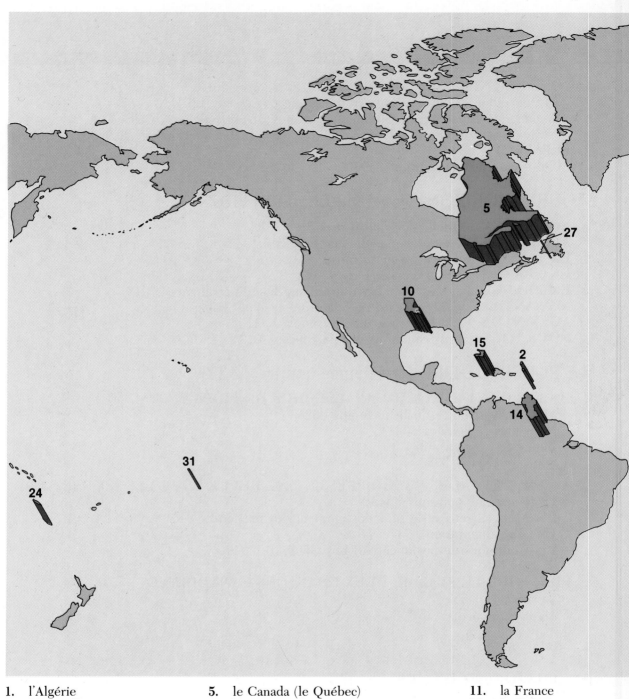

1. l'Algérie
2. les Antilles
   (la Guadeloupe,
   la Martinique,
   Saint-Martin)
3. la Belgique
4. le Cameroun

5. le Canada (le Québec)
6. le Congo
7. la Corse
8. la Côte-d'Ivoire
9. le Dahomey (le Bénin)
10. les États-Unis

11. la France
12. le Gabon
13. la Guinée
14. la Guyane
15. Haïti
16. Bourkina-Fasso
    (la Haute-Volta)

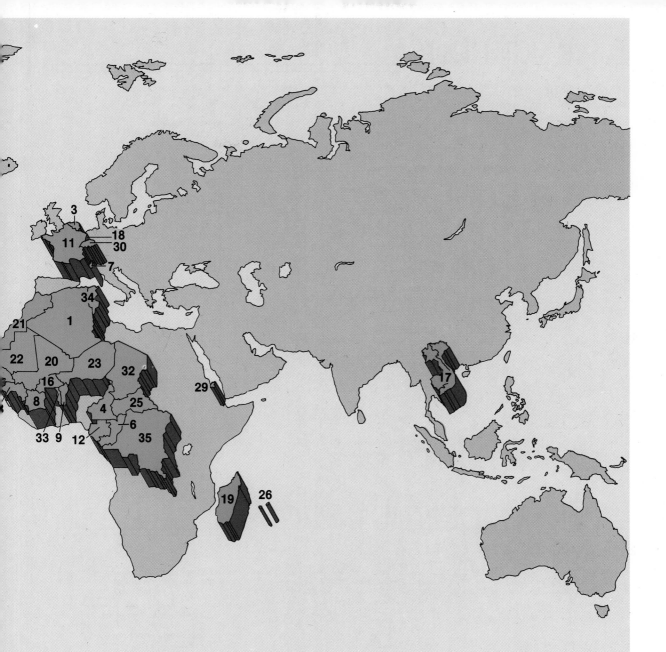

ART CREDITS

Cover art: Paper sculpture by Bill Finewood, represented by Evelyne Johnson Associates

Abbreviations used: *t*, top; *c*, center; *b*, bottom

Illustrators represented by Evelyne Johnson Associates: Frank Daniel, Will Harmuth, Debby Keyser, Tom LaPadula, Tien

Illustrators represented by Publisher's Graphics, Inc.: Howard Berelson, Penny Carter, Eulala Conner, Pamela Ford, Paul Harvey, John Jones, Jane Kendall, Beverly Pardee

Lane Yerkes represented by Philip M. Veloric

PHOTO IDENTIFICATION

Abbreviations used: *t*, top; *c*, center; *b*, bottom; *l*, left; *r*, right; *i*, inset.

PREMIER CHAPITRE

Chapitre Passerelle

1

PREMIÈRE PERSPECTIVE

C'est mon opinion.

Qu'est-ce que les étudiants des écoles polyvalentes et des CÉGEPs veulent? Pour savoir la réponse à cette question, des éducateurs québécois ont interviewé des élèves des écoles secondaires. <u>Voici</u> leurs réponses.

Here are

GINETTE   Je veux avoir de bons professeurs. Si les profs sont intéressants, s'ils savent bien expliquer, <u>tout</u> est facile.

everything

MAURICE   Je veux pouvoir donner mon opinion. Ce sont toujours les professeurs qui décident. Mais nous aussi, nous sommes capables de <u>prendre des décisions</u>.

make decisions

DIANE   Je voudrais avoir un <u>emploi du temps</u> flexible. Je déteste faire la <u>même</u> chose jour après jour.

schedule
same

JANINE   Nous n'apprenons pas assez de choses <u>utiles</u> à l'école.

useful

GILBERT   Je voudrais aller à l'université et avoir une profession intéressante.

ANDRÉ   <u>L'essentiel</u>, c'est d'avoir un bon <u>rapport</u> avec les profs—et avec les autres élèves. Si on est dans une classe où il y a une bonne <u>ambiance</u>, tout le monde travaille bien.

the essential thing/
relationship
atmosphere

JÉRÔME   Moi, je voudrais être libre de choisir mes cours, de travailler sur les sujets que j'aime—les sciences en particulier. À mon avis, nous ne lisons pas assez.

CHARLOTTE   Il y a des profs qui posent toujours des questions faciles, mais je ne les aime pas. Je suis ici pour apprendre.

COMPRÉHENSION

Are the following statements true (**vrai**) or false (**faux**)? If the statement is false, reword it to make it true.

1. Ginette aime les professeurs qui expliquent bien.
2. Diane veut pouvoir donner son opinion.
3. Maurice veut prendre des décisions.
4. André aime être dans une classe où il y a une bonne ambiance.
5. Gilbert aime avoir un emploi du temps flexible.
6. Charlotte préfère les professeurs qui posent quelquefois des questions difficiles.
7. Janine veut être libre de choisir ses cours.
8. Jérôme déteste faire la même chose jour après jour.

COMMUNICATION

A. **Priorités.** Just as the Canadian students gave their opinions about school, tell how important each of the following is for you.

1. C'est très important pour moi.
2. C'est assez important pour moi.
3. Ce n'est pas très important pour moi.
4. Ce n'est pas important pour moi.

EXEMPLE　　C'est très important pour moi d'avoir des professeurs intéressants.

1. être dans une classe où il y a une bonne ambiance
2. être libre de choisir mes cours
3. avoir un emploi du temps flexible
4. avoir des professeurs qui expliquent bien
5. avoir des professeurs qui donnent beaucoup de bonnes notes
6. avoir des professeurs intéressants
7. pouvoir travailler sur les sujets que j'aime
8. pouvoir donner mon opinion
9. apprendre des choses utiles
10. ?

B. **À l'école polyvalente.** Imagine that you are spending a year studying in a French-Canadian high school. Choose from the list of required subjects the five courses you would most like to study and tell why each interests you.

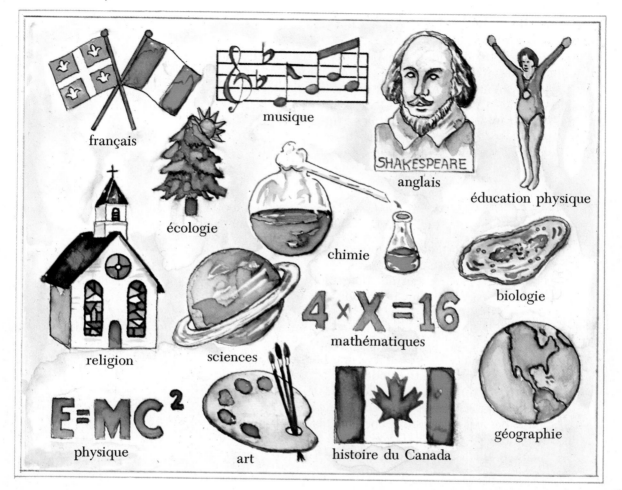

français

musique

écologie

anglais

SHAKESPEARE

éducation physique

chimie

biologie

religion

sciences

$4 \times X = 16$
mathématiques

$E = MC^2$
physique

art

histoire du Canada

géographie

C. **Les étudiants parlent.** If you could plan your ideal school, what would it be like? Give your opinion by using the suggestions below or by adding ideas of your own. Be as serious or as funny as you wish.

Je voudrais être dans une école où _____ .

il y une caféteria où on mange bien
les professeurs ne donnent jamais d'examens
nous lisons seulement des bandes dessinées
il n'y a pas de professeurs
les étudiants donnent les notes
?

D. Les écoles américaines. A Canadian student is asking you about American schools. Using the questions below, tell him about your school.

1. Combien d'étudiants y a-t-il dans ton école?
2. Combien de classes as-tu?
3. Qu'est-ce que tu étudies?
4. Qu'est-ce que tu vas étudier l'an prochain?
5. Quelle est ta classe préférée et pourquoi?
6. Est-ce qu'il y a un club de français dans ton école?
7. À quels sports est-ce qu'on joue dans ton école?
8. Est-ce que les sports sont importants?
9. Comment sont les professeurs?
10. Est-ce qu'il y a une bonne ambiance dans ton école?

DEUXIÈME PERSPECTIVE

Où trouver un appartement?

Le Québec est grand, et les villages sont quelquefois loin d'un centre assez important pour avoir une école polyvalente ou un CÉGEP. Pour pouvoir continuer leurs études, les jeunes de ces villages sont obligés d'habiter loin de leur famille. Dans les CÉGEPs de Chicoutimi et de Jonquière, par exemple, il y a <u>au moins</u> 1 000 élèves qui sont des "non-résidents." Daniel,   at least
qui est au CÉGEP depuis deux ans, parle avec un nouvel étudiant.

DANIEL	Tu habites dans une résidence d'étudiants?	
ROGER	Oui, c'est ma première année au CÉGEP.	
DANIEL	Tu es content?	
ROGER	<u>Ça peut aller</u> . . . . C'est assez pratique, mais je n'aime pas manger à la caféteria.	It's okay
DANIEL	Mes copains et moi, on partage un appartement.	
ROGER	Tu as eu de la difficulté à trouver quelque chose?	looked (for)/ended up by
DANIEL	Oui, on a <u>cherché</u> longtemps. On a <u>fini</u> par trouver un appartement dans le sous-sol d'une maison <u>privée</u>. Ce n'est pas très confortable, mais, au moins, on est indépendant.	private

ROGER	Tu rentres souvent chez toi?
DANIEL	Seulement pour les vacances. Et toi?
ROGER	Moi, je rentre chaque semaine. Chaque fois que je vais à la maison, je rapporte des provisions pour le reste de la semaine. Et aussi, j'ai la nostalgie du pays. Pas toi?
DANIEL	Si, bien sûr. Mais j'ai rencontré de nouveaux amis. Et il y a beaucoup de choses intéressantes à faire ici.

I'm homesick

met

COMPRÉHENSION

Answer the following questions based on the reading.

1. Pourquoi certains jeunes canadiens sont-ils obligés d'habiter loin de leur famille?
2. Combien d'étudiants sont dans cette situation à Chicoutimi et à Jonquière?
3. Est-ce que Roger étudie au CÉGEP depuis longtemps?
4. Où est-ce qu'il habite?
5. Et Daniel, où habite-t-il?
6. Est-ce qu'il habite seul?
7. Pourquoi est-ce que Daniel préfère habiter dans un appartement?
8. Est-ce que Roger rentre souvent chez lui? Pourquoi?
9. Et Daniel, quand rentre-t-il chez lui?
10. Pourquoi est-il assez content d'habiter loin de sa famille?

A. **Cherchez dans le journal.** Imagine you are spending a year in an **école polyvalente** and need to find a place to live. You have found the following ads in the local paper. Write a brief description of each and then tell which interests you the most and why.

NIS ½, 4½ chauffé, eau wage au sous-sol, ½ entrée laveuse- ationnement, eau r juillet. 463-2970. ORD ½ meublé, pas Jie $170 par mois. 3½ chauffé eau si désiré, libre partir de $180. MPIQUE: et métro, très propre. $220, . & 18h: 252-7011. Très beaux 3½, le, $160. a $205. n nouveau métro. ½, chauffé, entrée minutes Métro médiatement. 3 020. sous-sol, meuble, J6.	♦.JJ. LiDre. 68J J84Y. **OUTREMONT** très beau 3½, très moderne, ensoleillé, tranquille, chauffé, avec garage. 40 Willowdale, app. 508.737-2963, entre 10h et 12h et 19h et 22h. **LONGUEIL** Grands appartements chauffés 4½, 5½, sous-sol, cuisine grande, bien éclairée, et bien divisée, 3152 rue Masson, app. 4, 651-8395. **VILLE St-Laurent**, grands 3½ et studios, loyers spéciaux, $150 à $195, pour occupation immédiate, rédécorés, balcons, piscine, stationnement, terrain pique-nique. 4500 Dudemaine, app. 105 (près O'Brien), 331-1612. **AU 105 RUE MILTON** 1½ meublé, très propre, près centre ville. À compter de $42 par semaine. 288-9582. **ANJOU** 3½ meublé ou non, libre 1er septembre. Entrée laveuse-sécheuse. Près transport. 352-9426. **CÔTE DES NEIGES**, près autobus, 1½ meublé, libre immédiatement. $135 à $145 par mois. 739-5847. **ST-DENIS** et Jean-Talon, 1½ tout fourni,	**JARRY** près Loca chaude fourni, me maintenant au ju 464-1065 après 6l **EST DE MONTREA** laveuse-sécheuse. Beaugrand. Libre semaine gratuites **MONTREAL NO** chauffé. 5385 Nor 661-5173. Doniel (l **LONGU** chauffé, $175. 46f **LONGUEUIL:** so sécheuse, locke chaude fourni, $1 **PRES DU STADE C** 2½, 3½. Ensoleillé $230. Entre 11h30 **MONTF** chaude fourni, sal 322-3126. **PARC EXTENSIC** poêle, frigidaire. Taxe d'eau incluse. 444 Ogilvy.

B. **Ma maison idéale.** Using the questions below as a guide, describe your ideal home.

1. Où est ta maison? à la campagne? à la montagne? près d'une plage? en ville?
2. Comment est ta maison? grande? petite?
3. Combien de pièces y a-t-il?
4. Quelles pièces y a-t-il au premier étage?
5. Quelles pièces y a-t-il au deuxième étage?
6. Est-ce qu'il y a un garage? et un jardin?
7. Est-ce qu'il y a une piscine?
8. Comment est ta chambre?

C. **Etes-vous un bon détective?**   The following illustration shows the
    room of Gilles Santerre, a French-Canadian student. Based on what
    you see, tell what some of his interests and activities are.

     EXEMPLE   Il fait du ski, et il aime la musique.

D. **Lettre du Canada.**   Françoise, a French exchange student from Stras-
    bourg, is living with a Canadian family. Fill in the blanks of the letter
    that she is writing to a friend.

le 20 septembre

Chère Monique,

    Tu veux savoir comment sont ma nouvelle "famille" et ma
nouvelle "maison"? Voici la réponse. Je suis dans une
famille très sympathique. Mon "père" travaille dans une
usine près de la ville; il est ____1.____ . Ma "mère"
est ____2.____ dans l'école où je suis ____3.____ . J'ai
deux "frères" et une ____4.____ . Mon "frère" Gilbert a
douze ans et mon petit ____5.____ Henri a six ans. Ils sont
sympa mais quelquefois Henri est assez ____6.____ . J'ai
un bon ____7.____ avec mes "parents" et je peux parler avec
____8.____ sans difficulté. Ma "soeur" Janine a quinze
____9.____ et elle est étudiante à l'école polyvalente.
Notre maison n'est pas très grande; il y a seulement six
____10.____ . Mais il y a un très joli ____11.____ derrière
la maison. Je partage ma ____12.____ avec Janine.
    Et toi, comment vas-tu?

                        Ton amie,
                        Françoise

TROISIÈME PERSPECTIVE

Un Voyage au Pays des Merveilles

Le Pays des Merveilles, "Wonderland" en anglais, c'est la version canadienne de Disneyland. Voulez-vous visiter ce pays avec moi?

Vous rêvez depuis longtemps de voyager dans un pays <u>étranger</u>? Mais c'est facile. Vous pouvez faire ce voyage sans quitter le Canada. <u>Il suffit de</u> visiter les différents pavillons de la Rue Internationale. Et si vous voulez rapporter des souvenirs pour vos amis, il y a un grand choix dans les magasins de cette rue.

Vous préférez un concert de musique pop et "country?" Alors, entrez dans le grand amphithéâtre de plus de 3 500 places. Non? Vous préférez les comédies musicales? Ce n'est pas un problème. Voilà le Théâtre Canterbury où vous pouvez voir un spectacle de variété avec vingt chanteurs et danseurs et plus de deux cent costumes.

Vous avez écouté assez de musique? Alors, passez sous <u>l'Arc-en-ciel</u>, entrez dans le Petit Monde de Hanna-Barbera et regardez les animaux, les clowns, les acrobates et les jongleurs qui font leur numéro.

Vous êtes fatigué de regarder; vous voulez de l'action et de l'aventure? Eh bien, voilà le Ghoster Coaster. Mais attention, il faut <u>d'abord</u> traverser une maison <u>hantée</u>.

foreign

All you have to do is . . .

rainbow

first

haunted

Pardon . . . ? Vous avez mal à l'estomac? Non? Ah, je comprends, vous avez faim! Eh bien, vous avez de la chance: Il y a des restaurants où vous pouvez apprécier les différentes cuisines du monde. Alors, qu'est-ce que vous choisissez?

Maintenant que vous avez bien mangé, vous êtes prêt pour un voyage dans le passé. Alors, allez visiter le Village des pionniers canadiens. Et pour finir, vous pouvez admirer les <u>feux d'artifice</u>.

Quoi? Vous avez encore de l'énergie?! Eh bien, faites l'ascension de la Montagne au centre du Pays des Merveilles. Moi, je suis fatigué et j'ai sommeil.

fireworks

what

COMPRÉHENSION

Answer the following questions based on the reading.

1. Où est ce Pays des Merveilles?
2. Où peut-on acheter des souvenirs?
3. Quels spectacles montre-t-on dans le grand amphithéâtre?
4. Et au Théâtre Canterbury?
5. Sous quoi faut-il passer pour entrer dans le Petit Monde de Hanna-Barbera?
6. Est-ce qu'il est possible d'arriver au Ghoster Coaster sans traverser la Maison hantée?
7. Quelles sortes de cuisine peut-on manger au Pays des Merveilles?
8. Et le soir, qu'est-ce qu'on peut voir?

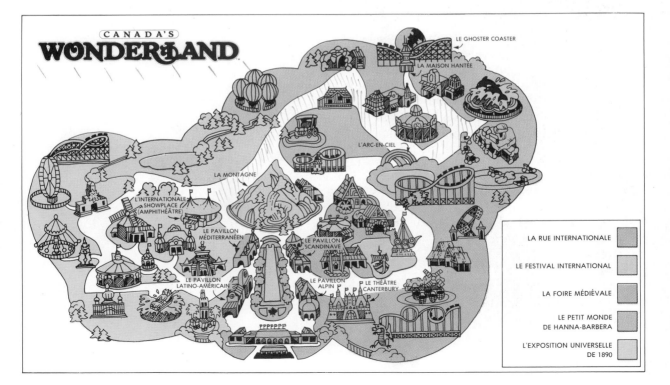

COMMUNICATION

A. Au Pays des Merveilles. Based on the information in the reading, plan a schedule for your visit to the *Pays des Merveilles*. Indicate which activities you are going to do and at what time. Share your schedule with the class.

> EXEMPLE　　Nous allons arriver au Pays des Merveilles à huit heures du matin.

B. Le Pays des Merveilles. Not every city has an attraction like the *Pays des Merveilles*, but every area has certain things that the people there consider interesting. Tell what your town or region has to offer, using expressions of quantity (**beaucoup de, assez de, peu de, trop de,** etc.).

> EXEMPLE　　Il y a beaucoup de cinémas ici, mais il y a peu de théâtres.

1. églises
2. cinémas
3. théâtres
4. compétitions sportives
5. restaurants
6. musées
7. piscines
8. parcs
9. grands magasins
10. montagnes ou plages

C. Mission possible ou impossible? Ask questions to find out who in your class has done the following things.

> EXEMPLES　　Qui a déjà visité le Pays des Merveilles?
> Est-ce que tu as déjà visité le Pays des Merveilles?

1. Qui a déjà visité Disneyland ou Disneyworld?
2. Qui a voyagé dans un pays étranger?
3. Qui a fait un voyage au Canada?
4. Qui est allé à un concert de musique «country»?
5. Qui a visité une maison hantée?
6. Qui a mangé dans un restaurant français?
7. Qui a fait l'ascension d'une montagne?

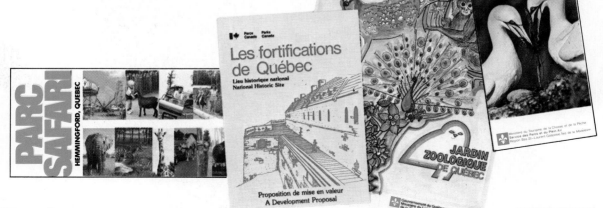

D. **C'est la fête!**   Imagine your class is planning a special festival and talent show. Using the list below, pick *eight* activities that your class would include. Vote on each possibility by asking **Qui veut . . . ?**. Then decide which students in your class could best do each of the activities.

> EXEMPLE   Jacques et Robert peuvent faire un numéro d'acrobate.

donner un concert de musique pop ou "country"
chanter des chansons françaises ou canadiennes
présenter une revue musicale
préparer les costumes pour les danseurs et les
    danseuses
faire un numéro de clown
faire un numéro d'acrobate ou de jongleur
donner un spectacle de variété
avoir un petit café ou un petit restaurant
préparer des spécialités françaises ou canadiennes
préparer une maison hantée
organiser une course de vélo
organiser un match de football
organiser un concours spécial
prendre des photos du spectacle
?

VOCABULAIRE DU CHAPITRE

NOUNS

l'acrobate (*m*) acrobat
l'ambiance (*f*) atmosphere
l'amphithéâtre (*m*) amphitheater
l'arc-en-ciel (*m*) rainbow
la caféteria cafeteria
le détective detective
l'écologie (*f*) ecology
l'éducateur (*m*) educator
l'emploi du temps (*m*) schedule
les feux d'artifice (*m*) fireworks
le jongleur juggler
le pionnier pioneer

VERBS

apprécier to enjoy
chercher to look (for)
finir par to end up by
interviewer to interview
rapporter to bring back
rencontrer to meet

OTHER WORDS AND EXPRESSIONS

avoir la nostalgie du pays to be homesick
Ça peut aller. It's okay.
l'essentiel (*m*) the essential thing
faire son numéro to do one's act
il suffit de all you have to do is . . .
prendre des décisions to make decisions
quoi? what?

ADJECTIVES

confortable comfortable
étranger foreign
hanté(e) haunted
idéal(e) ideal
privé(e) private
utile useful

ADVERBS

au moins at least
d'abord first
même same

DEUXIÈME CHAPITRE

Le Monde est petit.

INTRODUCTION

On fait des courses.

On a souvent besoin d'une chose ou d'une autre. Voici quelques jeunes de différents pays qui font leurs courses.

Dans un magasin d'articles de sport
Je m'appelle Catherine et j'habite en Suisse. J'ai besoin d'une nouvelle paire de <u>chaussures de marche</u>. Mes vieilles chaussures sont trop petites.

Au marché
Je m'appelle Ahmed. J'habite au Maroc. Je vais au <u>souk</u> pour acheter une nouvelle <u>djellaba</u>. De temps en temps j'aime porter notre costume traditionnel.

North African market/robe worn by North African men

hiking boots

Chez le <u>marchand</u> de <u>journaux</u>
Et moi, mon nom est Penda. J'habite au Sénégal. Je vais acheter quelques revues: *Jeune Afrique* pour moi et *Le Monde* pour mon père.

Dans un magasin de <u>vêtements</u>
J'habite au Canada et je m'appelle Gilles. Je travaille après l'école pour gagner un peu d'argent. Est-ce que vous aimez les jeans et le tee-shirt que j'ai achetés?

clothing

shopkeeper/plural of *journal*

Au *centre commercial*

Je m'appelle Michelle et j'habite en France. D'habitude nous faisons notre marché dans les petits magasins du quartier. Mais de temps en temps, nous allons au centre commercial parce que c'est moins cher et il y a beaucoup de choix.

shopping center

neighborhood

less expensive

À la *librairie*

bookstore

Je m'appelle Alain et j'habite à la Guadeloupe. Je cherche un cadeau pour ma sœur Renée. C'est son anniversaire demain. J'ai une idée! Je vais acheter quelques timbres pour sa collection.

gift

stamps

COMPRÉHENSION

Answer the following questions based on *On fait des courses.*

1. Où Catherine habite-t-elle?
2. Qu'est-ce que Catherine veut acheter? Pourquoi?
3. Qui habite au Maroc?
4. Où Ahmed va-t-il pour acheter une nouvelle djellaba?
5. Est-ce qu'il porte tout le temps une djellaba?
6. Où Penda est-elle allée pour acheter des revues?
7. Qu'est-ce que Gilles fait après l'école? Pourquoi?
8. Qu'est-ce qu'il a acheté?
9. Où est-ce que Michelle fait ses courses d'habitude?
10. Où est-elle allée aujourd'hui?
11. Quel cadeau Alain va-t-il donner à sa sœur?

COMMUNICATION

La collection de timbres de Renée. Voici les timbres qu'Alain a achetés pour Renée. Il y a des timbres de plusieurs pays différents:

A. Et vous?

1. Renée a des timbres de différents pays. Et vous, avez-vous des timbres étrangers? Si oui, de quels pays?
2. La sœur d'Alain collectionne les timbres. Et vous, qu'est-ce que vous collectionnez?
3. Penda va chez le marchand de journaux pour acheter des revues. Et vous, quels sont les livres et les revues que vous aimez lire? Est-ce que vous lisez quelquefois des revues françaises?
4. Après l'école, Gilles travaille pour gagner un peu d'argent. Et vous, qu'est-ce que vous faites après l'école?
5. D'habitude la famille de Michelle fait son marché dans les petits magasins du quartier. Où préférez-vous faire votre marché, dans des petits magasins ou dans un centre commercial?
6. Alain va donner des timbres à sa sœur pour son anniversaire. Et vous, quels cadeaux aimez-vous donner à vos frères et sœurs ou à vos amis pour leur anniversaire?

B. Contacts internationaux. What opportunities do you have for being in contact with people from other countries?

1. Est-ce qu'il y a des étudiants étrangers dans votre école?
2. Est-ce que vous avez habité ou voyagé dans un pays étranger?
3. Est-ce qu'il y a des étrangers dans votre ville? Savez-vous de quelle(s) nationalité(s) ils sont?
4. Est-ce qu'il y a dans votre école des étudiants ou des professeurs qui ont habité dans des pays étrangers? Si oui, dans quels pays?
5. Est-ce qu'il y a beaucoup de livres sur des pays étrangers dans la bibliothèque de votre école?
6. Quels pays étrangers avez-vous étudiés dans vos classes de géographie et d'histoire?
7. Est-ce qu'il y a quelquefois un festival international dans votre école ou dans votre ville?

EXPLORATION

🪷 **TALKING ABOUT EVERYDAY ACTIVITIES**
VERBS ENDING IN RE

═══ Présentation ═══════════════════════════

There are several verbs in French that are used to describe daily activities and whose infinitives end in **re**.

attendre	to wait (for), expect
entendre	to hear
perdre	to lose
répondre	to answer
vendre	to sell

The present tense endings for these verbs are like those of **vendre**:

―― vendre ――

je vend**s**	nous vend**ons**
tu vend**s**	vous vend**ez**
il/elle vend	ils/elles vend**ent**

- Où est-ce qu'on vend des timbres?
- Nous attendons le train.
- Est-ce que vous entendez bien?
- Tu perds la tête!

The **passé composé** is formed by using the present of **avoir** and a past participle formed by replacing the **re** of the infinitive with **u: vendre—vendu, répondre—répondu.**

- Qu'est-ce que tu as répondu?
- J'ai perdu mon argent.
- Nous avons vendu notre maison.

The command of -re verbs is formed by omitting the **tu** and **vous** from the "you" form of these verbs:

- Répondez, s'il vous plaît.
- Ne vends pas tes livres.

A. **Au marché aux puces.** Several merchants at the Paris flea market are talking about some of the items they have for sale. Tell what they say.

> MODÈLE   je / vieux livres
> **Je vends des vieux livres.**

1. Henri / jolies chaises
2. Anne et moi / vieilles photos
3. Vous / vieux vêtements
4. Monsieur Lenoir / vieilles revues
5. Tu / jolies affiches
6. Je / timbres étrangers

Contextes Culturels

Le marché aux puces est une institution parisienne. Les Parisiens, commes les touristes, aiment visiter le marché aux puces. Et quelquefois on peut même trouver un objet d'art de grande valeur.

B. **Où est Robert?** Several friends have made plans to meet Robert in downtown Montreal. Unfortunately, no one can find him because he didn't give clear directions. Tell where his friends waited for him.

> MODÈLE   Marc / devant la poste
> **Marc l'a attendu devant la poste.**

1. Je / près du cinéma
2. Nous / à côté de la pharmacie
3. Tu / derrière la banque
4. Jeanne et Roger / devant le grand magasin
5. Vous / près du vieux marché
6. Annette / au centre commercial

Contextes Culturels

Montréal est une très grande ville moderne. Avec six millions d'habitants, c'est la deuxième ville francophone du monde.

C. **Au marché.** Several merchants are talking about their sales at an open-air market in Marseille. Tell what they say.

MODÈLE   Marius / beaucoup de légumes
          Marius a vendu beaucoup de légumes.

1. Je / beaucoup de poissons
2. Tu / assez de carottes
3. Camille / beaucoup de tomates
4. Nous / assez de raisins
5. Vous / beaucoup de pain
6. César et Mireille / assez de viande

Contextes Culturels

Marseille est la deuxième ville de France et un port très important. Une scène typique de la vie à Marseille est le marché aux poissons.

Communication

A. **Questions/Interview.** Answer the following questions or use them to interview another student.

1. Est-ce que tu aimes attendre?
2. Est-ce que tu attends tes amis après l'école?
3. Est-ce que tu perds souvent patience? Quand?
4. Est-ce que tu perds souvent tes livres ou tes cahiers?
5. Est-ce que tu réponds souvent en classe?
6. Où est-ce qu'on vend des revues françaises dans ta ville?
7. Est-ce qu'on vend des disques français dans ta ville?
8. Est-ce que tu attends une lettre?
9. Est-ce que tu réponds toujours aux lettres?
10. Est-ce que tu es content(e) quand on répond tout de suite à tes lettres?

B. Compétition. Imagine you are a merchant who is competing with other merchants at a fruit and vegetable market. Name one item you have on sale. Another student will try to outdo you by adding another item. Each succeeding student will add another item to the list until someone makes a mistake.

> EXEMPLE
>
> Moi, je vends des tomates.
> Moi, je vends des tomates et des fraises.
> Moi, je vends des tomates, des fraises, et des pommes
> de terre.

C. J'ai perdu quelque chose. Tell the class you've lost something. Other students will try to guess what you've lost by asking questions.

> EXEMPLES
>
> Est-ce que tu as perdu quelque chose de petit?
> Est-ce que tu as perdu ton argent?

Intégration

The **-re** verbs are the third group of French verbs that you have learned. The **-re** verbs, **-er** verbs, and **-ir** verbs make up the majority of verbs in the French language. Imagine you are listening to a conversation between Jean, who is shy, and Marie, who is very charming. Complete the following dialogue with the appropriate form of each verb.

Une conversation passionnante

EXPLORATION

TALKING ABOUT PEOPLE ALREADY MENTIONED OBJECT PRONOUNS ME, TE, NOUS, VOUS

Présentation

You have already learned to use **le, la,** and **les** as object pronouns to avoid repeating nouns. Likewise, there are pronouns for the first and second persons ("me," "us," and "you"). Here are the pronouns.

Il **me** comprend.
Il **te** comprend.
Il **nous** comprend.
Il **vous** comprend.

They are used just like **le, la,** and **les.** In other words, they are placed directly before the conjugated verb.

Negative

Il ne **me** comprend pas.
Il ne **nous** comprend jamais.

Passé composé

Il **m**'a compris.
Il ne **t**'a pas compris.

- Elle m'aime mais elle ne me comprend pas.
- Il m'a acheté une guitare.
- Le prof ne nous a pas donné de devoirs.
- Est-ce qu'ils vous ont parlé de leur voyage?

All object pronouns may be used with an infinitive. When used with an infinitive, the object pronoun comes before the infinitive.

- Je vais vous acheter un cadeau.
- Il va me vendre son vélo.
- Nous allons t'inviter chez nous.

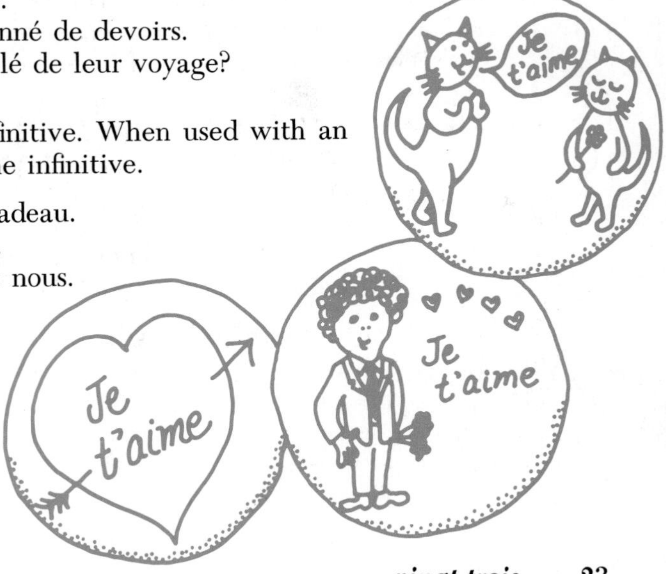

Préparation

A. Lettre des États-Unis. Sylvie is an exchange student from Belgium. Her mother is anxious to know how she is getting along with her new family. Give Sylvie's answers.

> MODÈLE Est-ce qu'ils te comprennent?
> **Oui, ils me comprennent.**

1. Est-ce qu'ils t'aident?
2. Est-ce qu'ils te donnent assez à manger?
3. Est-ce qu'ils t'écoutent?
4. Est-ce qu'ils t'expliquent tes devoirs?
5. Est-ce qu'ils te donnent du travail à faire?
6. Est-ce qu'ils te parlent souvent?

Contextes Culturels

Les Américains ont souvent tendance à oublier que la Belgique est aussi un pays où on parle français. La Belgique est un pays où il y a deux langues officielles: le français et le néerlandais. Au nord de la Belgique on parle néerlandais; au sud on parle français. Bruxelles est la capitale de la Belgique.

B. Retour en Belgique. After Sylvie's return home, her friends ask her questions about her trip.

> MODÈLE Est-ce que tu vas nous raconter ton voyage?
> **Oui, je vais vous raconter mon voyage.**

1. Est-ce que tu vas nous montrer tes photos?
2. Est-ce que tu vas nous parler de la vie américaine?
3. Est-ce que tu vas nous apprendre à jouer au base-ball?
4. Est-ce que tu vas nous donner des timbres américains?
5. Est-ce que tu vas nous chanter une chanson américaine?
6. Est-ce que tu vas nous préparer un repas américain?

C. Mais si! Hélène is feeling sorry for herself and her friends are reassuring her. Tell what they say.

> MODÈLE   Vous ne m'aidez jamais.
> **Mais si, nous t'aidons toujours.**

1. Vous ne me comprenez pas.
2. Vous ne me parlez jamais.
3. Vous ne m'écoutez pas.
4. Vous ne me répondez pas.
5. Vous ne m'achetez jamais de cadeaux.
6. Vous ne m'invitez jamais.
7. Vous ne m'attendez jamais.
8. Vous ne m'aimez pas.

D. Mauvaise mémoire. Roger can't remember what he has said or done. Help him to remember by answering his questions in the affirmative.

> MODÈLE   Est-ce que tu m'as téléphoné hier?
> **Oui, je t'ai téléphoné hier.**

1. Est-ce que tu m'as aidé?
2. Est-ce que tu m'as attendu après la classe?
3. Est-ce que tu m'as acheté un cadeau?
4. Est-ce que tu m'as donné ton livre?
5. Est-ce que tu m'as parlé de l'examen?
6. Est-ce que tu m'as montré tes photos?
7. Est-ce que tu m'as aidé à faire mes devoirs?
8. Est-ce que tu m'as parlé après l'école?

E. Confidences. Alain is getting the cold shoulder from his girlfriend Sophie. Give Alain's answers to his friend's questions about her.

> MODÈLE   Quand tu as parlé à Sophie, est-ce qu'elle t'a répondu?
> **Non, elle ne m'a pas répondu.**

1. Est-ce qu'elle t'a attendu après la classe?
2. Est-ce qu'elle t'a parlé hier?
3. Est-ce qu'elle t'a téléphoné?
4. Est-ce qu'elle t'a invité chez elle?
5. Est-ce qu'elle t'a acheté un cadeau?
6. Est-ce qu'elle te comprend?
7. Est-ce qu'elle t'aime?

Contextes Culturels

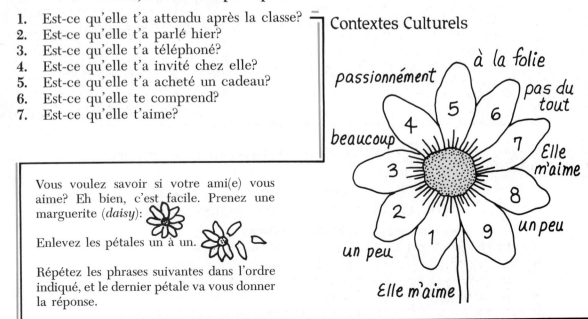

Vous voulez savoir si votre ami(e) vous aime? Eh bien, c'est facile. Prenez une marguerite (*daisy*):

Enlevez les pétales un à un.

Répétez les phrases suivantes dans l'ordre indiqué, et le dernier pétale va vous donner la réponse.

═══Communication ══════════════

A. **Questions/Interview.** Answer the following questions or use them to interview another student.

1. Est-ce que tes amis t'aident à faire tes devoirs?
2. Est-ce que tes amis te comprennent toujours?
3. Est-ce que tes professeurs te donnent beaucoup de devoirs?
4. Est-ce que tes professeurs t'aident quand tu ne comprends pas?
5. Est-ce que tes amis t'attendent après l'école?
6. Est-ce qu'ils te téléphonent pendant le week-end?
7. Est-ce qu'ils t'ont téléphoné le week-end passé?
8. Qu'est-ce qu'on t'a donné pour ton anniversaire?

B. **Coopération et négotiations.** Imagine that a friend is going to spend a week at your house. Using the suggestions below, tell what you are going to do and what you are not going to do for your friend.

> EXEMPLES   Je vais te préparer ton petit déjeuner.
>
> Je ne vais pas te réciter un poème.

Suggestions:

1.	préparer ton petit déjeuner	6.	aider à faire tes devoirs
2.	donner un cadeau	7.	écouter quand tu as des problèmes
3.	attendre après l'école	8.	acheter quelque chose d'intéressant
4.	chanter une chanson	9.	acheter quelques disques
5.	préparer un repas formidable	10.	inviter à aller manger au restaurant

Your friend will then ask you questions to find out what you are going to do for him or her.

> EXEMPLE   Est-ce que tu vas me préparer mon petit déjeuner?

C. **Un(e) ami(e) idéal(e).** Using the verbs below, write five or more sentences describing an ideal friend. Use object pronouns in your sentences.

> EXEMPLES   Il/elle me parle quand je suis triste.
> Il/elle ne m'embête jamais.

1.	parler	6.	inviter
2.	embêter	7.	écouter
3.	accepter	8.	attendre
4.	comprendre	9.	aider
5.	répondre	10.	téléphoner

Intégration

You have now learned four different types of pronouns in French:

Subject Pronouns: je, tu, il/elle, nous, vous, ils/elles
Emphatic Pronouns: moi, toi, lui, elle, nous, vous, eux, elles
Direct Object Pronouns: le, la, les
Other Object Pronouns: me, te, nous, vous

Re-create the following conversation by adding the appropriate pronouns.

EXPLORATION

⚜ COMBINING SENTENCES SHARING A SUBJECT OR AN OBJECT USING THE RELATIVE PRONOUNS QUI OR QUE

═ Présentation ═══════════════════════

You have already learned to recognize **qui** or **que** when they link two sentences or clauses together. You know that their meanings are much like "that," "which," or "who."

To use **qui** and **que** in speaking or writing, however, you must distinguish between them.

A. **Qui** is used as the *subject* of the verb.

> • Nous avons vendu une voiture qui marche bien.
>   Subject of verb

> • J'ai voyagé dans des pays qui sont intéressants.
>   Subject of verb

B. **Que** is used as the *object* of the verb.

> • Paul a trouvé les livres que vous avez perdus.
>   Object of verb

> • Le roman que j'ai lu est excellent.
>   Object of verb

> • Voilà la tarte que j'ai achetée.
>   Object of verb.

> • Les cousins que j'attends habitent à Montréal.
>   Object of verb

C. Notice how relative pronouns combine into one sentence what would otherwise be two separate sentences.

> • Nous avons des amis. Nos amis habitent en Suisse.
>   Nous avons des amis qui habitent en Suisse.
> • Où sont les revues? Tu as acheté les revues.
>   Où sont les revues que tu as achetées?

Nous avons une équipe qui est très forte.

C'est la psychologie qui fait la différence.

Regardez la récompense que j'ai préparée pour eux.

ENTRAÎNEUR

ENTRAÎNEUR

Préparation

A. **Qu'est-ce que tu as acheté?** Anne-Marie is showing her parents some of the items she bought today at the **centre commercial.** Tell what she says.

> MODÈLE   le livre
> **Voilà le livre que j'ai acheté.**

1. les chaussures de marche
2. le tee-shirt
3. les jeans
4. les disques

5. l'affiche
6. le roman
7. les cadeaux
8. les nouveaux timbres

B. **Réactions.** Anne-Marie's parents comment on her various purchases. What do they say?

> MODÈLE   le livre
> **Nous aimons le livre que tu as acheté.**

1. les chaussures de marche
2. le tee-shirt
3. les jeans
4. les disques

5. l'affiche
6. le roman
7. les cadeaux
8. les nouveaux timbres

C. **Cadeaux.** André is showing his birthday presents to some friends. Tell what he says.

> MODÈLE   le livre / Jean
> **Voilà le livre que Jean m'a donné.**

1. les vêtements / ma mère
2. le tee-shirt / ma sœur
3. les revues / mes amis
4. la radio / mon frère
5. les cassettes / Suzanne
6. le vélo / mon père
7. le chien / mon oncle
8. la guitare / ma grand-mère

BONNE FÊTE

⌐ Contextes Culturels

D. **Des amis étrangers.** Mark has friends from many different countries. Tell what he says.

> MODÈLE   au Maroc
> **J'ai des amis qui habitent au Maroc.**

1. en Suisse
2. en France
3. aux États-Unis
4. au Canada

5. en Espagne
6. au Japon
7. au Sénégal
8. en Italie

E. **Préférences.** Lisette is telling Jeanne what kinds of teachers she likes. What does she say?

> MODÈLE   gentils
> **J'aime les profs qui sont gentils.**

1. intéressants
2. sympa
3. intelligents
4. dynamiques

5. jeunes
6. amusants
7. patients
8. enthousiastes

F. **Ma famille.** Marianne is telling a friend what various members of her family do for a living. Tell what she says.

> MODÈLE   un cousin / ouvrier
> **J'ai un cousin qui est ouvrier.**

1. une cousine / professeur
2. un oncle / médecin
3. une tante / ingénieur

4. des cousins / étudiants
5. des cousines / ouvrières
6. une tante / vendeuse

══ Communication ═══

A. **Aidez-moi.** One of your friends in first-year French has asked you to correct a letter to a French friend. Help your friend make one longer sentence from the two shorter ones by using **qui** or **que**.

> EXEMPLE   J'ai des amis. Ils sont sympathiques.
> J'ai des amis qui sont sympathiques.

1. J'ai des classes. J'aime beaucoup mes classes.
2. Nous avons une école. Notre école est formidable.
3. J'ai une petite sœur. Elle a treize ans.
4. J'habite dans une ville. Elle est assez petite.
5. Ma mère travaille dans un magasin. Il est près de chez nous.
6. J'ai un nouveau vélo. Mes parents m'ont acheté ce vélo.
7. J'écoute souvent les disques. Tu m'as donné ces disques.

B. **C'est ma vie.** Using the suggestions below, make up sentences that describe different aspects of your life. Be sure to use **qui** in your sentences.

> EXEMPLE J'ai des parents qui sont gentils.
> J'ai des amis (amies) qui sont sympathiques.

- des parents, des profs, des amis, des classes, une maison, une vie, une école, des frères, des sœurs, ?
- confortable, intéressant, riche, facile, gentil, formidable, heureux, sympathique, embêtant, ?

C. **Interview.** Using the words given, make up questions to ask other students. Use **que** in your questions.

> EXEMPLE les romans
> Quels sont les romans que tu aimes?

1. les journaux
2. les films
3. les sports
4. les acteurs
5. les actrices
6. les chanteurs
7. les chanteuses
8. les programmes de télé

Intégration

You have learned several ways of connecting ideas in sentences. In addition to **qui** and **que,** you can use **et, mais, parce que** and **où** to connect them. Notice how the style and ideas become more sophisticated when you combine the following pairs of sentences.

parce que	1.	Je suis allé dans une librairie. Je voudrais acheter *Le Petit Prince* de Saint-Exupéry.
qui	2.	Je suis allé dans une librairie. Cette librairie est près de l'école.
que	3.	Je suis allé dans une librairie. Le professeur de français a mentionné cette librairie.
où	4.	Je suis allé dans une librairie. On vend des livres étrangers dans cette librairie.
et	5.	Je suis allé dans une librairie. J'ai cherché des livres en français.
mais	6.	Je suis allé dans une librairie. Je n'ai pas trouvé de livres en français.

EXPLORATION

🪻 *TALKING ABOUT NATIONALITIES*
ADJECTIVES AND NOUNS OF NATIONALITY

═ Présentation ═══════════════════════════════

When you talk about nationalities you may use adjectives or nouns. You may say, for example, "He is Canadian" or "He is a Canadian." In French also, you may say "Il est canadien" or "C'est un Canadien."

A.   In French most adjectives that describe nationalities fit into three patterns.

	Masculine	Feminine
The spelling of masculine and feminine differs only in the final **e** of the feminine.	allemand américain anglais chinois espagnol français irlandais japonais mexicain polonais portugais	allemande américaine anglaise chinoise espagnole française irlandaise japonaise mexicaine polonaise portugaise
Masculine and feminine forms are identical.	belge russe suisse	belge russe suisse
The feminine form ends in **ienne** but the masculine ends in **ien** (a nasal vowel in speech).	algérien brésilien canadien italien tunisien	algérienne brésilienne canadienne italienne tunisienne

(handwritten note: doesn't change)
(handwritten note: ✱ espagnol)

B.   Remember that the plural of both masculine and feminine is formed by adding **s**, except when the singular already ends in **s**.

   • Ce sont des garçons français.
   • J'adore les restaurants chinois.

C. To create a noun referring to a person of a particular nationality (for example, a Canadian, the Russian), simply use these adjectives as nouns and capitalize them in writing.

- C'est un Japonais.
- Paul a fait la connaissance d'une Italienne.
- Est-ce que les Tunisiens parlent français?
- Dans les auberges de jeunesse il y a des Anglais, des Allemands, des Espagnols, des Italiens, et même des Chinois.

J'ai un grand-père russe et un autre qui est italien. J'ai une grand-mère française et une grand-mère irlandaise.

Alors, qu'est-ce que je suis? Un Américain, cent pour cent!

Préparation

A. **Au camp de travail.** Several students who are spending the summer in an international work camp are talking about where their friends are from. Tell what they say.

MODÈLE Gino est italien. Et Maria?
Maria est italienne aussi.

1. Ahmed est Tunisien. Et Fatma?
2. Carlos est espagnol. Et Carmen?
3. Michel est français. Et Geneviève?
4. Ivan est russe. Et Olga?
5. Charles est anglais. Et Diana?
6. René est suisse. Et Suzanne?

B. **À l'auberge de jeunesse.** Students in a youth hostel are asking each other where they are from. Give each person's answers.

MODÈLE Tu habites en Italie?
Oui, je suis italien.

1. Tu habites en Allemagne?
2. Tu habites en Belgique?
3. Tu habites au Portugal?
4. Tu habites au Canada?
5. Tu habites en Tunisie?
6. Tu habites au Mexique?
7. Tu habites au Japon?
8. Tu habites aux États-Unis?

C. **Qu'est-ce que tu as acheté?** Some friends are talking about various items that they have bought. What do they say?

MODÈLE   Une voiture (français)
J'ai acheté une voiture française.

1. un vélo (allemand)
2. une moto (japonais)
3. une guitare (espagnol)
4. des chaussures (italien)
5. des jeans (américain)
6. des timbres (brésilien)

Communication

A. **Le monde est petit.** What connections are there between your town and the rest of the world? Indicate what these connections are. Suggested sentences to complete are given below.

EXEMPLE   On vend quelquefois des revues françaises et des revues allemandes.

1. On vend quelquefois des revues _____.
2. De temps en temps on peut voir un film _____.
3. On vend des voitures _____.
4. On peut trouver des chaussures _____.
5. On peut acheter des vêtements _____.
6. Dans notre école, il y a des étudiants _____.
7. Dans notre région, il y a des restaurants _____.
8. On peut trouver des journaux _____.
9. À la radio on peut écouter de la musique _____.
10. On peut acheter des vélos _____.
11. On vend du pain _____.
12. On peut acheter du fromage _____.
13. On peut trouver du chocolat _____.
14. Il y a des usines _____.

B. **Devinez.** Imagine that you are from another country. Other students will try to guess your nationality.

EXEMPLE   Est-ce que tu es français?

C. Le commerce international. The ties the United States has with other countries are very clear in the business world. The following photos that were taken in the U.S. represent these ties. Using adjectives of nationality, write a caption describing each of them.

EXEMPLE   Voici un magasin japonais.

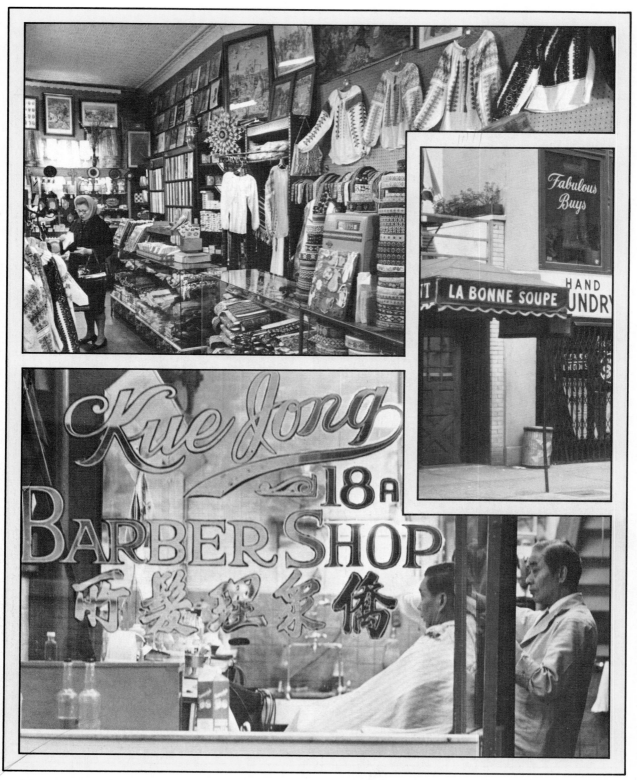

Intégration

You have now learned to say a great deal about people. You have learned how to describe them and how to talk about their identity. These abilities are important in all cultures.

Below are several **cartes de visite,** which are used by people in many French-speaking areas of the world. What can you tell about each of the people?

Jane Bonin

Coiffure

Madame DUBOURG

23, Cours Franklin Roosevelt / 69006 LYON

R. C. Lyon 965415508 A ☎ (7) 889-51-22 R. M. Lyon 29956469

MODÈLE Elle est française. C'est une Française.
Elle est coiffeuse. Elle habite à Lyon.

MONSIEUR PAUL RENAUD

Ingénieur

13, rue Charles de Gaulle
Paris
872.71.53

CHANTAL CLÉMENT

AVOCATE

321, PLACE ROYALE

BRUXELLES ☎ (02) 513.64.89

Dr. Amadou Djallo
Dentiste
24, rue Léopold Shengor
Dakar
Tel. 22.28.85

Docteur Jacques Moreau
Pédiatre
Sur Rendez-vous
53 rue Gonod 93.81.12

MADEMOISELLE SALA KANE

Professeur
98, place de la Liberté
Abidjan, Côte d'Ivoire
Tel. 32-00-75

PERSPECTIVES

Entre deux mondes

Gadio, un étudiant mauritanien, qui étudie maintenant au Canada, répond à une lettre de ses parents.

LE CARNAVAL DE QUÉBEC
la plus grande fête populaire hivernale au monde
du 4 au 14 février

PROGRAMME PRÉLIMINAIRE
PRELIMINARY PROGRAM

Chers parents,

Dans votre dernière lettre vous m'avez demandé de vous parler de ma vie ici. Eh bien, ici aussi, c'est la saison froide. Mais la "saison froide" chez nous en Mauritanie et la saison froide ici au Canada, ce n'est pas la même chose! Quinze degrés <u>au-dessous</u> de zéro, pouvez-vous imaginer cela? Chez nous, la température ne <u>descend</u> jamais au-dessous de vingt degrés centigrades! Vous, vous êtes bien <u>à l'aise</u> dans vos <u>mou-mous</u>. Et moi, je porte un <u>pull</u> et une <u>veste en duvet</u> et j'ai encore froid.

Mais <u>malgré</u> le froid, je suis très content ici. J'ai été plus ou moins "adopté" par la famille d'un copain. Ils sont très gentils—il y a quatre garçons et trois filles dans la famille—et ils m'aident beaucoup. La semaine dernière on est allé au Carnaval à Québec. Pouvez-vous imaginer des rues décorées avec des monuments et des statues de <u>glace</u>? Oui, de GLACE!!

La cuisine que nous mangeons ici est bien différente de la cuisine de chez nous. Mais je l'aime bien et j'ai pris deux ou trois kilos depuis mon arrivée.

Je vous <u>embrasse</u> bien <u>affectueusement</u>.

Gadio

below

goes down (-re verb)

comfortable
light robe/sweater

down jacket
despite

ice

kiss/affectionately

COMPRÉHENSION

Answer the following questions based on Gadio's letter.

1. Quelle est la nationalité de Gadio?
2. Pourquoi est-il au Canada?

3. Où est-ce que ses parents sont en ce moment?
4. Quelle saison est-ce?
5. Quelle température fait-il au Canada?
6. Et en Mauritanie quelle température fait-il pendant la saison froide?
7. Qu'est-ce que les Mauritaniens portent en général?
8. Et les Canadiens qu'est-ce qu'ils portent en hiver?
9. Qu'est-ce que Gadio a fait la semaine passée?
10. Comment est-ce qu'on décore les rues de Québec?
11. Est-ce qu'il aime bien la cuisine canadienne? Comment le savez-vous?

COMMUNICATION

A. **Quelle est ma nationalité?** Imagine that you overhear some exchange students talking. Based on what they say, guess their nationalities.

> EXEMPLE   Moi, j'habite à Madrid.
> C'est un Espagnol.

1. Quand c'est l'hiver chez vous, c'est l'été chez moi à Rio de Janeiro.
2. Je suis étudiante et je fais mes études à Moscou.
3. Si vous avez envie de faire l'ascension du Mont Fuji, visitez mon pays.
4. Le Vatican est dans mon pays.
5. On parle allemand, français, et italien dans mon pays.
6. Les touristes visitent toujours Paris, mais il y a beaucoup d'autres régions intéressantes dans mon pays.
7. Chez nous, on prend toujours le thé à cinq heures de l'après-midi.
8. Pendant très longtemps, les Américains n'ont pas pu visiter mon pays.

B. **C'est votre tour.** Make statements similar to those in the preceding *Communication* and see if other students can guess the nationality you are describing.

C. **Mais non, on n'est pas comme ça.** Adults sometimes make exaggerated statements about young people. Do you agree or disagree with the following statements?

1. Ils passent leur temps à écouter leur horrible musique.
2. Quand ils n'écoutent pas de la musique, ils sont devant la télé.
3. Ils n'aiment pas travailler.
4. Ils ne sont pas assez sérieux.
5. Ils portent toujours des jeans et des tee-shirts.
6. Ils n'aident jamais leurs parents à la maison.
7. Ils veulent avoir de l'argent mais ils ne veulent pas travailler pour le gagner.

VOCABULAIRE DU CHAPITRE

NOUNS

le **cadeau**   gift
le **carnaval**   carnival
le **centre commercial**   shopping center
les **chaussures de marche** (f)   hiking boots
la **collection**   collection
la **confidence**   confidence
la **coopération**   cooperation
la **glace**   ice, ice cream
le **journal** (*pl.* **journaux**)   newspaper
la **librairie**   bookstore
le **marché aux puces**   flea market
la **négotiation**   negotiation
le **pull** (le **pull-over**)   slip-on sweater
le **quartier**   neighborhood
le **timbre**   stamp
la **veste en duvet**   down jacket
les **vêtements** (m)   clothing

VERBS

adopter   to adopt
attendre   to wait (for), to expect
décorer   to decorate
descendre   to go down
embrasser   to kiss
entendre   to hear
imaginer   to imagine
perdre   to lose
raconter   to tell, to relate
répondre   to answer
vendre   to sell

ADVERBS

au-dessous   below
affectueusement   affectionately

PREPOSITIONS

malgré   despite

EXPRESSIONS

à l'aise   comfortable

NATIONALITIES

allemand(e)   German
américain(e)   American
anglais(e)   English
chinois(e)   Chinese
espagnol(e)   Spanish
français(e)   French
irlandais(e)   Irish
japonais(e)   Japanese
mexicain(e)   Mexican
polonais(e)   Polish
portugais(e)   Portuguese

belge   Belgian
russe   Russian
suisse   Swiss

algérien(ne)   Algerian
brésilien(ne)   Brazilian
canadien(ne)   Canadian
italien(ne)   Italian
tunisien(ne)   Tunisian

TROISIÈME CHAPITRE

La Vie à la campagne

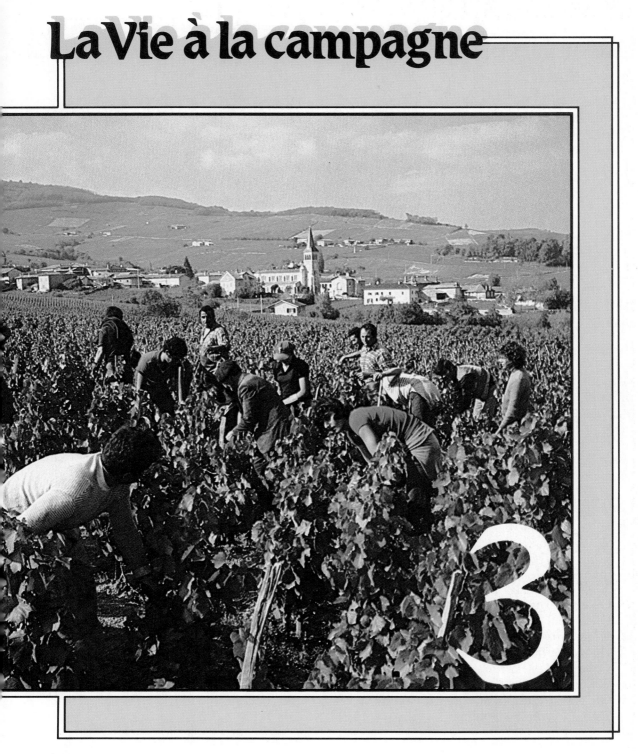

3

INTRODUCTION

L'Été au village

C'est la fin de l'année scolaire au lycée Lamartine de Mâcon. Plusieurs étudiants sont en train de parler de leurs projets pour l'été.

NADINE	Qu'est-ce que tu vas faire?	
COLETTE	Je n'ai <u>pas</u> <u>encore</u> décidé. Mais je pense que je vais être <u>monitrice</u> dans une colonie de vacances. Et toi?	not yet counselor
NADINE	Je rentre au village; je vais aider mes parents à la <u>ferme</u>.	farm
COLETTE	Ah, vous avez une ferme? Quelle sorte de ferme c'est?	
NADINE	Une assez petite ferme. On <u>cultive</u> un peu de tout.	grow
COLETTE	Vous avez des <u>vignes</u>?	vineyards
NADINE	Oui, mais juste assez pour faire notre <u>vin</u>.	wine
COLLETE	Une fois, je suis allée faire les <u>vendanges</u> chez des amis. J'ai bien aimé ça.	grape harvest
NADINE	Si tu veux, tu peux <u>venir</u> nous aider en septembre.	come
COLETTE	D'accord, avec plaisir!	

COMPRÉHENSION

1. Qu'est-ce que les étudiants sont en train de faire?
2. Quels sont les projets de Colette pour l'été?
3. Et les projets de Nadine?
4. Où est-ce que les parents de Nadine habitent?
5. Comment est la ferme de ses parents?
6. Est-ce qu'ils ont des vignes?
7. Où est-ce que Nadine invite Colette à venir passer quelques jours?
8. Est-ce qu'elle accepte?

COMMUNICATION

Le village de Nadine. Voulez-vous visiter le village de Nadine? Comme dans beaucoup de villages français, il y a . . .

une mairie

une école

une église

Il y a un facteur qui apporte le courrier.

Il y a un instituteur et une institutrice qui font la classe aux enfants.

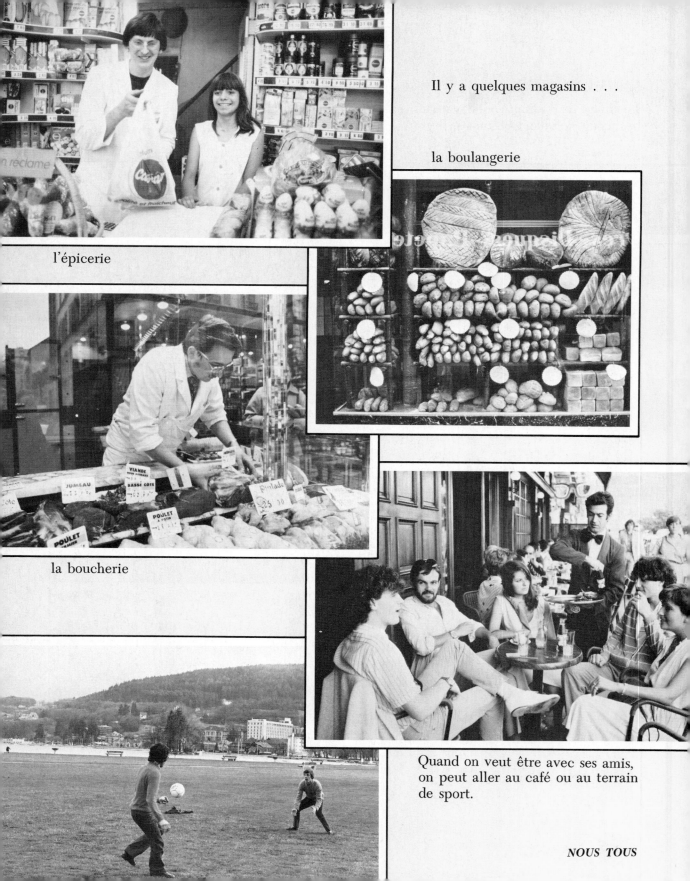

Il y a quelques magasins . . .

la boulangerie

l'épicerie

la boucherie

Quand on veut être avec ses amis,
on peut aller au café ou au terrain
de sport.

NOUS TOUS

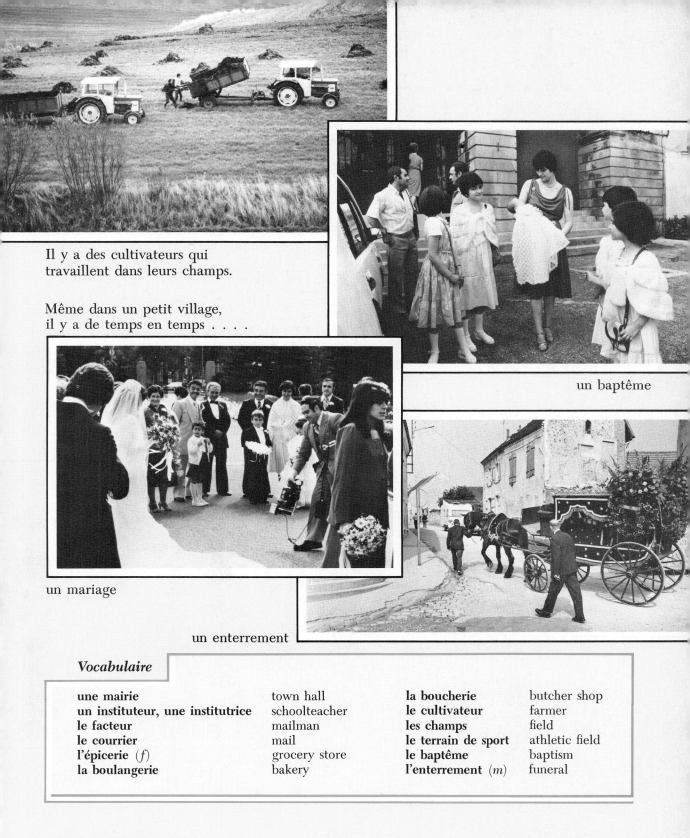

Il y a des cultivateurs qui
travaillent dans leurs champs.

Même dans un petit village,
il y a de temps en temps . . . .

un baptême

un mariage

un enterrement

Vocabulaire

une mairie	town hall	**la boucherie**	butcher shop
un instituteur, une institutrice	schoolteacher	**le cultivateur**	farmer
le facteur	mailman	**les champs**	field
le courrier	mail	**le terrain de sport**	athletic field
l'épicerie (f)	grocery store	**le baptême**	baptism
la boulangerie	bakery	**l'enterrement** (m)	funeral

A. **Une visite à Saint-André.** Imaginez que vous passez l'été dans le village de Nadine. Qu'est-ce que vous allez faire dans les situations suivantes?

> EXEMPLE   Vous avez besoin de pain.
> Je vais à la boulangerie.

1. Vous avez besoin de viande.
2. Vous avez envie de rencontrer d'autres jeunes.
3. Vous voulez parler à l'institutrice.
4. Vous avez envie de jouer au basket.
5. Vous voulez acheter du lait.
6. Vous voulez parler avec des cultivateurs.
7. Vous désirez faire la connaissance des gens du village.
8. Vous êtes invité(e) à un baptême.

B. **Les animaux de la ferme.** Dans les fermes, il y a toujours beaucoup d'animaux. Pouvez-vous identifier le cri de chaque animal?

> EXEMPLE   Les canards font coin! coin!

EXPLORATION

TALKING ABOUT WHERE YOU COME FROM OR WHAT YOU'VE JUST DONE / THE VERB VENIR

Présentation

The verb **venir** (to come) is irregular. Here are its forms.

venir			
je	**viens**	nous	**venons**
tu	**viens**	vous	**venez**
il/elle	**vient**	ils/elles	**viennent**

Passé composé: Je suis **venu**(e), etc.

- Je viens de Cluny.
- Venez nous voir, si vous avez le temps.
- Elle n'est pas venue hier.

A. **Revenir** (to come back) and **devenir** (to become) are conjugated like **venir.**

- Est-ce que tu reviens souvent au village?
- Il veut devenir instituteur comme son père.

B. To say that you have just done something use **venir de** and the infinitive. Note that **venir de** is used in the present tense.

• Je viens de trouver un dollar.	I just found a dollar.
• Nous venons d'acheter un cheval.	We just bought a horse.
• Ils viennent de déménager.	They've just moved.

Regarde. Je viens de planter vingt-quatre tomates.

A. **D'où viennent-ils?** Although Jean-Luc and his friends live in Paris, their families are originally from other regions of France. Tell what they say.

MODÈLE   Robert / Normandie
Robert vient de Normandie.

1. Je / Bourgogne
2. Claire / Provence
3. Nous / Bretagne
4. Marie et Jean / Alsace
5. Vous / Lorraine
6. Tu / Picardie

Contextes Culturels

Voici les principales régions de France.

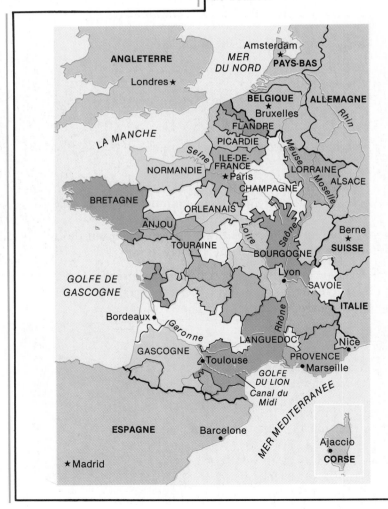

B. **Retour au village.** Some friends are talking about why they have returned to visit their villages.

> MODÈLE Ma sœur / voir ses amis
> **Ma sœur est revenue pour voir ses amis.**

1. Nous / pour le mariage de notre cousin
2. Je / pour le baptême de ma cousine
3. Tu / pour voir tes parents
4. Mes amis et moi / pour la fête du village
5. Henri / pour aider ses parents
6. Vous / pour un enterrement

Contextes Culturels

Pendant les trente dernières années beaucoup de jeunes ont quitté la campagne pour aller travailler ou étudier en ville. La population rurale est passée de 34 à 20 pour cent. Maintenant les fermes sont plus grandes et beaucoup plus modernes. Mais les Français aiment bien revenir à leur village d'origine pendant les vacances ou même pendant les week-ends.

C. **La vie à la ferme.** Madame Deschamps wants to make sure that everybody has done what they were supposed to do. Her daughter Claudine tells her that they have just done it. Give Claudine's answers.

> MODÈLE Est-ce que Patrick a fait la vaisselle?
> **Oui, il vient de faire la vaisselle.**

1. Est-ce que le courrier est arrivé?
2. Est-ce que ton père est rentré des champs?
3. Est-ce que tu es allée à la boulangerie?
4. Est-ce que tu as téléphoné à ta grand-mère?
5. Est-ce que les enfants ont déjeuné?
6. Et ton amie et toi, est-ce que vous avez mangé?

Je viens de _____. Make statements indicating which of the following activities you have done recently.

    EXEMPLE   apprendre à nager
                     Je viens d'apprendre à nager.

acheter de nouveaux vêtements
passer un week-end à la campagne
gagner un match
faire la connaissance d'un nouvel ami
voir un film intéressant
faire un voyage

manger quelque chose
apprendre mes leçons
réussir à un examen
arriver à l'école
lire un bon roman
?

Intégration

You now know three ways to talk about time that permit you to be precise about actions that relate closely to the present.

1. **Aller** with an infinitive indicates an action is going to occur in the immediate future.

       • Je vais faire le ménage.

2. **Être en train de** with an infinitive indicates an action that is occurring right now.

       • Je suis en train de faire le ménage.

3. **Venir de** with an infinitive indicates an action that has just occurred.

       • Je viens de faire le ménage.

The Leduc family is very busy. Describe their activities using one of the three expressions above.

1. Jean _____.

2. Annette _____.

3. Louise _____.

4. M. Leduc _____.

5. Mme Leduc _____.

EXPLORATION

⚜ *SAYING THINGS MORE PRECISELY*
ADVERBS

Présentation

You already know many adverbs, such as **bien, souvent, très, hier, déjà,** and **aussi.** These adverbs are usually used to tell how or when something is done.

- Je reviens souvent au village.
- Vous êtes déjà là!
- On mange bien à la campagne!

There are many other French adverbs that can be recognized by their endings in **-ment,** just as adverbs in English may be identified by their endings in **-ly.** This type of adverb is formed by adding **ment** to the feminine form of many adjectives.

parfaite — parfaitement
active — activement
première — premièrement
sérieuse — sérieusement
heureuse — heureusement (fortunately)
naturelle — naturellement
traditionelle — traditionellement
régulière — régulièrement

When, however, the masculine form of the adjective ends in a vowel, **ment** is added to this form.

sincère — sincèrement
vrai — vraiment
honnête — honnêtement
difficile — difficilement
facile — facilement
poli — poliment

Adverbs are usually placed after verbs. In the **passé composé,** however, short adverbs are placed between the auxiliary verb and the past participle; long ones are placed after.

- Nous avons déjà visité ce village.
- Ils n'ont pas répondu sérieusement.

① Vous êtes adorablement belle.

② Vous êtes suprêmement intelligente.

③ Vous êtes absolument irrésistible.

④ Vous êtes merveilleusement élégante.

⑤ Vous êtes horriblement difficile.

⑥ Mais vous, mon cher, vous êtes adverbialement bête.

A. **Tout va bien.** Upon her return to the village, Arlette's former teacher asks her how she is doing in the lycée. Give Arlette's answers.

MODÈLE Tu comprends bien?
(Oui, _____ parfaitement)
Oui, je comprends parfaitement.

1. Tu travailles bien?
(Oui, _____ sérieusement)

2. Tu réponds en classe?
(Oui, _____ poliment)

3. Tu réussis bien en maths?
(Oui, _____ facilement)

4. Tu réponds aux questions?
(Oui, _____ honnêtement)

5. Tu aimes tes études?
(Oui, _____ sincèrement)

6. Tu es contente?
(Oui, _____ vraiment)

Contextes Culturels

En général, dans chaque village il y a un instituteur et une institutrice qui font la classe aux enfants. (C'est souvent un couple.) Plus tard, les jeunes sont obligés d'aller finir leurs études dans un C.E.G. (Collège d'enseignement général) ou dans un lycée.

B. **C'est déjà fait.** Élise has a friend from out of town who is spending several days in the village. She wants to know if her friend has already done some interesting things. Give her questions.

> MODÈLE   rencontrer des gens du village?
> **Est-ce que tu as déjà rencontré des gens du village?**

1. prendre des photos du village?
2. visiter notre vieille église?
3. manger du fromage de campagne?
4. prendre quelque chose au café?
5. jouer sur notre terrain de sport?
6. passer quelques jours dans une ferme?

Communication

A. **Vous et votre école.** Answer the following questions using an adverb in your answer. Choose the adverb that seems most appropriate for your situation.

> EXEMPLE   Tu comprends bien en classe?
> Oui, je comprends facilement.
> Non, je ne comprends pas facilement.

1. Tu réussis bien en français?
2. Tu peux répondre aux questions?
3. Tu travailles bien à l'école?
4. Tu es heureux (heureuse) ici?
5. Tu as compris la dernière leçon?
6. Tu as réussi au dernier examen?

B. **Et vous?** Answer the following questions. To say you have already done these things, use **déjà** in your answer. To say that you have not done them yet use **pas encore.**

> EXEMPLE   Est-ce que vous avez déjà passé des vacances à la campagne?
> Oui, j'ai déjà passé des vacances à la campagne.
> Non, je n'ai pas encore passé des vacances à la campagne.

1. Est-ce que vous avez déjà habité à la campagne?
2. Est-ce que vous avez déjà travaillé dans une ferme?
3. Est-ce que vous avez déjà fait les vendanges?
4. Est-ce que vous êtes déjà allé(e) à un mariage?
5. Est-ce que vous êtes déjà allé(e) à un baptême?
6. Est-ce que vous avez déjà été moniteur ou monitrice dans une colonie de vacances?
7. Est-ce que vous avez déjà passé l'été dans une colonie de vacances?
8. Est-ce que vous avez déjà fait un jardin?

Intégration

Adverbs, along with adjectives, are one of the principal ways we have to make our meanings more precise. Notice how the following sentence can be made more precise, more informative, and more sophisticated by the addition of qualifying words.

- Hélène passe ses vacances dans un village.
- Ma cousine Hélène passe généralement ses vacances dans un village.
- Ma cousine Hélène passe généralement ses vacances dans un petit village de Bretagne.
- Ma cousine Hélène passe généralement ses vacances dans un très joli petit village de Bretagne.
- Ma cousine Hélène passe généralement ses vacances dans un très joli petit village de Bretagne où elle a encore de la famille.

Expand and modify the following sentences by using qualifying words.

1. Nous habitons dans une maison.
2. Je mange à l'école.
3. J'ai des classes.

EXPLORATION

 COMPARING TWO THINGS OR PEOPLE
THE COMPARATIVE

Présentation

Just as we often do in English, we can make comparisons in French by using the French equivalents of "more" (**plus**) or "less" (**moins**).

A. There are three types of comparisons.

aussi . . . que	as . . . as
plus . . . que	more (-er) . . . than
moins . . . que	less (-er) . . . than

Il est	aussi	grand	que	sa mère.
Il est	plus	grand	que	son frère.
Il est	moins	grand	que	son père.

- Paul est aussi sportif que son cousin.
- Annette est plus sympathique que Chantal.
- Ce livre de français est moins difficile que l'autre.

B. **Bon** has an irregular comparative form when it is equivalent to "better" in English.

	Singular	**Plural**
Masculine	meilleur	meilleurs
Feminine	meilleure	meilleures

- Est-ce que les fromages suisses sont meilleurs que les fromages français?

Aussi bon que and **moins bon que** are regular.

- Cette solution est moins bonne que l'autre.

C. Comparatives can also involve adverbs.

- Elle étudie plus souvent que son frère.

The adverb **bien** has an irregular form, **mieux,** which means "better." **Aussi bien** and **moins bien que** are regular.

- Tu chantes mieux que lui.
- Je danse moins bien que toi.
- Elle joue aussi bien que nous.

Préparation

A. **Comparaisons.** Tante Suzanne is comparing Georges and his sister Annie. Tell what she says.

> MODÈLE grand
> **Georges est plus grand que sa sœur.**

1. prudent
2. sérieux
3. ambitieux
4. gentil
5. beau
6. amusant
7. fort
8. impulsif

B. **Ce n'est pas vrai.** Tante Émilie doesn't agree at all with Tante Suzanne. Tell what she says about Annie. Make sure that you make the adjective feminine.

> MODÈLE grand
> **Mais non! Annie est plus grande que Georges.**

1. prudent
2. sérieux
3. ambitieux
4. gentil
5. beau
6. amusant
7. fort
8. impulsif

C. Chez Chambon où tout est bon! Henri Chambon's customers think highly of his **épicerie.** Tell what they say.

> MODÈLE   les fruits / beaux
> **Les fruits sont plus beaux.**

1. les tomates / belles
2. les haricots verts / petits
3. le lait / riche
4. les épinards / verts
5. les fromages / naturels
6. le marchand / gentil
7. le magasin / grand
8. la publicité / amusante

D. Tout est meilleur à la campagne! Madame Bonnefois thinks that everything is better in the country. Tell what she says.

> MODÈLE   les fraises
> **Les fraises sont meilleures à la campagne.**

1. le lait
2. la viande
3. les légumes
4. le vin
5. le pain
6. les tomates
7. les fruits
8. le beurre

Contextes Culturels

Dans les villages qui sont trop petits pour avoir des magasins, il y a souvent des marchands qui passent deux ou trois fois par semaine pour vendre de la viande, du poisson, du pain, etc.

E. **Un petit complexe de supériorité.** Yves Vantard thinks he can do everything better than his friend. Tell what he says.

> MODÈLE danser
> **Je danse mieux que toi!**

1. parler anglais
2. chanter
3. jouer au tennis
4. nager
5. travailler
6. faire la cuisine
7. comprendre les maths
8. lire en français

F. **Une équipe en difficulté.** The coach of Mâcon's soccer team is talking to the players about why they are less successful this season. Give his statements.

> MODÈLE gagner souvent
> **Maintenant, vous gagnez moins souvent.**

1. jouer bien
2. travailler sérieusement
3. participer activement
4. apprendre facilement
5. accepter bien mes suggestions
6. venir régulièrement aux réunions du club

MIDI OLYMPIQUE
JOURNAL NATIONAL DU RUGBY

N° 3.522

Du 20 au 26 juillet 1983

4,00 F

Espagne 70 pesetas

N° Com. Paritaire 28 431

M. 709.522 : 4 F

Direction et Rédaction : Avenue Jean-Baylet - 31095 TOULOUSE Cedex - Tél. 41.11.49

Contextes Culturels

En France les équipes sportives sont organisées par les villes et non par les écoles comme aux États-Unis.

Communication

A. **Vous et les autres.** How are you the same as or different from other young people? How are you the same as or different from older people you know? Use words from each column below to make statements that reflect your opinions.

EXAMPLE Je suis moins indépendant que les jeunes de mon âge.

Je suis { plus / aussi / moins }

actif / active
amusant(e)
ambitieux / ambitieuse
capable
courageux / courageuse
intelligent(e)
élégant(e)
énergique
enthousiaste
fort(e)
gentil / gentille
impulsif / impulsive
modeste
optimiste
poli(e)
heureux / heureuse
libre
patient(e)
prudent(e)
sérieux / sérieuse
sportif / sportive

que { les jeunes de mon âge / les adultes }

B. **Vérité ou sexisme?** Do you agree or disagree with the following statements? If you disagree, change the sentences so that they reflect your opinions.

EXAMPLE Les filles sont moins sportives que les garçons.
Non, les filles sont aussi sportives que les garçons.

1. Les filles font mieux la cuisine que les garçons.
2. Les garçons travaillent moins bien à l'école que les filles.
3. Les filles sont plus souvent malades que les garçons.
4. Les garçons sont moins compliqués que les filles.
5. Les filles étudient plus sérieusement que les garçons.
6. Les garçons sont plus ambitieux que les filles.
7. Les filles aident plus souvent leurs parents à la maison.
8. Les garçons sont plus forts en maths que les filles.
9. Les filles sont plus gentilles que les garçons.
10. Les garçons sont moins impulsifs que les filles.
11. ?

C. **Opinions.** We often compare people or things. What is your opinion about each of the following topics? The suggestions may help you in making comparisons.

> EXEMPLE La cuisine de votre mère et la cuisine de la caféteria
> La cuisine de ma mère est meilleure que la cuisine de la caféteria.

1. Les voitures américaines et les voitures japonaises — bon, cher, joli, petit, grand, élégant

2. Deux acteurs (ou deux actrices) — jouer bien, être beau, être amusant, choisir bien ses vêtements, être célèbre, être riche, être jeune, être naturel

3. Les cheveux de deux de vos ami(e)s — long, blond, brun, naturel

4. La vie à la campagne et la vie dans une ville — être libre, manger bien, travailler dur, avoir une vie intéressante

Intégration

In addition to using the comparative you know other ways of making comparisons. You know, for example, the words **comme, même,** and **ressembler.** Examine how they are used in the following sentences.

- Est-ce que la vie dans une grande ville est comme la vie dans un petit village?

- Est-ce qu'un avocat de New York ressemble à un cultivateur du Kansas?

- Est-ce qu'ils ont les mêmes problèmes et les mêmes plaisirs?

Using these words or the comparative, make at least three statements comparing city life with country life.

EXPLORATION

🔆 **TALKING ABOUT GOING OUT**
VERBS LIKE SORTIR

Présentation

The verb **sortir** means *to go out*, and **partir** means *to leave*. They are not conjugated like other **-ir** verbs but, along with **dormir** (*to sleep*), form a group of their own.

sortir			
je	**sors**	nous	**sortons**
tu	**sors**	vous	**sortez**
il/elle	**sort**	ils/elles	**sortent**

Passé composé: je suis **sorti(e)**, etc.

- Je sors rarement pendant la semaine.
- Le train part à dix-huit heures quinze.
- Est-ce que vous dormez bien?

Partir and **sortir,** like most other verbs of motion, are conjugated with **être** in the **passé composé,** but **dormir** is conjugated with **avoir.**

- Est-ce que vous êtes sorti hier soir?
- Nous avons dormi jusqu'à dix heures.
- Ils ne sont pas encore partis.

A. Coïncidences. Vincent is listening to his friends and is amazed to discover that he can say the same things about himself. What does he say?

> MODÈLE   Nous partons ce soir.
> **Moi aussi, je pars ce soir.**

1. Nous sortons de l'usine à cinq heures.
2. Mes cousins partent pour faire du camping.
3. Elles ont dormi dans une auberge de jeunesse.
4. Gérard est sorti avec Catherine.
5. Nous partons demain matin.
6. Pendant le week-end nous dormons jusqu'à midi.

B. La Vie de demi-pensionnaire. Annie and several of her friends are from a small village where there is no **lycée** and so they commute every day by bus. One of their teachers is asking them some questions. Give their answers.

> MODÈLE   À quelle heure est-ce que vous partez le matin? (7 heures)
> **Je pars à sept heures.**

1. Et vous, Annie, à quelle heure est-ce que vous partez? (6 heures et demie)
2. À quelle heure sortez-vous du lycée? (5 heures)
3. Et vous, Annie, à quelle heure est-ce que vous sortez? (6 heures)
4. Est-ce que vous sortez quelquefois pendant la semaine? (non, jamais)
5. Est-ce que vous dormez assez? (non)
6. Et vous, Jacques, est-ce que vous dormez assez? (oui)

Contextes Culturels

Beaucoup de jeunes qui habitent à la campagne sont obligés d'être internes dans un lycée ou bien de prendre l'autobus chaque jour pour aller en ville. Dans ce cas, ils sont demi-pensionnaires. C'est-à-dire qu'ils restent au lycée pendant la journée.

C. **On passe le temps comme on peut.** On the bus on the way to school several students are talking about what has happened recently. What do they say?

> MODÈLE Je / ne pas / bien dormir
> **Je n'ai pas bien dormi.**

1. Nous / sortir avec des amis hier soir
2. Nous / ne pas / assez dormir
3. Denise / sortir avec son ami hier soir
4. Henri / dormir en classe
5. Mes parents / ne pas encore / partir en voyage.
6. Je / dormir chez ma tante.

Communication

A. **Questions/Interview.** Answer the following questions or use them to interview another student.

1. Est-ce que tu dors bien quand tu as un examen le jour suivant?
2. Est-ce que tu aimes dormir jusqu'à midi pendant le week-end?
3. À quelle heure est-ce que tu pars pour l'école le matin?
4. À quelle heure est-ce que ton père ou ta mère part pour son travail?
5. Est-ce que ta famille et toi, vous partez en vacances chaque année? Où est-ce que vous allez?
6. Est-ce que tu sors souvent pendant la semaine?
7. Est-ce que tu sors souvent pendant le week-end? Où est-ce que tu vas?
8. Est-ce que tu préfères sortir avec un ou une amie ou avec un groupe de copains?
9. Est-ce que tu sors souvent avec le même garçon ou avec la même fille?

B. **Est-ce que vous brûlez la chandelle par les deux bouts?** Are you living in a way that leads to good health, or are you burning the candle at both ends? Use the suggestions below to describe your activities of the past week.

> EXEMPLE dormir (le nombre d'heures)
> Je n'ai pas assez dormi. J'ai dormi
> seulement cinq heures.

partir pour l'école (l'heure)
sortir de l'école (l'heure)
sortir le soir (le nombre de fois, où vous êtes sorti(e) et avec qui)
sortir pendant le week-end
dormir (le nombre d'heures de sommeil par jour ou par semaine)

You now know several verbs that deal with going to or from places. Note that all of them use **être** in the **passé composé.**

aller	**rentrer**
venir	**partir**
arriver	**sortir**

You also know the verb **quitter** (to leave). It always has a direct object and uses **avoir** in the **passé composé.**

- J'ai quitté la maison à huit heures.

Complete the following paragraph describing a day in the life of Sylvie, a **demi-pensionnaire** in a **lycée.** Then rewrite it, and modify it to describe a day in your life.

Hier, comme d'habitude, Sylvie _____ (aller) au lycée. Elle _____ (partir) de chez elle à six heures et demie du matin, mais elle _____ (arriver) à l'école seulement à huit heures et quart parce qu'elle est obligée de prendre l'autobus. Elle _____ (aller) à ses classes d'allemand, d'histoire, de chimie, de dessin, et de maths. Mais elle n'a pas eu sa classe de musique parce que le professeur _____ (ne pas venir). Elle _____ (ne pas sortir) du lycée pendant la journée. Après ses classes elle _____ (rester) en étude jusqu'à six heures et demie pour préparer ses devoirs pour le jour suivant. Ensuite elle _____ (quitter) le lycée pour aller prendre l'autobus et elle _____ (rentrer) chez elle. Elle _____ (arriver) à la maison à huit heures moins le quart.

PERSPECTIVES

Un Village mauritanien

Sala parle à Thérèse de Fimbo, village mauritanien d'où elle vient. C'est un village assez typique.

THÉRÈSE: Est-ce que les maisons de ton village ressemblent aux maisons françaises?

SALA: Non, absolument pas. Chez nous, il faut parler de <u>concessions</u> familiales <u>plutôt que</u> de maisons. Chaque famille a sa concession <u>à l'intérieur</u> du village.   *compounds / rather than / inside*

THÉRÈSE: Est-ce que tu peux nous dessiner ta concession?

SALA: Oui, naturellement.
<u>Autour</u> de chaque concession il y a une <u>haie</u>. Mais on peut communiquer très facilement avec ses <u>voisins</u>. À l'intérieur de la concession il y a un <u>bâtiment</u> avec une salle principale, quelques chambres, et une véranda. Mais généralement, on est <u>dehors</u>. On fait la cuisine dehors ou sous un <u>hangar</u>. On mange dehors et on dort dehors. On reste à l'intérieur seulement pendant la saison des <u>pluies</u>.   *around/hedge / neighbors / building / outside/shed / rain, showers*

THÉRÈSE:	Pourquoi?	
SALA:	Parce qu'il fait extrêmement chaud, et on est mieux dehors.	
THÉRÈSE:	Est-ce qu'on <u>fait la sieste</u>?	take a nap
SALA:	Oui, au milieu de la journée il fait trop chaud pour travailler; alors on dort à l'<u>ombre</u> sous les arbres.	shade
THÉRÈSE:	Et le soir, qu'est-ce qu'on fait?	
SALA:	On mange et on parle <u>assis</u> sur des <u>nattes</u>.* Il y a un coin pour les adultes et un coin pour les jeunes. Les enfants peuvent écouter les conversations des adultes mais ils ne peuvent pas participer à ces conversations.	seated/pads, mattresses
THÉRÈSE:	Et quand on a sommeil?	
SALA:	C'est simple. On <u>dit</u> "Bonne nuit" et on dort sur sa natte.	says

* The mattresses were formerly all made of natural fibers but are now often foam rubber.

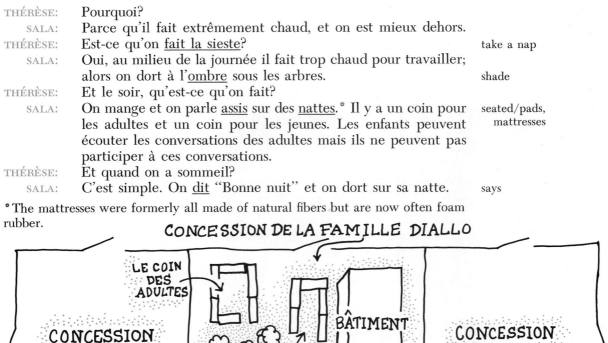

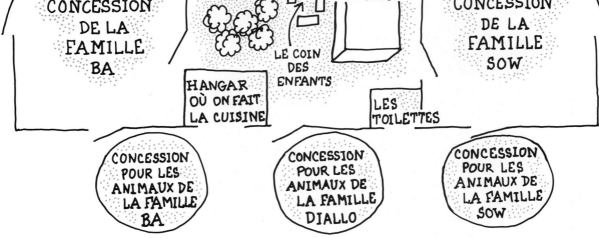

COMPRÉHENSION

1. De quel pays vient Sala?
2. Est-ce que les maisons de son village sont comme les maisons françaises?
3. Où est-ce que les familles du village habitent?
4. Qu'est-ce qu'il y a autour de chaque concession?
5. Où est-ce qu'on mange généralement?
6. Qu'est-ce qu'on fait au milieu de la journée? Pourquoi?
7. Et le soir, qu'est-ce qu'on fait?
8. Est-ce que les enfants peuvent participer aux conversations des adultes?

COMMUNICATION

A. **Chez nous.** Describe life in your community—just as Sala has described aspects of life in hers. Write at least five sentences describing some of the differences between yours and hers. Here are some topics you may want to mention.

- Le nombre de pièces qu'il y a dans votre maison.

- Où on mange, dort, discute, etc.

- Combien de personnes il y a dans votre famille, leur âge, leur personnalité, leur travail, etc.

- Les rapports entre les adultes et les enfants. Est-ce que les enfants peuvent écouter les conversations des adultes?

- Le climat de votre région. Est-ce qu'il fait plus ou moins chaud qu'en Mauritanie?

B. **Questions/Interview.** Answer the following questions or use them to interview another student.

1. D'où vient ta famille?
2. Est-ce que tu aimes mieux habiter dans une grande ville ou à la campagne?
3. À ton avis, est-ce qu'on gagne plus facilement sa vie en ville ou à la campagne?
4. Est-ce que tu as envie de visiter un jour un pays comme la Mauritanie?
5. Est-ce que tu as jamais dormi dehors?
6. Est-ce que tu aimes mieux dormir dehors ou à l'intérieur?
7. Dans ta famille est-ce que les jeunes peuvent participer aux conversations des adultes?
8. Est-ce que tu réussis aussi bien en français que dans tes autres classes?
9. Est-ce que tu as déjà fait la connaissance de personnes qui parlent quatre ou cinq langues?
10. Qu'est-ce que tu aimes faire quand tu sors?
11. Est-ce que tes parents et toi, vous sortez souvent ensemble?
12. Qu'est-ce que tu fais quand tu sors avec tes parents?

C. **Toi et moi.** Using adjectives, adverbs, and verbs that you know, compare yourself with another student in your class. The other student may agree or disagree with your statement.

EXEMPLES
- Je suis plus grand que toi.
- Non, ce n'est pas vrai. Je suis aussi grand que toi.

- Je nage mieux que toi.
- C'est vrai; tu nages mieux que moi, mais je chante mieux que toi.

VOCABULAIRE DU CHAPITRE

NOUNS RELATING TO VILLAGE LIFE

le baptême   baptism
le bâtiment   building
la boucherie   butcher shop
la boulangerie   bakery
les champs (*m*)   fields
la concession   compound
le courrier   mail
le cultivateur   farmer
l'enterrement (*m*)   funeral
l'épicerie (*f*)   grocery store
le facteur   letter carrier
la ferme   farm
la haie   hedge
le hangar   shed
la mairie   town hall
le mariage   wedding
la natte   pad, mattress
le terrain de sport   athletic field
les vendanges (*f*)   grape harvest
la véranda   veranda
les vignes (*f*)   vineyards
le vin   wine
le voisin   neighbor

NAMES OF ANIMALS

l'âne (*m*)   donkey
le canard   duck
le chat   cat
le cheval   horse
le cochon   pig
le coq   rooster
le mouton   sheep
la vache   cow

OTHER NOUNS

la conversation   conversation
le cri   sound, noise
demi-pensionnaire (*m* or *f*)   day student
l'instituteur, l'institutrice   teacher
le moniteur, la monitrice   counselor
l'ombre (*f*)   shade
la pluie   rain
les pluies   showers, rains

VERBS

communiquer   to communicate
cultiver   to grow, cultivate
devenir   to become
il dit   he says
dormir   to sleep
faire la sieste   to take a nap
partir   to leave
revenir   to come back, return
sortir   to go out
venir   to come
venir de + infinitive   to have just

ADVERBS AND ADJECTIVES

absolument   absolutely
assis   seated
dehors   outside
heureusement   fortunately
juste   just
meilleur   better
mieux   better
pas encore   not yet
plutôt que   rather than
scolaire   academic

PREPOSITIONAL PHRASES

à l'intérieur   inside
autour de   around

QUATRIÈME CHAPITRE

La Vie dans les grandes villes

4

INTRODUCTION

Une Visite à la Comédie Française

Le professeur de français d'un lycée de la <u>banlieue</u> parisienne a décidé d'<u>emmener</u> ses élèves voir une <u>pièce</u> de Molière à la Comédie Française.

suburbs
to take/play

CORINNE	On va prendre le <u>métro</u>, Madame?

subway

LE PROFESSEUR — Non, avec trente-cinq élèves, c'est trop compliqué. Je ne veux pas vous perdre dans le métro.

JEAN-MARC — Moi, je sais <u>conduire</u>. J'ai mon <u>permis</u> depuis deux mois. Je peux demander à mon père de me <u>prêter</u> sa voiture.

to drive/license
lend

GÉRARD — Ton père te <u>laisse</u> conduire sa voiture?

lets

JEAN-MARC — Oui, quelquefois.

CORINNE — Je <u>parie</u> que tu ne sais pas conduire dans Paris. Mon père est <u>chauffeur</u> de taxi et il dit que la <u>circulation</u> est impossible.

bet
driver/traffic

LE PROFESSEUR — C'est vrai. C'est pour ça que j'ai réservé un <u>car</u> pour cette excursion.

charter bus

SUZANNE — Chic! Moi, j'aime bien prendre l'autobus; comme ça on peut voir beaucoup de choses.

COMPRÉHENSION

Answer the following questions based on *Une Visite à la Comédie Française.*

1. Dans quelle partie de Paris ces élèves habitent-ils?
2. Quelle pièce vont-ils aller voir et où?
3. Est-ce qu'ils vont prendre le métro pour aller à la Comédie Française?
4. Pourquoi est-ce que le professeur préfère ne pas prendre le métro?
5. Depuis combien de temps Jean-Marc a-t-il son permis de conduire?
6. Quelle est la profession du père de Corinne?
7. Comment est la circulation à Paris?
8. Pourquoi est-ce que Suzanne aime prendre l'autobus?

Choisissez la description qui va avec chaque photo.

1. Notre Dame
2. la Tour Eiffel
3. le Sacré-Cœur
4. l'Arc de Triomphe
5. le Jardin du Luxembourg
6. le Palais du Louvre
7. les Champs-Élysées

Vocabulaire:

construit	constructed	**haut**	high
le palais	palace	**nombreux/euse**	numerous
autrefois	formerly	**la colline**	hill
situé	located	**le siècle**	century
l'exposition (f)	exhibit, fair	**tranquille**	peaceful

a. _____ de Paris, construite du 12e au 14e siècle, est une très belle cathédrale.

b. _____, autrefois une résidence royale, est devenu un musée après la Révolution.

c. _____, construit en l'honneur des victoires de Napoléon, est situé au centre de la place de l'Étoile. Il y a douze avenues qui partent de cette place.

d. _____, construite par l'ingénieur Eiffel pour l'Exposition universelle de 1889 (mille huit cent quatre-vingt-neuf), a 300 mètres de haut.

e. Voici _____, une belle avenue qui va de l'Arc de Triomphe à la place de la Concorde.

f. Construit sur la colline de Montmartre, _____ est une église très spectaculaire.

g. Dans _____ il y a toujours de nombreux enfants qui jouent, des étudiants et des gens qui viennent là pour passer un moment tranquille.

EXPLORATION

🔱 *GETTING READY FOR THE DAY*
USING REFLEXIVE VERBS IN THE INFINITIVE

Présentation

To talk about things you do to or for yourself, like washing or combing your hair, it is necessary to use a reflexive verb. This type of verb always requires the use of a reflexive pronoun that refers to the same person as the subject. Notice that the reflexive pronouns are similar to direct object pronouns except in the third person where **se** is used.

se préparer			
je vais	**me préparer**	nous allons	**nous préparer**
tu vas	**te préparer**	vous allez	**vous préparer**
il/elle va	**se préparer**	ils/elles vont	**se préparer**

To understand the meaning of reflexive verbs, you cannot try to translate them word-for-word into English. **Je vais me préparer** is similar to "I'm going to get ready." Pay attention to the meanings when learning the following reflexive verbs:

se préparer	to get ready	Je préfère me préparer maintenant.
se lever	to get up	À quelle heure est-ce que tu vas te lever?
se lever tôt	to get up early	Est-ce que tu aimes te lever tôt?
se lever tard	to get up late	Solange va se lever tard.
se réveiller	to wake up	J'aime me réveiller tard.
se laver	to wash	Je voudrais me laver.
se peigner	to comb one's hair	Vous avez oublié de vous peigner.
s'habiller	to get dressed, to dress	Ils sont en train de s'habiller.
se coucher	to go to bed	Nous n'avons pas envie de nous coucher.

Note that the infinitive of reflexive verbs can be used with the following verbs: **vouloir, préférer, aimer, oublier de, commencer à, pouvoir, espérer, être obligé de, avoir besoin de, avoir envie de.**

Quelques phrases qu'on n'entend jamais

Tu peux te coucher quand tu veux.

Tu n'as pas besoin de te lever; tu peux rester au lit jusqu'à midi si tu veux.

Tiens, voilà une nouvelle chaîne stéréo pour t'aider à te réveiller le matin.

Préparation

A. **À quelle heure?** Several students are saying when they're going to get up for the field trip that their teacher has planned to the Centre Pompidou. What do they say?

> MODÈLE   7 heures
> **Je vais me lever à sept heures.**

1. 6 heures et demie
2. 7 heures et demie
3. 7 heures et quart
4. 8 heures moins le quart
5. 8 heures dix
6. 7 heures vingt

Contextes Culturels

Le Centre Pompidou est un musée très moderne. Certains aiment son architecture; d'autres la détestent. En plus de diverses expositions, il y a des spectacles audiovisuels, des salles de lecture, des programmes spéciaux pour les jeunes, etc.

B.   **Heureusement que maman est là!**   Suzanne's mother is reminding her of what she needs to do to get ready. What does she say?

> MODÈLE   se peigner
> **Tu as besoin de te peigner.**

1. se réveiller
2. se lever
3. se préparer
4. se laver
5. se peigner
6. s'habiller

C.   **Avant le départ.**   Everyone is busy getting ready for the field trip. Tell what they're doing.

> MODÈLE   nous / nous préparer
> **Nous sommes en train de nous préparer.**

1. Anne-Marie / se peigner
2. je / me laver
3. vous / vous peigner
4. les autres / s'habiller
5. tu / te préparer
6. nous / nous habiller

D.   **Comment est-ce qu'on va s'habiller?**   Some friends are planning to go to a concert at the Olympia. They are asking each other what they are going to wear. Tell what they say.

> MODÈLE   nous
> **Comment est-ce que nous allons nous habiller?**

1. tu
2. Corinne
3. vous
4. Gérard
5. les autres
6. je

Contextes Culturels

Chanter à l'Olympia est le rêve de beaucoup de chanteurs et chanteuses. À l'Olympia on peut entendre les célébrités françaises et étrangères du monde de la chanson.

THE GREAT EDITH PIAF

SIDE ONE
LA VIE EN ROSE
PADAM PADAM
DON'T CRY
(C'EST D'LA FAUTE)
UNE ENFANT

SIDE TWO
AUTUMN LEAVES
L'ACCORDEONISTE
CHANTE MOI
IF YOU LOVE ME
(REALLY LOVE ME) (HYMNE A L'AMOUR)
'CAUSE I LOVE YOU
(DU MATIN JUSQU'AU SOIR)

E. Obligations et préférences. Sylviane is talking about some of the things she has to do. What does she say?

> MODÈLE être obligé de se lever à sept heures
> **Je suis obligée de me lever à sept heures.**

1. préférer se lever à dix heures
2. avoir besoin de se préparer maintenant
3. vouloir se peigner
4. ne pas avoir envie de se coucher tôt
5. ne pas aimer se lever tôt

F. Habitudes. A cousin from Quimper in Brittany (Bretagne) has come to Paris to visit his relatives and is asking about the family routine. Give his cousin's answers to his questions.

> MODÈLE À quelle heure est-ce que ton père aime se coucher?
> (10 heures et demie)
> **Il aime se coucher à dix heures et demie.**

1. À quelle heure est-ce que vous êtes obligés de vous lever? (6 heures et demie)
2. Est-ce que tu préfères te laver le soir ou le matin? (le soir)
3. Est-ce que tes parents aiment se coucher tôt? (oui)
4. À quelle heure est-ce qu'ils commencent à se préparer le matin? (6 heures et demie)
5. Est-ce que tu aimes te lever le premier? (non)
6. Est-ce que ton petit frère peut s'habiller seul? (oui)

Contextes Culturels

Les "vrais" Parisiens, est-ce que ça existe? Oui, bien sûr, mais beaucoup de Parisiens habitent à Paris seulement depuis une ou deux générations et le reste de leur famille est encore en province. Il y a aussi à Paris une très importante population internationale: des Vietnamiens, des Arabes, des Africains, etc. Cette diversité est évidente dans la variété des restaurants et des magasins parisiens.

A. **Obligations et préférences.** Using the phrases below, tell some of the things you have to do or like to do.

EXEMPLE   Je suis obligé(e) de me lever à cinq heures du matin.

Obligations	Préférences
je suis obligé(e) de je ne peux pas j'ai besoin de	j'ai envie de je n'ai pas envie de je voudrais je préfère j'aime bien je n'aime pas

1. se coucher tôt
2. se peigner pendant la classe
3. se lever à six heures du matin
4. se coucher tard
5. se réveiller avec de la musique
6. se lever tard
7. se préparer en cinq minutes
8. se coucher tard et se lever très tôt
9. se laver à l'eau froide
10. ?

B. **Questions/Interview.** Using the suggestions in *Obligations et préférences,* make questions to interview another student. Report your findings to the rest of the class.

EXEMPLE   Est-ce que tu aimes te lever à six heures du matin?

Intégration

The reflexive verbs that you have just learned describe typical daily activities. You also know many non-reflexive verbs for the things you do. All of these verbs can be used with **aller** to describe what you are going to do in the near future.

EXEMPLES Je vais me réveiller tôt.
Je vais me lever et me laver rapidement.
Je vais prendre mon petit déjeuner.
Ensuite je vais m'habiller et je vais partir pour l'école.

Use the illustrations below to tell some of the things that Jean-Luc is going to do tomorrow.

EXEMPLE Il va se lever à dix heures.

EXPLORATION

⚜ TALKING ABOUT YOURSELF AND WHAT YOU DO USING REFLEXIVE VERBS IN THE PRESENT TENSE

═ Présentation ═══════════════════

To use reflexive verbs to talk about what you do or others do, place the reflexive pronoun before the verb. Note that the reflexive pronoun occupies the same position as any other object pronoun.

```
┌── s'habiller ──────────────────────┐
│ je m'habille        │ nous nous habillons    │
│ tu t'habilles       │ vous vous habillez     │
│ il/elle s'habille   │ ils/elles s'habillent  │
└─────────────────────────────────────┘
```

- Nous nous couchons tard.
- Il s'habille très bien.
- Est-ce que tu te lèves tôt?*

*The forms of **se lever** are: **je me lève, tu te lèves, il/elle se lève, nous nous levons, vous vous levez, ils se lèvent.** Note that all of the forms except the first and second person plural have an accent.

A. To form the negative of reflexive verbs, place the **ne** before the reflexive pronoun and the **pas** or **jamais** after the verb.

- Il ne se peigne jamais.
- Je ne me réveille pas facilement.
- Vous ne vous couchez pas assez tôt.

B. Like all verbs, reflexives can be used to give orders. In the affirmative command, the reflexive pronouns are **toi** and **vous,** and they are placed after the verb.

- Levez-vous tout de suite.
- Lave-toi bien.

In the negative imperative the reflexive pronouns **te** and **vous** are placed before the verb and the **pas** after.

- Ne te couche pas trop tard.
- Ne vous préparez pas maintenant.

C.   Here are some other useful reflexive verbs.

s'amuser — to have a good time   On s'amuse bien ici.
s'arrêter — to stop   Arrête-toi à la boulangerie.
se dépêcher — to hurry   Dépêche-toi, nous partons.
se reposer — to rest   Tu ne te reposes pas assez.
se débrouiller — to manage, to   Anne se débrouille bien en
       get along   français.

Préparation

A.   **Une journée typique.**   Jean-Louis, a student at the Lycée Louis-le-
Grand, is describing his typical morning activities. Tell what he says.

    MODÈLE   se lever à 7 heures.
            Je me lève à sept heures.

1.   se réveiller à 6 heures et demie
2.   se lever tout de suite
3.   se préparer
4.   se laver
5.   se peigner un peu
6.   s'habiller
7.   se dépêcher de déjeuner
8.   s'arrêter à la boulangerie

> **Contextes Culturels**
> Le lycée Louis-le-Grand est
> un des lycées les plus
> célèbres de Paris. Il est situé
> dans le quartier Latin, der-
> rière la Sorbonne.

B. **Mais pendant le week-end, c'est autre chose!** On week-ends Jean-Louis likes to do everything he can't do during the week. Tell what he does not do.

> MODÈLE   se lever tôt
> **Je ne me lève pas tôt.**

1. se réveiller à 6 heures et demie
2. se lever tout de suite
3. s'habiller tout de suite
4. se préparer pour aller à l'école
5. se dépêcher de déjeuner
6. se coucher tôt

C. **Bonne nuit!** Several friends are telling what time they usually go to bed. Tell what they say.

> MODÈLE   Henri / 10 h
> **Henri se couche à dix heures.**

1. nous / 11 h   **4.** les enfants / 9 h
2. mon frère / 9 h 30   **5.** tu / 12 h
3. vous / 10 h 30   **6.** je / 11 h 15

D. **Un frère autoritaire.** Jean Lebrute is always bossing his brother around. Tell what he says.

> MODÈLE   se lever plut tôt
> **Lève-toi plus tôt.**

1. se laver bien
2. s'habiller mieux
3. se préparer maintenant
4. se dépêcher
5. s'arrêter de parler
6. se coucher tout de suite

E. **Il faut se reposer.** Gilbert is leaving for a short vacation and his friends are telling him how to get some rest. Tell what they say.

> MODÈLE   ne pas se réveiller tôt
> **Ne te réveille pas trop tôt.**

1. ne pas se lever tôt
2. ne pas s'habiller pour déjeuner
3. ne pas se dépêcher
4. ne pas se coucher tard
5. ne pas s'amuser trop

F. Conseils. Janine is telling some friends what they should do in order to enjoy their stay in Paris.

> MODÈLE s'arrêter pour prendre quelque chose dans un café
> **Arrêtez-vous pour prendre quelque chose dans un café.**

1. ne pas se dépêcher
2. se reposer quand vous êtes fatigués
3. ne pas se coucher trop tard
4. s'arrêter pour regarder les monuments
5. s'amuser bien

Contextes Culturels

Si vous n'avez pas d'amis à Paris qui peuvent vous donner des conseils, vous pouvez toujours aller à un Syndicat d'Initiative. Là, il y a des personnes qui peuvent vous indiquer de bons restaurants, de bons hôtels, de bons spectacles, et des visites intéressantes à faire.

Communication

A. Jour après jour . . At what time do you do the following activities on a typical school day? Use each of the verbs below to describe your typical daily schedule.

> EXEMPLE En général, je me réveille à six heures et demie.

1. se réveiller
2. se lever
3. se laver
4. s'habiller
5. se préparer pour aller à l'école
6. se reposer
7. se peigner
8. s'arrêter de travailler
9. s'amuser
10. se coucher

B. **Avez-vous de l'autorité?** Use reflexive verbs to give orders to other students. They will either agree or disagree with your orders.

EXEMPLE Couche-toi à neuf heures du soir.
Non, je ne veux pas me coucher à neuf heures du soir.
Oui, je vais me coucher à neuf heures du soir.

Intégration

You have learned some verbs that may be reflexive or that may not be. **Préparer,** for example, is reflexive when the action is done to oneself but not when it is done to someone or something else.

- Je me prépare.
- Je prépare le dîner.

Thus, when the subject and object are the same, the verb is called reflexive. When they are different, it is like other verbs that you know already and that take direct objects.

Describe the actions below using reflexive verbs or verbs with direct objects.

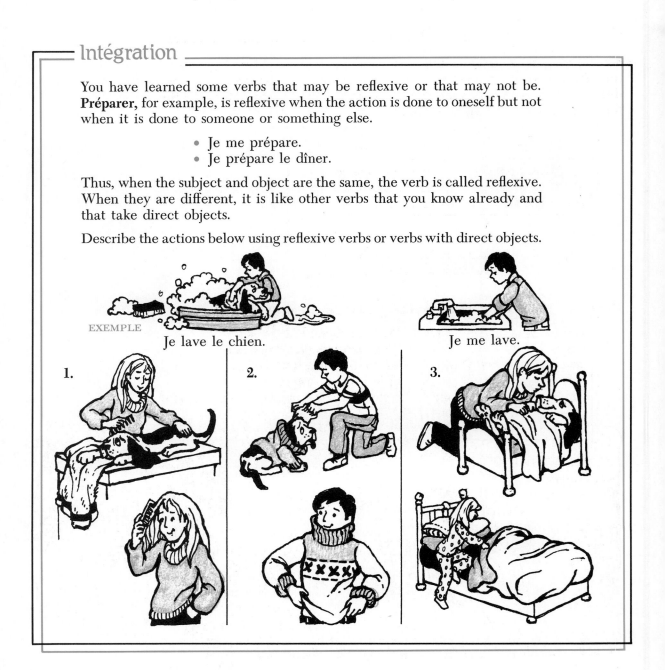

EXEMPLE
Je lave le chien.

Je me lave.

1.

2.

3.

EXPLORATION

⚜ **TALKING ABOUT DRIVING**
THE VERB CONDUIRE

═ Présentation ═══════════════════

You already know how to talk about different ways of getting around (**marcher, faire une promenade, voyager en voiture, en avion,** etc.). **Conduire** (*to drive*) is useful when talking about traveling by car. Here are the forms of the irregular verb **conduire**.

┌─ conduire ─────────────────┐
je **conduis**	nous **conduisons**
tu **conduis**	vous **conduisez**
il/elle **conduit**	ils/elles **conduisent**

Passé composé: j'ai **conduit**

- Je ne conduis pas souvent en ville.
- Vous conduisez très bien.
- Qui vous a conduit à la gare?

Here are some useful words describing how people drive.

bien — well	Nous conduisons très bien.
mal — poorly	Je ne conduis pas trop mal.
lentement — slowly	Conduisez plus lentement.
vite — fast	Elle conduit trop vite.
comme un fou (une folle) — like a crazy person	Attention! Tu conduis comme un fou!

Oui, j'ai mon permis de conduire.

Non, je ne conduis pas trop vite.

Oui, je conduis très bien.

Oui, j'ai une voiture.

A. Je suis parfait! Jean Chauvin thinks that he drives better than anyone else. Tell what he says.

MODÈLE Pierre / mal
Pierre conduit mal.

1. Mon frère / comme un fou
2. Mes sœurs / trop vite
3. Tu / très mal
4. Nous / bien
5. Vous / trop lentement
6. Je / très bien

Contextes Culturels

Les Français ont depuis longtemps la réputation de conduire très vite et d'être très impatients avec les autres chauffeurs. Mais de récents sondages (*polls*) montrent que cette attitude est en train de changer peu à peu. La voiture occupe une place très importante dans la vie des Français. Ils l'utilisent pour aller au travail et pour des promenades en voiture pendant le week-end.

B. Sur l'Autoroute du Soleil. Some friends are driving back to Paris after their summer vacation on the Côte d'Azur. Tell which portion of the trip each drove.

MODÈLE Robert / de Nice à Salon.
Robert a conduit de Nice à Salon.

1. Je / de Salon à Avignon
2. Nous / d'Avignon à Valence
3. Tu / de Valence à Lyon
4. Michelle / de Lyon à Châlon
5. Vous / de Châlon à Avallon
6. Les autres / d'Avallon à Paris

Contextes Culturels

Il y a en France d'excellentes autoroutes. On peut aller rapidement d'une région à l'autre, mais il faut payer. Voici une des cartes qu'on donne à l'entrée de l'autoroute.

Communication

A. Questions/Interview. Answer the following questions or use them to interview another student.

1. Est-ce que tu sais conduire? Si oui, depuis quand?
2. Est-ce que tu as ton permis de conduire?
3. Est-ce que tu conduis bien?
4. Est-ce que tu as déjà conduit dans une grande ville?
5. Est-ce que tu as des amis qui savent conduire?
6. Quand tu voyages avec ta famille, qui conduit?
7. Est-ce qu'il ou elle conduit bien?
8. Quelle sorte de voiture tes parents conduisent-ils?
9. Est-ce que tu as envie de conduire une voiture de sport?
10. Est-ce que tu as envie de conduire à Paris?

B. Sondage. Take a poll of students in your class to find out how they answer the following questions.

EXEMPLE les filles / les garçons
Qui conduit mieux—les garçons ou les filles?
Les filles conduisent mieux que les garçons.

1. les professeurs / les étudiants
2. les jeunes / les vieux
3. les Français / les Américains
4. les chauffeurs de taxi / les chauffeurs d'autobus
5. les garçons / les filles

You now know many ways to tell about how to get from one place to another.

à pied   voyager en avion
en train   marcher
en voiture   faire une promenade
en car   conduire
en autobus
en vélo
en moto

Tell how the following people got to Paris.

EXEMPLE   Ils sont venus à pied.

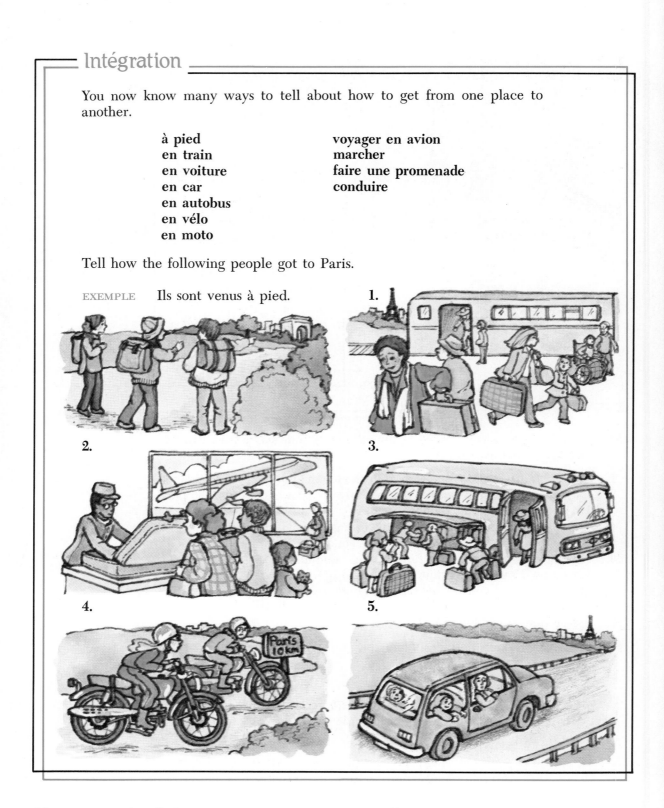

1.

2.

3.

4.

5.

EXPLORATION

⚜ **EXPRESSING MOST AND LEAST**
THE SUPERLATIVE

═ Présentation ═══════════════════════

To express the idea of the *most,* the *least,* and the *best* we use superlatives. In a sense, superlatives set off someone or something from a group.

A.   Superlatives are formed by using the appropriate definite article with **plus** or **moins** before the adjective.

le	plus		
la		+	adjective
les	moins		

Note that whereas in English we use **in** after the superlative, French uses **de.**

- C'est un grand hôtel. C'est le plus grand hôtel de Paris.
- C'est une ville fascinante. C'est la ville la plus fascinante des États-Unis.
- Ce sont de beaux jardins. Ce sont les plus beaux jardins de la ville.

B.   To talk about *the best,* use the superlative of **bon.** The forms are irregular, just as they were in the comparative.

> le meilleur film
> la meilleure pièce
> les meilleurs acteurs
> les meilleures actrices

C.   Superlatives are also used with adverbs. These superlatives are formed by placing **le plus** or **le moins** before the adverb. The superlative of **bien** is **le mieux.**

- C'est Janine qui conduit le plus souvent.
- Ce n'est pas elle qui conduit le mieux.

Préparation

A. **Notre quartier.** Chantal, a student at the Sorbonne who lives in the Latin Quarter, is showing her neighborhood to her younger sister. What does she say?

> MODÈLE une vieille maison
> **C'est la plus vieille**
> **maison du quartier.**

1. un grand magasin
2. une belle église
3. un petit restaurant
4. un vieux monument
5. une grande avenue
6. un joli parc

Contextes Culturels

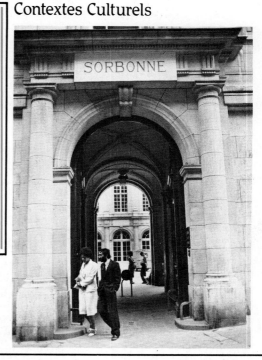

Le Quartier Latin, un des plus vieux quartiers de Paris, est le quartier des universités et des grandes écoles. C'est là que beaucoup d'étudiants habitent.

B. **À la Tour d'Argent.** The headwaiter at the Tour d'Argent is very proud of the restaurant where he works. Tell what he says.

> MODÈLE   un bon restaurant
> **Nous avons le meilleur restaurant de Paris**

1. un bon choix
2. une bonne ambiance
3. de bonnes viandes
4. de bons légumes
5. de bons poissons
6. de bons vins
7. de bons fromages
8. de bonnes glaces
9. de bons desserts
10. un bon café

C. **À Paris, tout est plus beau.** After visiting Paris, David thinks it's the greatest place in the world. What does he tell a friend about the city?

> MODÈLE   de bonnes écoles   des gens célèbres
> **les meilleures écoles   les gens les plus célèbres**

1. de beaux magasins
2. des musées intéressants
3. des expositions fascinantes
4. de bonnes pièces de théâtre
5. de belles avenues
6. des spectacles amusants
7. de jolis parcs

D. Qu'est-ce qu'on va faire ce soir? Several Parisians are talking about the best way to spend the evening. Tell what they say.

MODÈLE Il y a un beau spectacle à Versailles.
On dit que c'est le plus beau spectacle.

1. Il y a une jolie exposition.
2. Il y a un match intéressant.
3. Il y a un bon concert.
4. Il y a une grande course de vélo.
5. Il y a un reportage intéressant.
6. Il y a un film fascinant.
7. Il y a une bonne pièce de théâtre.

Contextes Culturels

Versailles, c'est le château de Louis XIV, le "Roi Soleil." Arrivé sur le trône à l'âge de cinq ans, Louis XIV est très ambitieux. Il veut être le plus grand roi, avoir le plus grand château. Il choisit les meilleurs architectes, le meilleur décorateur, le meilleur dessinateur de jardins. Le résultat, c'est le plus grand et le plus beau château du monde.

E. Au Printemps. Serge is shopping for some items at Le Printemps.
Give the clerks' answers to his questions.

MODÈLE   Je cherche une bonne guitare.
Voici la meilleure guitare.

1. Je voudrais un bon blue-jeans.
2. Je cherche une bonne radio.
3. Je voudrais de bonnes chaussures.
4. Je voudrais acheter un bon vélo.
5. Je cherche de bons disques.
6. J'ai envie de manger une bonne glace.
7. Je voudrais lire un bon roman.

Contextes Culturels

Le Printemps et les Galeries
Lafayette sont deux des plus
grands magasins de Paris.

F. Courses d'automobiles. Some friends are talking about a woman
race-car driver. Tell what they say.

MODÈLE   Est-ce qu'elle se prépare bien pour les courses?
Oui, c'est elle qui se prépare le mieux.

Contextes Culturels

1. Est-ce qu'elle gagne souvent?
2. Est-ce qu'elle conduit bien?
3. Est-ce qu'elle conduit vite?
4. Est-ce qu'elle participe souvent
   à des courses?
5. Est-ce qu'elle choisit bien ses mécaniciens?
6. Est-ce qu'elle risque souvent sa vie?

Les femmes participent
maintenant aux plus grandes
courses automobiles, comme
les 24 Heures du Mans qui
ont longtemps été réservées
aux hommes.

A. **À mon avis.** Tell who or what in your opinion best fits the following descriptions.

> EXEMPLE   la plus belle région des États-Unis
> À mon avis, la plus belle région des États-Unis est la Californie.

1. le meilleur chanteur
2. la meilleure chanteuse
3. la plus belle ville des États-Unis
4. le meilleur joueur de football de votre école
5. la meilleure équipe de baseball des États-Unis
6. le meilleur film de l'année
7. le disque le plus intéressant
8. le livre le plus intéressant
9. la classe la plus difficile
10. le sport le plus fatigant
11. l'acteur le plus amusant
12. l'actrice la plus amusante

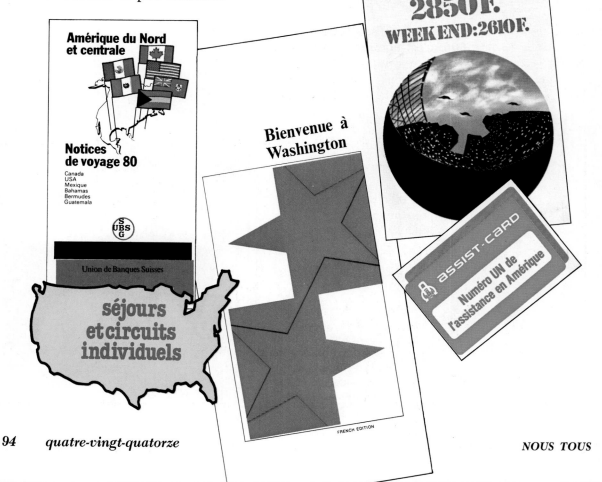

B. **Devinez.** Prepare your answers to the following. Then see if other students can guess your answers.

EXEMPLE Devinez . . . le dessert que j'aime le mieux.
Le dessert que tu aimes le mieux est la glace au choco-
lat.
Oui, c'est le dessert que j'aime le mieux.

1. la personne que j'admire le plus
2. le dessert que j'aime le mieux
3. le cinéma où je vais le plus souvent
4. la classe où je travaille le mieux
5. la revue que je lis le plus souvent
6. l'acteur ou l'actrice que je désire le plus rencontrer un jour.
7. le légume que j'aime le moins
8. le programme de télévision que je regarde le plus souvent
9. le disque que j'écoute le plus souvent

C. **Quiz.** Can you answer the following questions?

1. Quelle est la plus grande ville du monde?
2. Quel est le plus petit état des États-Unis?
3. Et le plus grand?
4. Quelle est la plus grande ville de France?
5. Quelle est la plus haute montagne du monde?
6. Quelle est la plus haute montagne d'Europe?
7. Quel est le plus haut bâtiment de New York?
8. Quelle est la plus vieille ville des États-Unis?

Intégration

You now know several ways of describing, comparing, and making judgments about people and things. They range from using simple adjectives and adverbs to comparatives and superlatives.

EXEMPLE Qu'est-ce que c'est?
C'est une grande ville.
C'est une très grande ville.
C'est une plus grande ville que Lyon.
C'est la plus grande ville de France.

Qu'est-ce que c'est?
Paris, bien sûr.

Use the example above as a guide to make a similar series of statements about things such as a team, a singer, an actress, etc. See if other students can guess who or what you are describing.

PERSPECTIVES

Comment se débrouiller à Paris.

Est-ce que vous allez pouvoir vous débrouiller à Paris? Pour vous préparer, essayez de répondre aux questions suivantes.

L'arrivée à Paris

Votre avion vient d'arriver à l'aéroport d'Orly qui est à vingt kilomètres de Paris. Vous pouvez . . .

a. prendre un taxi
b. prendre un autobus spécial qui va jusqu'aux Invalides
c. prendre le métro

Le métro

Vous êtes maintenant aux Invalides. Vous voulez prendre le métro parce que c'est le moyen de transport le moins cher. Vous consultez un des plans du métro qu'on trouve dans les stations. Votre hôtel est situé dans le Quartier Latin, près du Jardin du Luxembourg. C'est assez loin. Il faut changer de ligne. Vous êtes fatigué(e). Vous décidez que la meilleure solution est de . . .

means of transportation/maps

line, route

a. prendre un autobus parce que ce n'est pas cher et vous pouvez demandez au chauffeur où il faut descendre.
b. prendre un taxi parce que c'est plus rapide et plus confortable que le métro ou l'autobus.
c. prendre le métro et d'essayer de vous débrouiller.

Paris la nuit

Vous aimez marcher dans les rues de Paris la nuit—surtout les Champs-Élysées—et vous avez oublié l'heure. Il est une heure du matin et vous êtes près de l'Arc de Triomphe. Comment allez-vous rentrer?

a. Je vais prendre le métro.
b. Je vais prendre l'autobus.
c. Je risque d'être obligé(e) de prendre un taxi ou de rentrer à pied.

La banlieue

Vous avez des amis qui habitent à St Germain-en-Laye, dans la banlieue parisienne. Vous désirez aller les voir. La solution la plus économique est de . . .

a. louer une voiture
b. prendre un taxi
c. aller en métro jusqu'à la gare de Lyon et prendre un train de banlieue

rent

La circulation

Vous êtes sur le boulevard de l'Opéra et vous désirez traverser le boulevard.
Qu'est-ce que vous faites?

a.   Je peux traverser n'importe où.   anywhere
b.   Je suis obligé(e) de prendre un passage pour piétons.   pedestrian crossing
c.   Je demande à un agent de m'aider à traverser.

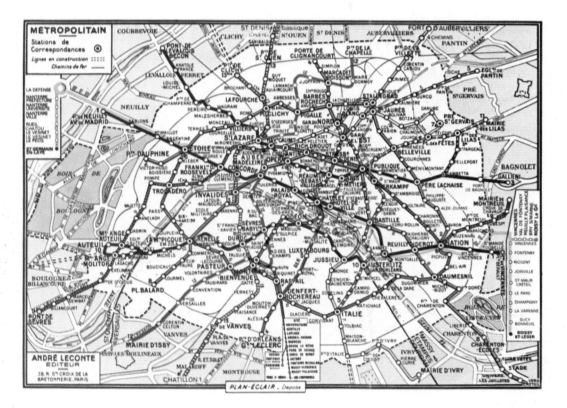

COMPRÉHENSION

Tell whether the following statements are **vrai** or **faux** based on *Comment se débrouiller à Paris.*

1.   On est obligé de prendre un taxi pour aller de l'aéroport au centre de Paris.
2.   Le métro est le moyen de transport le plus économique.
3.   Il n'y a pas de plans du métro dans les stations.
4.   Il y a seulement une ligne de métro à Paris.
5.   On ne peut pas prendre le métro après minuit.
6.   St Germain-en-Laye est situé au centre de Paris.
7.   Les piétons peuvent traverser où ils veulent.

COMMUNICATION

A. **À mon avis.** Using the adjectives given below, compare and contrast different means of transportation.

> EXEMPLE   À mon avis, c'est la voiture qui est la plus pratique.

Moyens de transport: la voiture, la moto, le train, l'avion, l'autobus, le métro, le vélo, le taxi
Adjectifs: économique, pratique, confortable, cher, amusant, fatigant

B. **Une visite à Paris.** Use the following questions as a guide and describe a trip to Paris.

1. Quels moyens de transport allez-vous utiliser pour aller à Paris?
2. Avec qui allez-vous voyager?
3. En quelle saison allez-vous visiter Paris? Pourquoi?
4. Combien de temps est-ce que vous allez passer à Paris?
5. Où allez-vous rester?
6. Quels monuments voulez-vous voir?
7. Et le soir, qu'est-ce que vous allez faire?

C. **Code de la route.** Imagine that the people you are traveling with have decided to rent a car. You're helping them drive in Paris. Which signs prompt you to make each of the following comments?

1. Conduisez moins vite! Il y a des ouvriers qui réparent la route.
2. Arrêtez-vous et laissez passer les piétons.
3. Attention! Il y a des enfants qui vont à l'école.
4. Vous ne pouvez pas laisser votre voiture ici.
5. Ne tournez pas dans cette rue.
6. Attention! On ne peut pas tourner à gauche ici.

D. **Interview** Using the suggestions below, make up questions to find out about another student's daily activities. Then report your findings to the rest of the class.

> EXEMPLE   Est-ce que tu te réveilles facilement ou difficilement?

1. se réveiller (à quelle heure; facilement ou difficilement)
2. se lever (à quelle heure pendant la semaine; et pendant le week-end)
3. se préparer (vite ou lentement)
4. se dépêcher (quand; pourquoi)
5. se coucher (tôt ou tard)
6. se débrouiller bien (en français; en maths; à l'école)
7. s'arrêter après l'école (où; pourquoi)

E. **Ah! Ces Parisiens!** Imagine that you are in Paris at a sidewalk café and are watching people drive by. Based on the illustrations below, what comments would you make?

1.

2.

3.   4.   5.

VOCABULAIRE DU CHAPITRE

NOUNS RELATING TO TRANSPORTATION

l'autoroute (*f*) highway
la banlieue suburbs
le car charter bus
le centre center
le chauffeur driver
la circulation traffic
l'excursion (*f*) trip
la ligne line, route
le métro subway
le moyen de transport means of transportation
le passage crossing
le permis license
le permis de conduire driver's license
le piéton pedestrian
le plan map
la route road
le taxi taxi

OTHER NOUNS

l'arrivée (*f*) arrival
la colline hill
l'exposition (*f*) exhibit, fair
le palais palace
la pièce play
la résidence residence

REFLEXIVE VERBS

s'amuser to have a good time
s'arrêter to stop
se conduire to behave oneself
se coucher to go to bed
se débrouiller to manage, get along
se dépêcher to hurry
s'habiller to get dressed
se laver to wash, to bathe
se lever to get up
se peigner to comb one's hair
se préparer to get ready
se réveiller to wake up
se reposer to rest

ADJECTIVES

économique economical
haut high
nombreux/euse many, numerous
pratique practical
situé situated
spectaculaire spectacular
tranquille peaceful
le (la) meilleur(e) the best

ADVERBS

autrefois formerly
directement directly
lentement slowly
longtemps for a long time
mal poorly
le mieux best
le moins the least
le plus the most
rapidement quickly
tard late
tôt early
vite fast

OTHER EXPRESSIONS

Chic! Great!
comme un fou (une folle) like a crazy person
n'importe où anywhere

OTHER VERBS

changer to change
conduire to drive
construire to build
consulter to consult
économiser to economize
emmener to take (someone)
essayer to try
laisser to allow, let
louer to rent
parier to bet
participer to take part
prêter to lend
réserver to reserve

CINQUIÈME CHAPITRE

Contrastes

5

INTRODUCTION

Une Conversation avec Bocar, un étudiant mauritanien

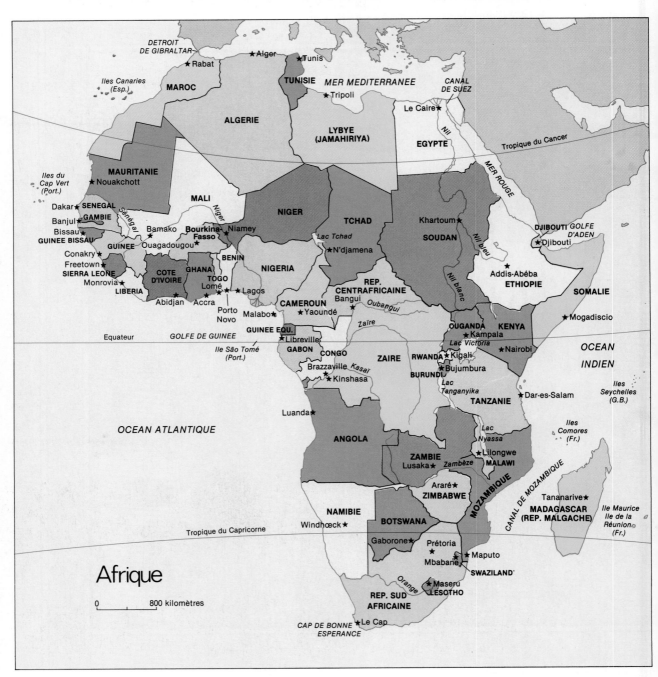

Afrique

0   800 kilomètres

Catherine parle avec Bocar <u>au</u> sujet <u>de</u> ses impressions des États-Unis et de certaines différences entre les deux cultures.

CATHERINE	Qu'est-ce qui t'a <u>frappé</u> le plus quand tu es venu aux États-Unis?
BOCAR	Deux choses surtout. La première, ce sont les enfants, les jeunes.
CATHERINE	Ils sont moins bien <u>élevés</u> que chez vous?
BOCAR	Non, ce n'est pas ça. C'est qu'ils n'ont pratiquement pas de responsabilités. Ils n'apprennent pas à travailler, à se débrouiller. Ils sont <u>traités</u> commes des bébés.
CATHERINE	Et chez vous?
BOCAR	<u>Dès qu'</u>il peut marcher, un enfant participe à la vie et au travail de la famille. Par exemple, ce sont les enfants qui <u>s'occupent</u> des animaux de la famille.
CATHERINE	C'est beaucoup de responsabilité, n'est-ce pas?
BOCAR	Oui, mais il y a des <u>droits</u> qui vont avec. Par exemple, le père n'a pas le droit de vendre une vache sans consulter son fils.
CATHERINE	Un enfant est capable de prendre cette décision?
BOCAR	Chez nous, on dit que si un enfant peut distinguer sa main droite de sa main gauche, il peut choisir entre le vrai et le faux, <u>le bien</u> et <u>le mal</u>.

Glossary (right margin):
- about
- what/struck
- behaved, brought up
- treated
- as soon as
- take care of
- rights
- good/bad, evil

COMPRÉHENSION

Answer the following questions based on *Une Conversation avec Bocar*.

1. De quoi Catherine et Bocar parlent-ils?
2. Quelle est l'opinion de Bocar au sujet des enfants américains?
3. Et dans son pays, comment les enfants sont-ils traités?
4. À quel âge les enfants commencent-ils à participer aux activités de la famille?
5. Quelles sont leurs responsabilités?
6. Est-ce qu'ils ont seulement des responsabilités?
7. Quand un enfant est-il capable de décider?

Like Bocar many foreigners visiting the United States have impressions about Americans and life in America. The statements below are typical of those made by visitors to the United States. Use the following expressions to tell whether you agree or disagree with their opinions. Try to explain your answers.

Si vous êtes d'accord: Je suis d'accord; Je suis complètement d'accord; Oui, c'est vrai; Oui, c'est comme ça ici.

Si vous êtes en partie d'accord: Je suis en partie d'accord; C'est en partie vrai; C'est en partie vrai et en partie faux; Ce n'est pas exactement comme ça.

Si vous n'êtes pas d'accord: Je ne suis pas d'accord; Ce n'est pas vrai; Ce n'est pas comme ça; Je ne suis absolument pas d'accord.

1. Aux États-Unis, les jeunes sont traités comme des bébés.
2. Les enfants américains ne sont pas bien élevés.
3. Aux États-Unis, on ne respecte pas assez les vieux.
4. Les Américains attachent trop d'importance à l'argent.
5. Aux États-Unis, on gaspille trop de choses.
6. Ici, les gens sont trop sérieux; ils ne savent pas s'amuser.
7. Ici, les jeunes et leurs parents ne passent pas assez de temps ensemble.
8. Les hommes américains passent leur temps à regarder des matchs de football à la télévision.
9. Les femmes américaines passent des heures à regarder leurs feuilletons favoris à la télévision.
10. La discipline n'est pas assez stricte dans les écoles américaines.

Vocabulaire			
gaspiller	to waste	**les femmes**	women
les gens	people	**favoris**	favorite
les hommes	men		

EXPLORATION

   ⚜ ***TALKING ABOUT PAST ACTIVITIES***
      REFLEXIVE VERBS IN THE PASSÉ COMPOSÉ

— Présentation

Reflexive verbs used to talk about past actions require **être** and the past participle.

se préparer							
je	**me**	suis	préparé préparée	nous	**nous**	sommes	préparés préparées
tu	**t'**	es	préparé préparée	vous	**vous**	êtes	préparé/préparée préparés/préparées
il	**s'**	est	préparé	ils	**se**	sont	préparés
elle	**s'**	est	préparée	elles	**se**	sont	préparées

- À quelle heure est-ce que tu t'es couché?
- Nous nous sommes bien débrouillés à l'examen.
- Elles ne se sont pas réveillées assez tôt.

As with other verbs using **être** in the **passé composé** note that in the sentences above, the past participle agrees in number and gender with the preceding reflexive pronoun. The pronoun is the same number and gender as the subject.

Ah, je suis fatigué. Je me suis réveillé à six heures du soir.

A. **Au village.** Bocar is visiting some of his relatives who live in a small Mauritanian village. He asks his young cousin what he did today. Give his answers.

> MODÈLE se coucher assez tôt
> **Je me suis couché assez tôt.**

1. se réveiller très tôt
2. se lever tout de suite
3. s'habiller
4. se dépêcher de partir
5. s'occuper des animaux
6. se laver un peu
7. se reposer sous un arbre
8. s'amuser avec les autres enfants

Contextes Culturels

Près du village, on trouve d'abord le *Walo* (*wetlands*) où les femmes cultivent les légumes et différentes choses pour la maison. Plus loin, il y a le *Dieri* (*drylands*) où les hommes cultivent les céréales. Et après, c'est la brousse (*brush*) et le désert. C'est là que les enfants emmènent les animaux.

B. **On va à l'école.** Two young Mauritanians have been sent to live with relatives in the city so that they can go to school. They are getting ready for their first day at school. Tell what they say.

MODÈLE se coucher à 9 heures
Nous nous sommes couchés à neuf heures.

1. bien se reposer
2. se réveiller à 5 heures
3. se lever seulement à 6 heures et demie
4. se laver
5. s'habiller
6. se dépêcher de déjeuner
7. se coucher très tôt

Contextes Culturels

Pour faire des études, les enfants sont souvent obligés de quitter leur village à un assez jeune âge. Heureusement, si on a de la famille qui habite en ville, on peut aller habiter chez eux.

C. **Qui dit mieux?** Some children are bragging about how early they got up to take the cattle to the pastures. Tell what they say.

MODÈLE Je / 5 heures
Je me suis levé à cinq heures.

1. Nous /
4 heures et demie
2. Tu /
6 heures
3. Gadio /
5 heures et quart
4. Vous /
6 heures moins le quart
5. Les autres /
5 heures et demie
6. Je /
5 heures

Contextes Culturels

Les enfants sont obligés de partir très tôt le matin avec leurs animaux parce qu'il fait très chaud et l'eau et la végétation sont très rares. Chaque jour ils font entre cinq et quinze kilomètres à pied avec leurs animaux.

D. Une mauvaise journée. Fatou is having a bad day. Her mother is complaining to a neighbor about the things that she did wrong. Tell what her mother says.

> MODÈLE ne pas se reposer
> **Elle ne s'est pas reposée.**

1. ne pas se coucher assez tôt
2. ne pas se réveiller tout de suite
3. ne pas se lever assez vite
4. ne pas se laver
5. ne pas se peigner
6. ne pas s'occuper de ses petits frères

E. Qu'est-ce que vous avez fait? Aissata wants to know what her friends did last weekend. Give her questions.

> MODÈLE bien s'amuser
> **Est-ce que vous vous êtes bien amusés?**

1. se coucher tard
2. se lever tard
3. bien se reposer
4. se dépêcher de faire votre travail
5. se débrouiller pour avoir l'après-midi libre
6. s'habiller pour sortir
7. bien s'amuser

Communication

A. Devinez. Have other students try to guess the *exact* time that you got up this morning.

> EXEMPLE Tu t'es levé(e) à sept heures douze?
> Non, je ne me suis pas levé(e) à sept heures douze.

B. Interview. Using the phrases below, make up questions to ask another student.

> EXEMPLE s'amuser bien hier soir
> Est-ce que tu t'es bien amusé(e) hier soir?

1. se coucher très tard hier soir
2. se réveiller tôt
3. bien se reposer
4. se lever tout de suite ce matin
5. s'arrêter chez des amis après l'école
6. se débrouiller bien à l'examen de français
7. bien s'amuser à l'école aujourd'hui
8. bien s'amuser le week-end dernier

You have now learned to talk about a variety of things that happened in the past. Some of the verbs that you have learned form the past tense by using **avoir** and the past participle; others, such as reflexives and verbs of motion, use **être** and the past participle.

- Je me suis préparée pour aller chez Monique.
- Je suis arrivée chez elle à sept heures.
- Nous avons mangé un très bon dîner.

Use the correct form of each verb to indicate what Janine did yesterday.

1. se préparer
2. prendre le petit déjeuner
3. se dépêcher d'aller à l'école
4. arriver à l'école à huit heures
5. aller à sa classe d'anglais
6. manger avec ses amis
7. réussir à son examen de chimie
8. attendre ses amis après l'école
9. rentrer chez elle
10. faire ses devoirs

EXPLORATION

Présentation

To talk about what you wear you have to know the words for various items of clothing and the verbs **porter** (to wear) and **mettre** (to put *or* to put on). **Porter** is a regular **-er** verb, but **mettre** is irregular.

mettre

je **mets**	nous **mettons**
tu **mets**	vous **mettez**
il/elle **met**	ils/elles **mettent**

Passé composé: j'**ai mis,** etc.

- Est-ce que tu mets tes nouvelles chaussures?
- Mettez une veste; il fait froid.
- Où est-ce que tu as mis mon livre?

Other verbs that are conjugated like **mettre** are **permettre** (to permit, allow) and **promettre** (to promise).

- Nous ne permettons pas à nos enfants de sortir seuls.
- Qui vous a permis d'entrer?
- Je vous promets d'être gentil.
- Promettez-moi de me téléphoner.

Vocabulaire

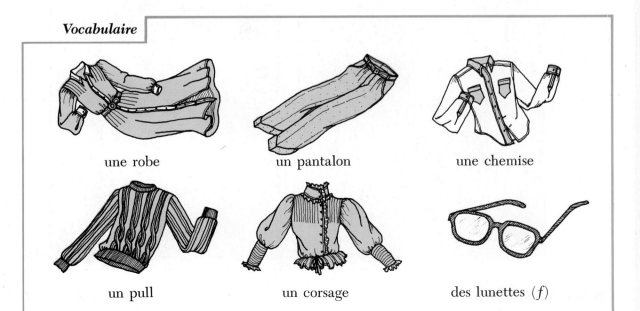

une robe   un pantalon   une chemise

un pull   un corsage   des lunettes (*f*)

une jupe

un maillot de bain

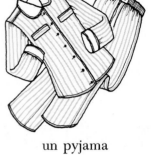
un pyjama

un manteau

des chaussures (*f*)

une veste

un short

une cravate

des chaussettes (*f*)

Préparation

A. **Qu'est-ce qu'on va mettre?** Caroline is going to a concert and wants to know what her friends are wearing. Tell her.

> MODÈLE   Henri / cravate
> **Henri met une cravate.**

1. Vous / jupe
2. Simon / veste
3. Tu / une robe
4. Les autres / manteau
5. Je / pantalon
6. Nous / pull

B. **C'est le premier jour qui compte.** It's the first day of school in the village. The children all want to do well this year. Tell what they say.

> MODÈLE   Nous / bien obéir
> **Nous promettons de bien obéir.**

1. Je / être gentil
2. Nous / apprendre nos leçons
3. Oumar / rester tranquille
4. Vous / bien écouter
5. Tu / répondre aux questions
6. Tout le monde / bien travailler
7. Les petits / ne pas s'amuser en classe

Contextes Culturels

Souvent la seule école qui existe dans un petit village est l'école coranique où les enfants étudient le Coran, le livre sacré de l'Islam. Ils sont obligés d'aller à l'école coranique jusqu'à l'âge de sept ans. Après, ils peuvent aller à l'école primaire où ils vont faire leurs études en français ou en arabe.

C. **Responsabilités.** Bocar's younger brothers and sisters have promised to help their mother. Tell what they promised to do.

> MODÈLE   je / travailler mieux
> **J'ai promis de travailler mieux.**

1. Nous / nous lever tôt
2. Coumba / faire son lit
3. Tu / faire la vaisselle
4. Vous / ne pas rentrer tard
5. Les enfants / s'occuper des animaux
6. Je / être plus gentil

D. Mauvaise mémoire. Annick and her brothers and sisters are leaving on vacation and can't find anything. Tell what they say.

MODÈLE   je / chaussures
Où est-ce que j'ai mis mes chaussures?

1. nous / lunettes
2. tu / pantalon
3. Valérie / jupe
4. vous / corsages
5. les enfants / pyjamas
6. je / maillot de bain
7. Raymond / short
8. tu / chaussettes

Communication

A. Qu'est-ce que je porte? Tell what you wear in the following situations.

EXEMPLE   Quand je fais du camping, _____
Quand je fais du camping, je porte des jeans et un pull.

1. Pour aller à l'école, __.
2. Quand je fais du camping, __.
3. Quand je vais à la plage, __.
4. Quand il fait très chaud, __.
5. Quand il fait très froid, __.
6. Quand je sors avec mes amis, __.

B. Compliments. Using adjectives you know, make up compliments to give other students in your class about what they are wearing.

EXEMPLE   Tu portes une jolie chemise.
C'est une belle jupe. Où est-ce que tu l'as achetée?

C. C'est permis? Tell who allows you to do or not to do some of the following things.

EXEMPLE   Mon père ne me permet pas de conduire sa voiture.
Mes parents me permettent de m'habiller comme je veux.

mes parents	rentrer quand je veux
mon père	sortir seul(e) le soir
ma mère	me coucher tard
mes frères et sœurs	m'habiller comme je veux
mes amis	dormir en classe
mes professeurs	oublier de faire mes devoirs
?	prendre sa voiture
	acheter beaucoup de vêtements
	faire du camping avec mes amis
	aller à un concert de rock
	?

D. **Promesses.** With another student or group of students, make a list of promises that you might make to your teacher.

EXEMPLE Nous promettons de ne pas parler en classe.
Nous promettons d'être toujours gentils.

Intégration

When you buy clothes you want to make sure that you are going to be satisfied with them. You already know some adjectives that can be used to tell what is wrong with an article of clothing:

trop **grand**(e)	trop **court**(e)	trop **chaud**(e)
trop **petit**(e)	trop **long**(ue)	trop **cher** (**chère**)

Tell what comments these people might make about the clothes that they are trying on.

EXEMPLE   Je n'aime pas ce pantalon; il est trop long.

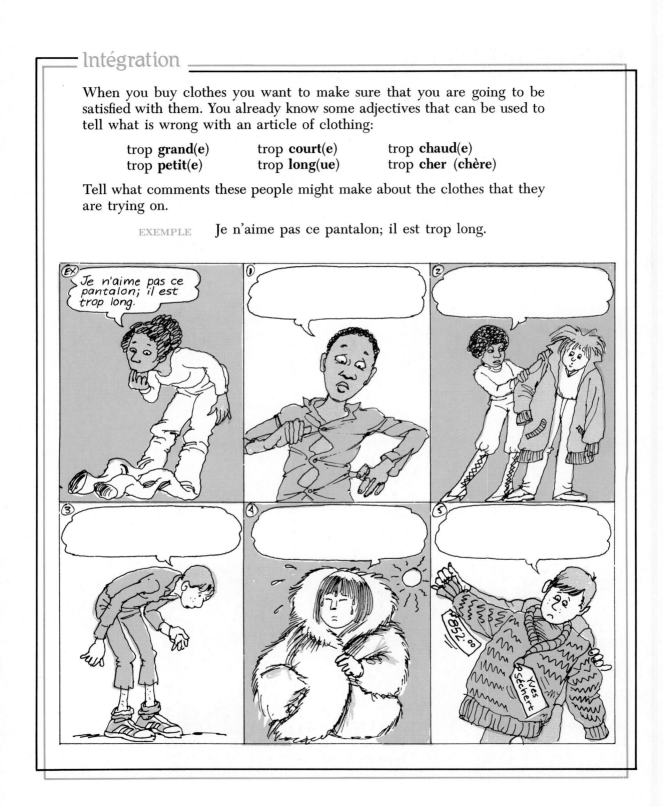

EXPLORATION

♦ **DESCRIBING CLOTHES**
NAMING COLORS

Présentation

When you describe things like clothes you usually want to say something about the color. The principal words for colors are:

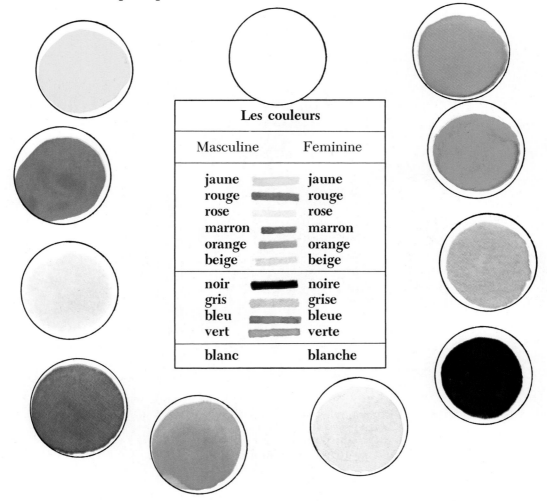

Les couleurs	
Masculine	Feminine
jaune	jaune
rouge	rouge
rose	rose
marron	marron
orange	orange
beige	beige
noir	noire
gris	grise
bleu	bleue
vert	verte
blanc	blanche

Note that some colors are the same in both the masculine and feminine forms, some add an **e** in the feminine form, and **blanc/blanche** is irregular. All the plural forms end in **s** except **marron.** When used as nouns, all colors are masculine (e.g., **le rouge, le noir**).

A. To say that a color is dark, one uses **foncé:**

   bleu foncé 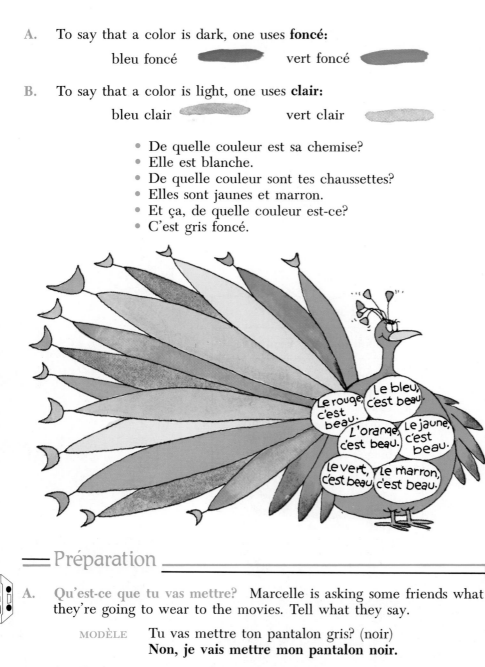 vert foncé

B. To say that a color is light, one uses **clair:**

   bleu clair   vert clair

- De quelle couleur est sa chemise?
- Elle est blanche.
- De quelle couleur sont tes chaussettes?
- Elles sont jaunes et marron.
- Et ça, de quelle couleur est-ce?
- C'est gris foncé.

Préparation

A. **Qu'est-ce que tu vas mettre?** Marcelle is asking some friends what they're going to wear to the movies. Tell what they say.

MODÈLE   Tu vas mettre ton pantalon gris? (noir)
Non, je vais mettre mon pantalon noir.

1. Henri va mettre sa chemise rouge? (vert)
2. Michelle va mettre sa jupe grise? (marron)
3. Tu vas mettre ta robe jaune? (bleu)
4. Vous allez mettre des chaussettes noires? (blanc)
5. Les garçons vont mettre un pantalon bleu? (gris)
6. Tu vas mettre ton pull rose? (beige)

B. **Qu'est-ce que tu as acheté?** Some friends are talking about the things they bought yesterday. What do they say?

MODÈLE **J'ai acheté une robe verte.**

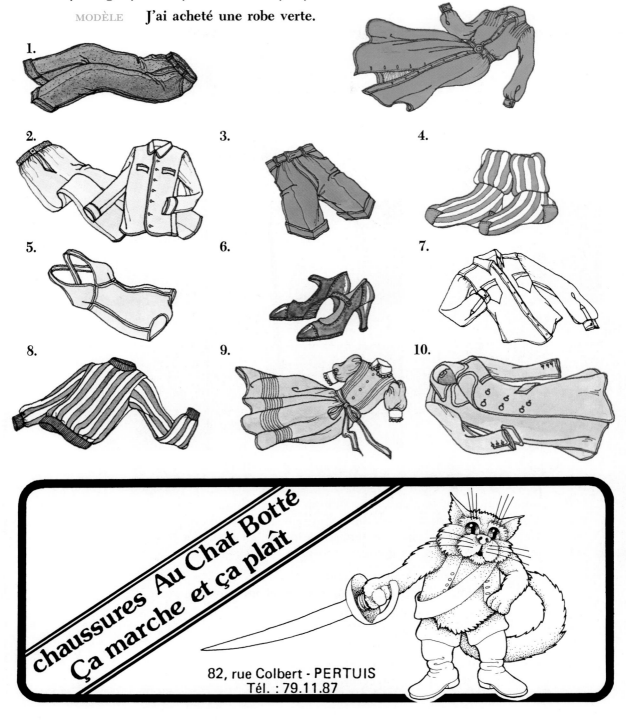

1.

2.

3.

4.

5.

6.

7.

8.

9.

10.

A. **Les drapeaux.** The flags below are from French-speaking African countries. Name the colors in each flag.

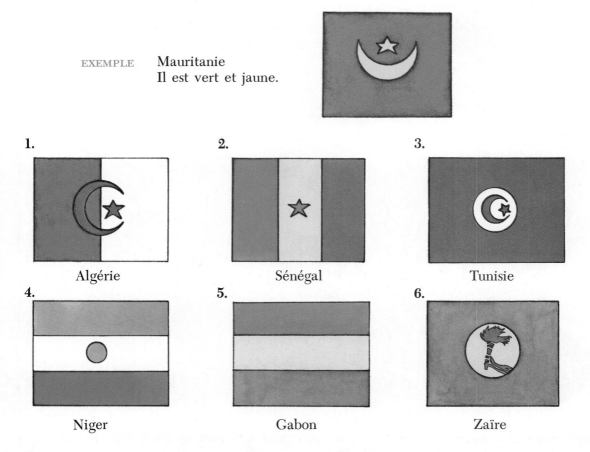

EXEMPLE   Mauritanie
            Il est vert et jaune.

1.   2.   3.

Algérie   Sénégal   Tunisie

4.   5.   6.

Niger   Gabon   Zaïre

B. **On va jouer.** Imagine you have gone shopping for clothes in a department store. Give an article of clothing you bought and its color. Another student will repeat what you said and add another item. See how long you can keep the game going.

EXEMPLE   J'ai acheté une jupe rouge.
            Moi, j'ai acheté une jupe rouge et un pantalon vert.

C. **Devinez.** Pick an item in your classroom and tell students what color it is. They will try to guess what item you have chosen.

EXEMPLE   Je pense à quelque chose de vert.
            Est-ce que c'est la chemise de Jean?
            Est-ce que c'est le livre de Michelle?

Adjectives of color are often used with other adjectives, particularly those preceding nouns. For example, **grand, petit, beau, joli.** We often make comments using these adjectives and colors.

- C'est une jolie robe rouge.
- Voilà un petit chat gris.

Describe the following items using an adjective of color and another adjective.

1.

2.

3.

4.

EXPLORATION

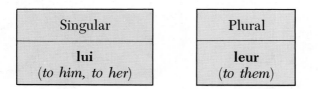

TALKING ABOUT PEOPLE ALREADY MENTIONED
THE INDIRECT OBJECT PRONOUNS LUI **AND** LEUR

Présentation

Indirect objects tell to whom or for whom the action of the verb is done. One way to express the indirect object is to use the preposition **à** with a noun to indicate to whom or for whom the action is done.

- Patrick parle **à Stéphanie.**
- J'ai donné un cadeau **aux enfants.**

You may use an indirect object pronoun to replace **à** plus the noun when it is clear to whom you are referring. Here are the indirect object pronouns.

Singular	Plural
lui (*to him, to her*)	**leur** (*to them*)

- Patrick parle à Stéphanie. → Patrick **lui** parle.
- J'ai donné un cadeau aux enfants. → Je **leur** ai donné un cadeau.
- Elle ne permet pas à Denise d'aller au théâtre. → Elle ne **lui** permet pas d'aller au théâtre.
- Ils ont promis à leurs parents d'être gentils. → Ils **leur** ont promis d'être gentils.

A. Like other object pronouns, the indirect object pronouns are always placed in front of the verb.

- J'ai donné mon vieux pull à mon frère. → Je **lui** ai donné mon vieux pull.
- Nous achetons souvent des vêtements pour les enfants. → Nous **leur** achetons souvent des vêtements.

B. Indirect object pronouns may also be used with infinitives. In this case the indirect object pronouns come before the infinitive.

- Nous allons téléphoner à nos amis. Nous allons **leur** téléphoner.

Préparation

A. Générosité. Oumar is always very nice to his little brother. Tell what he does for him.

> MODÈLE prêter ma radio
> **Je lui prête ma radio.**

1. prêter mes vêtements
2. réparer son vélo
3. donner des cadeaux
4. acheter des disques
5. chanter des chansons
6. prêter mes livres

🎧 **B.** **Tout est permis.** Madame et Monsieur Gentil are very permissive parents. Tell what they let their children do.

> MODÈLE   rentrer tard
> **Nous leur permettons de rentrer tard.**

1. sortir seuls
2. choisir leurs vêtements
3. rentrer quand ils veulent
4. parler tout le temps au téléphone
5. prendre la voiture
6. passer le week-end chez des amis
7. voir les films qu'ils veulent
8. regarder la télé quand ils veulent

🎧 **C.** **Je vais être gentille.** Sala has promised everyone that she will behave better in the future. Tell what she said.

> MODÈLE   à sa mère
> **Je lui ai promis d'être gentille.**

1. à ses parents
2. à son petit frère
3. à ses amis
4. à ses professeurs
5. à sa sœur
6. à son père
7. à sa grand-mère
8. à ses cousins

Contextes Culturels

On encourage les enfants mauritaniens à être indépendants et on respecte leurs droits, mais ils sont toujours obligés de montrer du respect pour les personnes plus âgées, même leurs frères et sœurs.

A. **Vous êtes le professeur.** Imagine that you are a French teacher. Tell whether you are going to allow (or not allow) your students to do the following.

   EXEMPLE   Je ne vais pas leur permettre de dormir en classe.

1. ne pas faire leurs devoirs
2. parler quand ils veulent
3. oublier leur livre à la maison
4. parler anglais en classe
5. ne pas apprendre les verbes
6. ne pas écouter en classe
7. manger en classe
8. dormir en classe
9. ?

B. **Oui ou non?** You have been left in charge of a younger brother or sister. Tell what you are going to let them do or not let them do.

   EXEMPLE   Je lui permets de regarder la télé.
              Je ne lui permets pas de m'embêter.

C. **Cadeaux!** Tell what gifts you would like to buy for the following people.

> EXEMPLE   pour votre mère
> Je voudrais lui acheter une jolie robe.

1. pour votre père
2. pour votre professeur de français
3. pour des cousins
4. pour votre meilleur ami
5. pour votre meilleure amie
6. pour les autres étudiants de la classe
7. pour les membres de votre équipe de football
8. pour votre mère

D. **Dernier testament.** Make a class will and tell what you are going to leave to students who will be studying French next year.

> EXEMPLE   Nous allons leur laisser le stylo rouge du professeur.
> Nous allons leur laisser un professeur très fatigué.

Intégration

You have now learned to use all the object pronouns in French.

Note that only in the third person (*him, her, them*) are there different pronouns for direct and indirect objects.

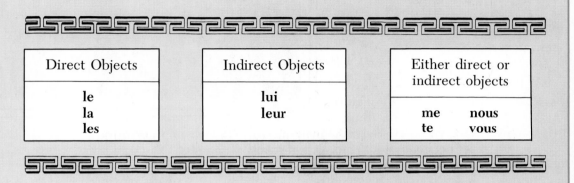

Direct Objects	Indirect Objects	Either direct or indirect objects
le	lui	
la	leur	me nous
les		te vous

Complete Paul's answers to Antoine's questions using the appropriate object pronoun.

ANTOINE   Tu aimes Virginie?
PAUL   Oui, _____.
ANTOINE   Et Virginie, est-ce qu'elle t'aime?
PAUL   Non, _____.
ANTOINE   Tu téléphones souvent à Virginie?
PAUL   Oui, _____.
ANTOINE   Et elle, est-ce qu'elle te téléphone souvent?
PAUL   Non, _____.
ANTOINE   Tu donnes quelquefois des cadeaux à Virginie?
PAUL   Oui, _____.
ANTOINE   Et elle, est-ce qu'elle te donne quelquefois des cadeaux?
PAUL   Non, _____.
ANTOINE   Est-ce que tu as parlé à ses parents?
PAUL   Oui, _____.
ANTOINE   Et elle, est-ce qu'elle a parlé à tes parents?
PAUL   Non, _____.

PERSPECTIVES

Chez vous et chez nous

Catherine et Bocar continuent
leur conversation.

CATHERINE	Est-ce qu'il y a d'autres choses qui t'ont frappé?
BOCAR	Oui, aux États-Unis, chaque personne a sa maison, sa voiture, ses occupations, sa vie, et son identité séparées.
CATHERINE	Ce n'est pas comme ça chez vous?
BOCAR	Chez nous, c'est le <u>contraire</u>. L'individu <u>fait</u> toujours <u>partie</u> d'une famille, d'un groupe. On ne peut pas <u>vivre</u> séparé des autres. L'individu ne <u>compte</u> pas. C'est la famille qui compte.
CATHERINE	Alors, l'individu perd un peu de son indépendance.
BOCAR	Oui, c'est vrai. Par exemple, je ne peux pas dire à mon petit frère de ne pas jouer avec ma radio ou de ne pas porter ma chemise. Mais, <u>en</u> <u>revanche</u>, on n'est jamais seul et les autres sont toujours là pour vous aider.
CATHERINE	Est-ce que <u>tu</u> <u>te</u> <u>sens</u> quelquefois seul ici?
BOCAR	Oui, au début <u>surtout</u>, je me suis senti très seul.
CATHERINE	Et chez vous, est-ce qu'on accepte plus facilement les étrangers?
BOCAR	Oui et non. Chez nous, il faut faire partie d'une famille, d'un clan, pour être accepté. Mais nous sommes très <u>accueillants</u>. Par exemple, si un de mes amis vient dans notre village, il va être accepté et traité comme un des membres de notre famille.

opposite/is part of
live
count

on the other hand

feel (**se sentir**)
especially

hospitable, friendly

COMPRÉHENSION

Tell whether the following statements are **vrai** or **faux** based on *Chez vous et
chez nous.*

1. Dans le pays de Bocar, chaque membre de la famille habite dans une maison séparée.
2. Chez lui, c'est l'individu qui compte.
3. Le frère de Bocar n'a pas le droit d'utiliser la radio de son grand frère.

4. Bocar est obligé de partager avec ses frères et sœurs.
5. Dans son pays, l'individu se sent toujours très seul.
6. Bocar s'est senti seul quand il est venu aux États-Unis.
7. En Mauritanie pour être accepté, il faut faire partie d'une famille.

COMMUNICATION

A. **Une Conversation avec Bocar.** Imagine that you are talking with Bocar. How would you answer his questions about life in the United States?

1. Qu'est-ce que les jeunes américains font pour s'amuser?
2. Est-ce que les parents américains permettent à leurs enfants de sortir quand ils veulent?
3. À quel âge est-ce que les parents américains permettent à leurs enfants de sortir seuls?
4. Qu'est-ce que les jeunes mettent pour aller à l'école?
5. Est-ce que les vêtements sont très importants pour les jeunes?
6. Quelles responsabilités les jeunes américains ont-ils à la maison?
7. Est-ce que les enfants et les parents américains parlent souvent ensemble?

B. **Descriptions.** Describe one or several of the people in the following photo. You can include information about the color of their hair and eyes, their size, their physical features, and type and color of clothing.

C. **Les bonnes résolutions.** Sometimes you want to turn over a new leaf—even if it's not New Year's Eve—and promise to do better. What promises will you make and to whom? You can be serious or try to make up "silly" resolutions.

EXEMPLE   Je promets à ma mère de l'aider à faire le ménage.
            Je promets à mon frère de ne pas l'embêter tout le
                temps.

VOCABULAIRE DU CHAPITRE

NOUNS RELATING TO CLOTHING
les **chaussettes** (f)   socks
les **chaussures** (f)   shoes
la **chemise**   blouse, shirt
le **corsage**   blouse
la **cravate**   tie
la **jupe**   skirt
les **lunettes** (f)   glasses
le **maillot de bain**   bathing suit
le **pantalon**   pants, slacks
le **pull**   sweater, pullover
le **pyjama**   pyjamas
la **robe**   dress
le **short**   shorts
la **veste**   jacket

OTHER NOUNS
le **bébé**   baby
le **bien**   good
le **clan**   clan
le **contraire**   opposite
le **droit**   right
la **femme**   woman
les **gens** (m)   people
l'**homme** (m)   man
l'**identité** (f)   identity
le **mal**   evil

OTHER WORDS AND EXPRESSIONS
accueillant   hospitable, friendly
au sujet de   about
dès que   as soon as
en revanche   on the other hand
favori(e)   favorite

ADJECTIVES RELATING TO COLOR
beige   beige
blanc(he)   white
bleu(e)   blue
clair   light
foncé   dark
gris(e)   gray
jaune   yellow
marron   brown
noir(e)   black
orange   orange
rose   pink
rouge   red
vert(e)   green

VERBS
compter   to count, matter
élever   to bring up, rear
faire partie de   to be part of
frapper   to strike, hit
gaspiller   to waste
mettre   to put, put on
s'occuper de   to take care of
permettre   to permit, allow
porter   to wear
promettre   to promise
se sentir   to feel
séparer   to separate
traiter   to treat, deal with
vivre   to live

SIXIÈME CHAPITRE

Les Fêtes

6

INTRODUCTION

Tu viens avec nous?

Monica, une jeune fille suisse qui travaille dans un restaurant de Villars pendant l'été, vient de faire la connaissance d'Isabelle. Isabelle est en vacances à Villars avec ses parents.

ISABELLE	Hé, Monica!	
MONICA	Oui, j'arrive! Je suis en train d'arranger les <u>drapeaux</u> pour la <u>fête</u> demain.	flags/celebration
ISABELLE	Tu vas venir au <u>défilé</u> avec nous?	parade
MONICA	Non, je ne peux pas. Je suis obligée de travailler.	
ISABELLE	<u>Quoi!</u> Tu travailles le jour de la fête nationale?	What!
MONICA	Oui, c'est dommage. Mais le jour <u>suivant</u> je suis libre. Ma <u>patronne</u> va m'emmener à Taveyannaz.	it's too bad/fol-lowing/boss (f)

ISABELLE	Qu'est-ce qui se passe à Taveyannaz le deux août?	What's happening . . . ?
MONICA	Tous* les gens de la région montent au village pour danser et chanter des chansons d'autrefois. C'est moins commercial que la fête ici à Villars. Moi, j'aime mieux ça.	All/go up

*The forms of the adjective **tout** are irregular:

	Masculine	Feminine
Singular:	tout	toute
Plural:	tous	toutes

COMPRÉHENSION

1. Qu'est-ce que Monica fait pendant l'été pour gagner un peu d'argent?
2. De quelle fête Isabelle et Monica parlent-elles?
3. Pourquoi est-ce que Monica ne peut pas aller au défilé avec Isabelle?
4. Quel est le jour de la fête nationale suisse?
5. Qu'est-ce que Monica va faire le jour suivant?
6. Où vont les gens de la région le deux août?
7. Que font-ils pour s'amuser?
8. Pourquoi est-ce que Monica aime mieux aller à la fête à Taveyannaz?

COMMUNICATION

La Musique. Il n'y a pas de fête sans musique. Dans le défilé du premier août à Villars on peut voir différents instruments traditionnels—le cor des Alpes, par exemple.

Mais vous, vous ne jouez probablement pas du cor des Alpes. Alors, de quel instrument jouez-vous? Est-ce que vous jouez . . .

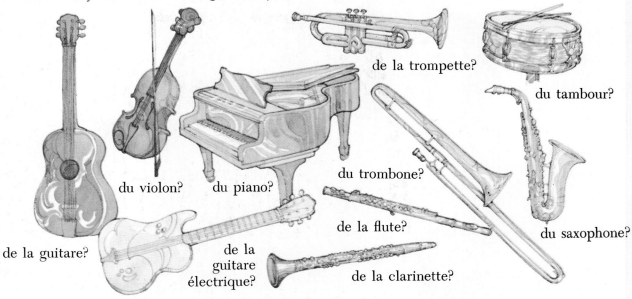

de la trompette?

du tambour?

du violon?   du piano?

du trombone?

de la flûte?

du saxophone?

de la guitare?

de la guitare électrique?

de la clarinette?

Interview. Find out if anyone in your class plays these musical instruments.

EXEMPLE   Est-ce que tu joues de la guitare?

EXPLORATION

❦ *TALKING ABOUT THE PAST*
THE IMPERFECT TENSE

══Présentation ══════════════════════════

You have already used the **passé composé** to talk about past events. You may have noticed that the **passé composé** is used to describe actions that occurred at a specific time (**Je suis sorti vendredi soir; J'ai fait mes devoirs quand je suis rentré**). In order to talk about the past in a more general way, use the imperfect (**imparfait**).

A. To form the imperfect tense add the endings given below for **parler** to the stem. The stem is formed by dropping the **ons** from the **nous** form of the present tense.

nous **parl**ons ⟶ **parl** + imperfect endings
nous **av**ons ⟶ **av** + imperfect endings
nous **finiss**ons ⟶ **finiss** + imperfect endings

┌─ parler ─────────────────────────────┐

je parl**ais**	nous parl**ions**
tu parl**ais**	vous parl**iez**
il/elle parl**ait**	ils/elles parl**aient**

B. The only irregular verb stem in the imperfect tense is that of **être**, whose stem is **ét:**

┌─ être ──────────────────────────────┐

j' ét**ais**	nous ét**ions**
tu ét**ais**	vous ét**iez**
il/elle ét**ait**	ils/elles ét**aient**

C. The imperfect is used to describe how things were or used to be in the past or what you used to do or were doing.

Autrefois, tu avais un vélo rouge.	You used to have a red bike.
Ils étaient en vacances.	They were on vacation.
Nous habitions à Genève.	We were living in Geneva.
Vous alliez souvent à Lausanne.	You often went to Lausanne.
Je me levais à six heures.	I used to get up at six o'clock.

Préparation

A. **Noël.** Isabelle is telling how she and her family used to spend Christmas. What does she say?

MODÈLE   aller chez ma grand-mère
Nous allions chez ma grand-mère.

1. attendre Noël avec impatience
2. faire du ski
3. apporter des cadeaux
4. choisir un bel arbre de Noël
5. aller à l'église
6. chanter des chansons
7. se coucher tard
8. s'amuser bien

Contextes Culturels

Le Noël français est un peu différent du Noël américain. En plus de l'arbre de Noël, il y a souvent une crèche (nativity scene) et les enfants mettent leurs chaussures devant la cheminée. Le soir du vingt-quatre décembre, on fait un grand dîner appelé le réveillon.

B. **Qu'est-ce que tu faisais?** Chantal wants to know why some of her friends didn't answer the phone when she called. Tell what each friend says.

> MODÈLE être à la bibliothèque
> **J'étais à la bibliothèque.**

1. faire des courses
2. être chez des amis
3. dormir
4. finir mes devoirs
5. travailler dans le jardin
6. jouer au tennis
7. prendre un bain
8. se reposer

C. **Autrefois.** Isabelle is asking her father what life was like on the farm in the Alps where he grew up. Give her questions.

> MODÈLE aller à l'école
> **Est-ce que tu allais à l'école?**

1. avoir beaucoup d'amis
2. s'occuper des animaux
3. avoir un cheval
4. travailler dans les champs
5. aller souvent en ville
6. se lever très tôt
7. faire du ski
8. être content

D. **Où étaient-ils?** Catherine and some friends are talking about why they weren't at the Canada Day parade yesterday. What do they say?

> MODÈLE Gérard / être malade
> **Gérard était malade.**

1. Nous / être fatigués
2. Charlotte / avoir mal à la tête
3. Vous / être chez des cousins
4. Je / vouloir me reposer
5. Tu / être malade
6. Alain / avoir mal à la gorge
7. Les autres / avoir du travail

Contextes Culturels

La fête nationale du Canada est célébrée chaque année le premier juillet. C'est l'anniversaire de la réunion de quatre provinces sous une constitution nouvelle et la formation d'un pays indépendant de la Grande-Bretagne. Différents spectacles et des feux d'artifice marquent cette fête partout dans le pays.

E. **Le 14 juillet à Paris.** Serge's father is describing how he and his family used to spend the fourteenth of July.

> MODÈLE   Nous / attendre ce jour avec impatience
> **Nous attendions ce jour avec impatience.**

1. Mon père / nous emmener au défilé
2. Mes amis / venir avec nous
3. Nous / regarder passer le défilé
4. Je / m'amuser beaucoup
5. Les gens / danser dans les rues
6. Tout le monde / être content
7. Nous / nous coucher très tard
8. Je / aimer bien cette fête

Contextes Culturels

La fête nationale française est le quatorze juillet en commémoration de la prise de la Bastille en 1789. À Paris, il y a un grand défilé militaire sur les Champs-Élysées. Le soir, on danse dans les rues, il y a des feux d'artifice, et tout le monde s'amuse beaucoup.

Communication

A. **Questions/Interview.** Answer the following questions about when you were young, or use them to interview another student.

1. Où est-ce que tu habitais?
2. Avec qui est-ce que tu jouais le plus souvent?
3. Où est-ce que tu allais en vacances?
4. Est-ce que tu avais un chien ou un chat?
5. Qu'est-ce que tu aimais manger?
6. Qu'est-ce que tu détestais manger?
7. Quels programmes de télévision est-ce que tu aimais regarder?
8. Quel était votre livre préféré?

B. **La Première Semaine à l'école.** Do the following statements describe how you felt or what you did during the first week of school this year? If not, reword the statement so that it is true for you.

> EXEMPLE   Il y avait beaucoup de nouveaux étudiants.
> C'est vrai. Il y avait beaucoup de nouveaux étudiants.
> Non, il n'y avait pas beaucoup de nouveaux étudiants.

1. Tous mes amis étaient là.
2. J'avais les mêmes classes que mes amis.
3. Tout le monde écoutait bien en classe.
4. Les étudiants posaient beaucoup de questions.
5. Nous avions beaucoup de travail.
6. Je faisais régulièrement mes devoirs.
7. Tout le monde participait activement en classe.
8. Je pouvais répondre à toutes les questions.

C. **Comment était la vie?** Using the phrases provided, make questions to ask a French-speaking person about what life was like when he or she was young.

> EXEMPLE   habiter en ville ou à la campagne
> Est-ce que vous habitiez en ville ou à la campagne?

1. avoir une télévision
2. conduire une voiture
3. avoir des frères ou des sœurs
4. avoir une grande maison
5. habiter en ville ou à la campagne
6. aller au lycée
7. travailler bien à l'école
8. sortir souvent

D. Descriptions. Imagine you have spent the fourteenth of July in Paris. Use the photos to tell what this holiday was like.

EXEMPLE   Il y avait des feux d'artifice.
Tout le monde était content.

Intégration

You have already noticed that there is not always a direct translation for English and French. You learned, for example, that the present tense in French can be expressed three ways in English (**J'étudie**—I am studying, I do study, I study). You also know that the imperfect has several translations (**J'étudiais**—I was studying, I studied, I used to study).

Imagine a French friend is talking about how his family used to spend Easter and wants you to help him translate the following. What would you say?

1. Mes parents nous emmenaient toujours voir nos grands-parents.
2. En ce temps-là, ils habitaient près de Lausanne.
3. Nous prenions souvent le train pour aller les voir.
4. Le dimanche nous allions ensemble à l'église.
5. Ma grand-mère préparait un grand repas pour toute la famille.
6. Nous aimions bien cette fête.

EXPLORATION

⚜ **TALKING ABOUT PEOPLE AND PLACES YOU ARE FAMILIAR WITH THE VERB** CONNAÎTRE

Présentation

The verb **connaître,** which is irregular, means "to be acquainted with," "to be familiar with," or "to know." It always takes a direct object, such as a person or a place.

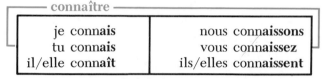

— connaître —	
je connais	nous connaissons
tu connais	vous connaissez
il/elle connaît	ils/elles connaissent

- Est-ce que vous connaissez cette région?
- Depuis quand connais-tu Liliane?
- C'était une personne que je ne connaissais pas.

A. La Suisse. Several people are talking about parts of Switzerland they know well. Tell what they say.

> MODÈLE   Robert / Lausanne
> **Robert connaît bien Lausanne.**

1. Nous / Genève
2. Tu / Zurich
3. Mes amis / Berne
4. Vous / la région de Villars
5. Ma sœur / Montreux
6. Je / Neuchâtel

Contextes Culturels

Voici une carte de la Suisse qui montre les différentes villes et régions.

Les langues qu'on parle en Suisse

- FRANÇAIS
- ALLEMAND
- ITALIEN
- ROMANCHE

ALLEMAGNE
Bâle
Zürich
LIECHTENSTEIN
AUTRICHE
Lucerne
Berne
FRANCE
Lausanne
Villars
Genève
Lugano
ITALIE
50 KM

B. La fête du Ramadan. Ahmed and a friend who live in Rabat, Morocco, have gone to a celebration at the end of Ramadan. Ahmed asks his friend if he knows various people that they see. Give his friend's answers.

> MODÈLE   Est-ce que tu connais cet homme? (non)
> **Non, je ne le connais pas.**

1. Et ces gens? (non)

2. Et cette fille? (oui)

3. Et ce petit garçon? (oui)

4. Et ces enfants? (non)

5. Et cette femme? (oui)

C. **Est-ce que vous la connaissiez?** Denise Biellmann is a Swiss skater who has become famous. Some people from her town knew her when she was little. What do they say?

MODÈLE Mon frère / bien
Mon frère la connaissait bien.

1. Nous / un peu
2. Tu / assez bien
3. Mes parents / très bien
4. Suzanne / très bien
5. Vous / bien
6. Je / assez bien

═Communication ═

A. **Connaissances.** Ask other students if they know some of the same people that you know.

EXEMPLE Est-ce que vous connaissez Alice Burns?
Oui, je la connais très bien.
Non, je ne la connais pas.

B. **Le Monde est petit.** Tell whether or not you, a friend, or a member of your family knows people of the following nationalities. If so, tell a little about this person.

> EXEMPLE des Français
>
> Je connais une Française. Son nom est Brigitte Leclerc. C'est une amie de ma mère.

1. des Mexicains
2. des Allemands
3. des Espagnols
4. des Suisses
5. des Canadiens
6. des Japonais
7. des Italiens
8. des Français

Intégration

You have learned two verbs that mean "to know." **Savoir** is used when you know facts or how to do something; **connaître** is used when you know someone or are familiar with something (a town or a region). Using **savoir** or **connaître,** make up questions to ask another student.

> EXEMPLES un chanteur célèbre
>
> Est-ce que tu connais un chanteur célèbre?
>
> jouer de la guitare
>
> Est-ce que tu sais jouer de la guitare?

1. des Français
2. faire du ski
3. tous les profs de l'école
4. conduire
5. le Canada
6. ma famille
7. tous les gens de ton quartier
8. jouer du piano

EXPLORATION

⚜ LOOKING AT THE PAST IN TWO DIFFERENT WAYS THE IMPERFECT VERSUS THE PASSÉ COMPOSÉ

═ Présentation ═

Now that you can recognize the imperfect and **passé composé,** you have to learn to choose the correct tense when you speak or write. The basic difference is in the way you look at the past:

Passé composé	**Imperfect**
Do you view it as a single event that happened and was over at a specific time in the past?	Do you view it as a description of a condition, a state of mind in the past, or as something in the process of taking place?

- Nous avons fait une promenade.
- Ils se sont bien reposés.
- J'ai appris à conduire.
- Il s'est levé, il a pris du café, et il est parti.

- Il faisait beau.
- Elle n'était pas contente.
- Nous étions en train de manger.

Was it a repeated action or something that occurred regularly in the past?

- Chaque matin j'allais à la boulangerie.
- Nous nous arrêtions souvent chez des amis.
- Elles ne sortaient jamais.

Sometimes the **passé composé** and the imperfect are both used when a continuing action or condition is interrupted by a specific event.

- Un jour, quand je travaillais à Villars, ma patronne m'a emmené dans un bon restaurant.

Dis, papa. Tu étais fort en maths quand tu allais à l'école?

Oui, j'étais le premier de la classe.

Alors, je ne comprends pas. Tu as dit que tu allais me donner cinquante francs et tu m'as donné seulement dix francs.

A. **Un jour différent des autres.** Jean Delaroutine always followed the same schedule but one day he did not. Tell what he says.

> MODÈLE Je me levais à 5 heures.
> **Un jour je ne me suis pas levé à cinq heures.**

1. Je prenais mon petit déjeuner.
2. Je lisais le journal.
3. Je prenais le métro.
4. J'arrivais à l'usine à huit heures.
5. Je faisais mon travail.
6. Je rentrais à 6 heures.
7. Je me couchais tôt.

B. **Quand le professeur est entré.** Some students in Monsieur Germain's class tell what they were doing when he came back to the room.

> MODÈLE Louise / parler
> **Louise parlait quand le professeur est entré.**

1. Je / faire la sieste
2. Robert et Georges / s'amuser
3. Tu / lire une revue
4. Nous / dormir
5. Simone / faire ses devoirs
6. Vous / se peigner

C. **Pourquoi?** Marc is asking some friends why they did certain things. Give their answers.

> MODÈLE Pourquoi est-ce que tu t'es dépêché? (avoir beaucoup à faire)
> **J'avais beaucoup à faire.**

1. Pourquoi est-ce que Madeleine est allée chez le médecin? (avoir mal à la gorge)

2. Pourquoi est-ce que Jean est rentré tard? (s'amuser bien)

3. Pourquoi est-ce que Lynne a vendu sa voiture? (ne pas marcher bien)

4. Pourquoi est-ce que tu t'es couchée tôt? (être fatiguée)

5. Pourquoi est-ce que Serge n'est pas venu à l'école? (être malade)

6. Pourquoi est-ce que tu n'as pas fait tes devoirs? (vouloir sortir)

D. Hier. Jean-Luc is talking about the things that happened to him yesterday. Tell what he says.

MODÈLE faire mauvais / je / sortir
Il faisait mauvais quand je suis sorti.

1. attendre l'autobus / Pierre / arriver
2. manger / Jean / téléphoner
3. lire le journal / le facteur / apporter une lettre
4. aller à l'école / je / rencontrer / Suzanne
5. dormir / mes parents / revenir

E. La Fête nationale des Québécois. Joan is telling some French Canadians how she and her family spent Quebec's national holiday. She asks Annette to translate her sentences. What does Annette say?

1. I got up early.
2. We went to the park.
3. The weather was nice.
4. All my friends were there.
5. They were playing baseball.
6. I played with them.
7. We left at seven o'clock.
8. We were tired but happy.

Contextes Culturels

La fête nationale des Québécois est le 24 juin, le jour de l'anniversaire de Saint Jean-Baptiste, patron des Canadiens-français. Cette date marque aussi le début de l'été. On chante, on danse et il y a des feux de joie (bonfires) et des défilés dans les rues.

L'EMBLÈME DE LA FÊTE NATIONALE

LA FIERTÉ DU QUÉBEC EN FÊTE

Communication

Le Jour de l'An. Answer the following questions or use them to interview another student.

1. Où as-tu passé le soir du trente et un décembre?
2. Qui était avec toi?
3. Qu'est-ce que tu faisais quand minuit est arrivé?
4. Et le Jour de l'An, qu'est-ce que tu as fait?
5. Est-ce que tu étais content(e) de commencer une nouvelle année?
6. Qu'est-ce que tu as promis de faire ou de ne pas faire?

Certain "time words" are cues that help you determine which tense to use. For example, **aujourd'hui** and **maintenant** are often used to indicate the present tense, whereas expressions like **demain, la semaine prochaine** and **ce week-end** refer to the future. Similarly **hier, la semaine passée** and **le mois dernier** indicate the **passé composé,** whereas **en ce temps-là, d'habitude** and **tous les étés** indicate the imperfect.

Use these "time words" to tell what Daniel Poulin might say about his family's activities on Canada Day.

1. Maintenant, nous . . . .
2. L'année dernière, nous . . . .
3. Autrefois, nous . . . .
4. L'année prochaine, nous . . . .

EXPLORATION

 INDICATING THE ABSENCE OF THINGS OR PEOPLE
NEGATIVE EXPRESSIONS WITH RIEN **AND** PERSONNE

Présentation

To indicate the absence of people or things, **personne** (no one) and **rien** (nothing) are used. They may be either the subject or object of the verb.

A. As subject:

- Rien n'est simple.
- Rien ne s'est passé.
- Personne ne m'aime.
- Personne n'est venu.

B. As object:

- Vous ne faites rien!
- Il n'y avait rien sur la table.
- Nous ne connaissons personne.
- Il n'y avait personne dans la salle.

C. Note the placement of **rien** and **personne** when they are used as objects in the **passé composé.**

- Je n'ai rien entendu.
- Je n'ai entendu personne.

A. Je n'ai pas de chance. Robert is jealous of Véronique. Tell what he says.

> MODÈLE Elle comprend tout.
> **Moi, je ne comprends rien.**

1. Elle aime tout.
2. Elle sait tout.
3. Elle étudie tout.
4. Elle comprend tout.
5. Elle trouve tout.
6. Elle a tout.

B. C'était une classe horrible. Nothing went right in class yesterday. Suzanne is telling her friend what went on. What does she say?

> MODÈLE vouloir travailler
> **Personne ne voulait travailler.**

1. comprendre les explications
2. savoir les réponses
3. réussir aux examens
4. répondre aux questions
5. s'amuser
6. aider les autres

C. Que la vie est cruelle! Fabien is feeling down in the dumps today. How does he answer his friend's questions?

> MODÈLE Qui est venu te voir?
> **Personne n'est venu me voir.**

1. Qui t'a téléphoné?
2. Qui est allé au cinéma avec toi?
3. Qui t'a attendu après l'école?
4. Qui t'a aidé à faire le ménage?
5. Qui t'a donné de l'argent?
6. Qui t'a emmené à la gare?

D. **Une Fête!** Lisette has gone to spend Thanksgiving with a friend and her family in northern Quebec. Lisette thinks everything is very nice, but her friend disagrees. Tell what her friend says.

> MODÈLE Tout est si beau ici.
> **Rien n'est beau ici.**

1. Tout est si intéressant.
2. Tout est si amusant.
3. Tout est si joli.
4. Tout est si différent.
5. Tout est si beau.
6. Tout est si parfait.

Contextes Culturels

Chaque année, le douze octobre, les Canadiens célèbrent la fête de l'Action de Grâce. Toute la famille est réunie. On mange la dinde (turkey) traditionnelle et on dit merci à Dieu pour les produits de la nature et pour sa générosité.

E. C'était la bonne vie. Gilbert, who has recently moved from a small Alpine village to a large city, is complaining about how different things are now. Tell what he says.

> MODÈLE Nous connaissions tout le monde.
> **Maintenant, nous ne connaissons personne.**
> Tout le monde nous connaissait.
> **Maintenant, personne ne nous connaît.**

1. Nous invitions tout le monde.
2. Tout le monde nous invitait.
3. Nous parlions à tout le monde.
4. Tout le monde nous parlait.
5. Nous aidions tout le monde.
6. Tout le monde nous aidait.
7. Nous aimions tout le monde.
8. Tout le monde nous aimait.

A. **Les choses que personne ne fait.** In every school there are things that no one does. What are some of those things in your school? Use **personne** in your answers.

EXEMPLES   Personne ne porte une cravate pour aller au match de football.
Personne ne mange les hamburgers de la caféteria.

B. **Que la vie est triste!** Give some of the typical complaints that you and your friends make. Use **rien** or **personne** in your statements.

EXEMPLES   Je n'ai rien à faire ce soir.
Personne ne me comprend.

Intégration

You have now learned several ways to express negative ideas.

Je n'ai pas de temps libre.	(ne . . . pas)
Je ne sors jamais.	(ne . . . jamais)
Il n'y a rien à la télé ce soir.	(rien)
Rien ne se passe ici.	
Personne ne m'a attendu.	(personne)
Je ne connais personne.	

Imagine that you are in a bad mood. Using the negatives you know, make as many complaints as you can.

PERSPECTIVES

Les Noëls d'autrefois au Canada

Masicotte, E. J. (1875–1929), *Le Retour de la messe de minuit*. Picture Division. Public Archives Canada, Ottawa (C-1119)

La grand-mère de Cécile lui raconte comment on fêtait Noël au Canada quand elle était petite.

Plusieurs semaines avant Noël, ma mère commençait à préparer les viandes et les pâtisseries. Pour les conserver, elle les mettait dans la neige. Le soir, il y avait souvent des voisins qui venaient chez nous pour <u>prier</u> et chanter des chansons de Noël. On passait de bons moments ensemble <u>autour du feu</u>. Quelquefois mon père nous racontait des souvenirs de son <u>enfance</u> en France.

pray

around/fire
childhood

Le soir du vingt-quatre décembre, ma sœur et moi, nous mettions nos chaussettes au pied de notre lit, et nous allions nous coucher tôt. Pendant ce temps, les <u>grands</u> décoraient l'arbre et la <u>crèche</u> de Noël. Vers onze heures, tout le monde s'habillait chaudement et on partait pour la <u>messe</u> de minuit. Après la messe, on faisait un bon <u>réveillon</u>. Ma mère laissait toujours une place à table pour les <u>pauvres</u> qui n'avaient peut-être rien à manger.

grownups/nativity
Mass
Christmas or New Year's Eve meal/
the poor

Le matin, je me dépêchais de regarder dans ma chaussette. Il y avait toujours des <u>bonbons</u>, une orange, et quelquefois un petit cadeau. Mes grands frères et sœurs revenaient à la maison ce jour-là pour passer Noël en famille. On faisait un grand dîner. On mangeait toujours une <u>dinde</u>, une <u>bûche</u> de Noël et un pudding anglais avec une sauce au caramel. Après le repas, nous allions chez nos voisins pour leur <u>souhaiter</u> un <u>joyeux</u> Noël—ou bien ils venaient chez nous. On mangeait toutes sortes de bonnes choses, on chantait, on dansait . . . C'est comme ça que j'ai appris à danser!

candies

turkey/Yule
log cake

wish/merry

Extrait et adapté de "Le temps des fêtes au tournant du vingtième siècle" par Luce Vermette. *Hebdo Canada*, 24–30 décembre, 1980.

COMPRÉHENSION
1. De quoi la grand-mère de Cécile parle-t-elle?
2. Quand sa mère commençait-elle à préparer les viandes et les pâtisseries?
3. Comment les conservait-elle?
4. Qu'est-ce que les gens faisaient le soir?
5. Qu'est-ce que les enfants faisaient le soir du vingt-quatre décembre?
6. Qui décorait l'arbre de Noël?
7. Qu'est-ce qu'on faisait après la messe de minuit?
8. Qu'est-ce que la grand-mère de Cécile trouvait dans sa chaussette le matin de Noël?
9. Qu'est-ce qu'on mangeait pour Noël?
10. Et après le repas, qu'est-ce qu'on faisait?

Sabiston Lithographing & Publ. Co. *Patinage sur le Saint-Laurent à Québec.* 1896. Picture Division, Public Archives Canada, Ottawa (C-41400)

COMMUNICATION

A. **Souvenirs.** Tell how you and your family and friends celebrated a special holiday last year (e.g., the Fourth of July, Christmas, Hanukkah). Use the following questions as a guide.

1. Où est-ce que vous avez passé cette fête?
2. Qu'est-ce que vous avez fait?
3. Quel temps faisait-il?
4. Est-ce qu'il y avait beaucoup de monde?

5. Qui était là?
6. Qu'est-ce que vous avez mangé?
7. Est-ce que vous vous êtes bien amusé?

B. **Interview.** Make up questions to ask another student. Your choice of cue words will determine whether you use the **passé composé** or the imperfect.

EXEMPLES   Est-ce que tu as aidé tes parents hier?
Est-ce que tu aidais souvent tes parents quand tu étais petit(e)?

hier
la semaine dernière
l'été dernier
l'année dernière
tous les ans
tous les étés
quand tu étais petit(e)
autrefois
d'habitude
?

aller au cinéma
aller en vacances
regarder les programmes pour les enfants
lire des bandes dessinées
jouer au football
aider tes parents à la maison
faire un voyage
travailler après l'école
aller voir tes grands-parents
apprendre tes leçons
s'amuser bien
?

VOCABULAIRE DU CHAPITRE

NOUNS

le bonbon candy
la bûche Yule log cake
la crèche nativity scene, manger
le défilé parade
la dinde turkey
le drapeau flag
l'enfance (*f*) childhood
la fête celebration
le feu fire
les grands (*m*) grownups
la messe Mass
le patron, la patronne boss
les pauvres (*m*) the poor
Noël (*m*) Christmas
le réveillon Christmas or New Year's feast
la sauce au caramel caramel sauce

NOUNS REFERRING TO MUSIC

la clarinette clarinet
la flute flute
la guitare guitar
la guitare électrique electric guitar
le piano piano
le saxophone saxophone
le tambour drum
le trombone trombone
la trompette trumpet
le violon violin

ADJECTIVES

commercial(e) commercial
joyeux/euse merry, joyful
tout all

VERBS

connaître to know,
monter to go up, climb
prier to pray
se passer to happen
souhaiter to wish

OTHER WORDS AND EXPRESSIONS

c'est dommage it's too bad
d'habitude usually
en ce temps-là at that time
Quoi! What!

SEPTIÈME CHAPITRE

Le Futur, c'est demain.

INTRODUCTION

Les Lignes de la main

Comment savoir <u>ce que</u> l'<u>avenir</u> va nous apporter? Peut-on trouver la réponse dans les lignes de la main? C'est ce que Jean-Claude espère.

what/future

JEAN-CLAUDE	<u>Dis-moi</u>, est-ce que tu sais lire les lignes de la main?
CÉLINE	Oui, un peu.
JEAN-CLAUDE	Cette ligne ici, qu'est-ce que c'est?
CÉLINE	C'est la ligne de vie.
JEAN-CLAUDE	Est-ce que je vais vivre <u>longtemps</u>?
CÉLINE	Oui, mais il faut faire attention à ta santé. Tu risques de <u>tomber</u> gravement <u>malade</u> si tu n'es pas prudent.
JEAN-CLAUDE	Et ça, qu'est-ce que c'est?
CÉLINE	C'est la ligne de cœur.
JEAN-CLAUDE	Est-ce que je vais avoir de la chance en <u>amour</u>?
CÉLINE	Oui. Un jour tu vas <u>tomber amoureux</u> d'une fille formidable et tu vas te marier avec elle.
JEAN-CLAUDE	Oh, tu sais, je ne suis pas pressé de me marier. Et l'argent?
CÉLINE	Tu vas avoir beaucoup de succès dans ton travail. Tu vas probablement être millionnaire un jour. <u>À propos</u>, est-ce que tu peux me prêter vingt-cinq francs?

tell me

a long time

becoming ill

love

to fall in love

by the way

COMPRÉHENSION

Use *Les Lignes de la main* to tell whether Jean-Claude's statements are accurate.

1. Céline ne sait pas lire les lignes de la main.
2. Je vais avoir une longue vie.
3. Je risque d'être très malade un jour.
4. Je ne vais pas avoir de chance en amour.
5. C'est triste. Je ne vais jamais me marier.
6. Un jour je vais gagner beaucoup d'argent.

COMMUNICATION

Comment lire les lignes de la main

La ligne de vie
Une bonne ligne de vie est longue et sans interruption. Une ligne de vie courte ne veut pas dire une vie courte. Cela veut dire qu'il faut faire attention à votre santé.

La ligne de tête
Si votre ligne de tête part de votre ligne de vie, cela veut dire que vous êtes une personne intelligente mais un peu passive. Si ces deux lignes sont séparées, cela veut dire que vous êtes plein de vie. Vous aimez le danger et l'aventure, mais vous êtes quelquefois imprudent. Si votre ligne de tête est très courte, cela veut dire que vous êtes très têtu!

full
stubborn

La ligne de cœur
Si elle tourne vers le bas, cela veut dire que vous n'avez pas confiance en vous. Si votre ligne de cœur se sépare en deux, c'est un bon signe; cela veut dire que vous allez faire un bon mariage.

confidence

La ligne de soleil
Elle se trouve surtout dans la main des gens qui ont beaucoup de chance!

Et vous? Read the palm of another student or the palm found on this page.

EXPLORATION

⚜ *TALKING ABOUT THE FUTURE*
THE FUTURE TENSE

══ Présentation ════════════════════════════

To talk about future time you may use either the future tense or **aller** plus an infinitive. The future tense in English uses *will* or *shall* with the verb. In French, however, the future tense is indicated by a single verb form.

The future tense of regular verbs in French is formed by adding the endings below to the infinitive.

┌─ gagner ─────────────────────────────────┐
je gagner**ai**	nous gagner**ons**
tu gagner**as**	vous gagner**ez**
il/elle gagner**a**	ils/elles gagner**ont**

┌─ finir ──────────────────────────────────┐
je finir**ai**	nous finir**ons**
tu finir**as**	vous finir**ez**
il/elle finir**a**	ils/elles finir**ont**

When the infinitive ends in **re,** the **e** is dropped. Verbs like **lire, conduire, connaître,** and **prendre** also follow this pattern.

┌─ attendre ───────────────────────────────┐
j' attendr**ai**	nous attendr**ons**
tu attendr**as**	vous attendr**ez**
il/elle attendr**a**	ils/elles attendr**ont**

- Je parlerai à Jacqueline.
- Tu apprendras beaucoup de choses.
- Quand est-ce que vous partirez?
- Elle ne dormira pas dans cette chambre.
- Nous nous arrêterons à la poste.
- Elle lira un roman.

Préparation

A. **Un voyage scolaire.** A French class is preparing for a trip to Martinique. Tell what the students say about their plans.

> MODÈLE parler français
> **Nous parlerons français.**

1. passer une semaine à Fort-de-France
2. visiter un lycée
3. habiter dans des familles
4. prendre nos repas à l'école
5. rencontrer des jeunes
6. sortir ensemble
7. rapporter de bons souvenirs

Contextes Culturels

Comme la Guadeloupe, la Martinique est un département français d'outre-mer (*overseas*). Fort-de-France est la plus grande ville (100 000 habitants) et la capitale depuis 1680. C'est le plus grand port et le centre commercial le plus important des Petites Antilles françaises.

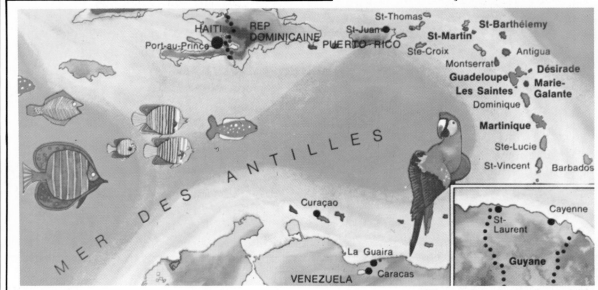

B. **Une montagne dangereuse.** While in Martinique, students ask some people what they will do if Mont Pelée ever erupts again. Give each person's answers.

> MODÈLE   se dépêcher de partir
> **Je me dépêcherai de partir.**

1. abandonner tout
2. ne pas rester ici
3. partir tout de suite
4. rester pour aider les autres
5. ne pas risquer ma vie
6. refuser d'avoir peur
7. quitter l'île
8. attendre que ça passe

Contextes Culturels

Les Martiniquais n'ont pas oublié la terrible éruption du mont Pelée en 1902. Cette éruption du volcan a détruit la ville de Saint-Pierre. Depuis ce temps-là le mont Pelée menace périodiquement de faire éruption. Mais il n'y a pas eu de véritable catastrophe récemment.

C. **Le futur, c'est demain.** Monsieur Lavenir is making predictions about the world of tomorrow. Tell what he says.

> MODÈLE   voyager plus
> **On voyagera plus.**

1. connaître mieux les autres pays
2. lire souvent des journaux étrangers
3. étudier des sujets nouveaux
4. travailler moins
5. conduire des voitures plus petites
6. se reposer plus

D. **Les parents parlent.** Before Jeannette's parents go out for the evening they tell her what she and her sister will have to do. What do they say?

> MODÈLE   ne pas regarder la télé jusqu'à minuit
> **Vous ne regarderez pas la télé jusqu'à minuit.**

1. ne pas se coucher trop tard
2. ne pas trop manger
3. ne pas oublier vos devoirs
4. ne pas perdre votre temps
5. ne pas réveiller les voisins
6. ne pas téléphoner à toutes vos amies
7. ne pas quitter la maison
8. ne pas inviter vos amis

E. Quel train prendre? Stéphanie can't understand why her friends are taking a slow train from Paris to Lyon when they could take the new high-speed train. What do they tell her about how they plan to pass the time?

MODÈLE   voyager tranquillement
Nous voyagerons tranquillement.

1. s'arrêter dans les petites villes
2. dormir dans le train
3. parler avec les autres
4. manger dans le train
5. lire des revues
6. se reposer un peu

Contextes Culturels

Le nouveau train à grande vitesse (TGV) va de Paris à Lyon, une distance de 470 kilomètres, sans s'arrêter. Ce voyage, qui prenait quatre heures, maintenant prend seulement deux heures vingt minutes. Le TGV fait le voyage à une vitesse de 260 kilomètres à l'heure, mais dans un avenir très prochain il le fera en deux heures, à 352 kilomètres à l'heure.

Communication

A. Pendant mon temps libre. Indicate whether or not you will do the following activities when you have some free time. Then tell what you will do instead.

> EXEMPLE   jouer au tennis
> Je ne jouerai pas au tennis; je jouerai au base-ball.

1. lire un bon roman
2. jouer au tennis
3. dormir jusqu'à midi
4. me reposer un peu
5. finir tous mes devoirs
6. m'amuser
7. acheter de nouveaux vêtements
8. emmener mon chien faire une promenade
9. sortir avec mes amis
10. lire des revues françaises
11. préparer un bon repas
12. répondre à des lettres

B. Après le lycée. Using items from each column, make sentences that describe what you or your friends will do after finishing high school.

> EXEMPLE   Je voyagerai beaucoup.

Je
Mes ami(e)s et moi, nous
Un de mes amis
Une de mes amies
Mes ami(e)s

continuer mes études
voyager beaucoup
louer un appartement
travailler pour gagner de l'argent
chercher un bon travail
quitter cette ville
trouver une bonne université
prendre des vacances
acheter une petite voiture
passer quelques mois au Canada
travailler dans un magasin
se marier
se lever tard tous les matins

You have now learned how to use four verb tenses in French: the imperfect, the **passé composé,** the present, and the future. Using the cues provided, complete the following sentences. Make sure to use the correct form and tense of the verb.

EXEMPLE   ***Vos habitudes de travail***
Quand j'étais petit, **je ne travaillais pas beaucoup.**
L'an dernier, **j'ai beaucoup travaillé.**
Cette année, **je travaille un peu moins.**
L'an prochain, **je travaillerai plus.**

1. ***Les sports que vous pratiquez***
   Quand j'avais dix ans, je _____
   Une fois, je _____
   Maintenant, je _____
   Dans cinq ans, je _____
2. ***Où vous passez vos vacances***
   Quand j'étais petit(e), je _____
   L'été dernier, je _____
   Cet été, je _____
   L'été prochain, je _____

3. ***Les programmes que vous regardez à la télé***
   Quand j'étais petit(e), je _____
   Le week-end dernier, je _____
   Maintenant, je _____
   Le week-end prochain, je _____
4. ***Les choses que vous mangez chez vous***
   Autrefois, je _____
   Une fois, je _____
   Maintenant, je _____
   Demain, je _____

C'est bien normal!

EXPLORATION

🔹 *TALKING ABOUT THE FUTURE*
IRREGULAR VERBS IN THE FUTURE TENSE

Présentation

Most irregular verbs that you know have irregular future stems. Note that these verbs use the same endings as regular verbs to form the future.

Verb	Future Stem	
aller	**ir-**	Je n'irai pas avec vous.
avoir	**aur-**	Est-ce qu'elle aura le temps?
être	**ser-**	Nous serons ici à six heures.
faire	**fer-**	Est-ce que vous ferez du ski cet hiver?
pouvoir	**pourr-**	Nous ne pourrons pas venir demain.
savoir	**saur-**	Tu ne sauras jamais la réponse.
venir	**viendr-**	Quand viendras-tu?
vouloir	**voudr-**	Qu'est-ce qu'ils voudront faire?

A. C'est formidable.   Madame Astral is telling Fabien's fortune. What does she predict?

> MODÈLE   être riche
> **Vous serez riche.**

1. avoir beaucoup de chance
2. aller à Paris
3. être très célèbre un jour
4. pouvoir gagner beaucoup d'argent
5. devenir un grand acteur
6. faire le tour du monde

B. Décisions.   Several students in Guadeloupe are talking about their future professions. Tell what they say.

> MODÈLE   être professeur
> **Moi, je serai professeur.**

1. avoir un petit magasin
2. être agent de voyages
3. faire mes études en France
4. pouvoir travailler dans un hôtel
5. devenir médecin
6. aller travailler dans une usine

Contextes Culturels

L'économie de la Martinique et de la Guadeloupe dépend surtout de l'agriculture et du tourisme, mais maintenant on essaie d'industrialiser le pays. Les exportations les plus importantes sont le sucre, le rhum et les bananes. Les jeunes trouvent aussi du travail dans le commerce, dans les usines, dans la construction et dans l'artisanat (*crafts*).

C. Pauvre enfant!   Although Émilie is only a little girl, people are already predicting what she will be like when she grows up. Tell what they say.

> MODÈLE   être jolie comme sa mère
> **Elle sera jolie comme sa mère.**

1. avoir de beaux yeux comme son père
2. être têtue comme son oncle
3. faire bien la cuisine comme sa sœur
4. savoir tout comme son père
5. aller à l'université comme son frère
6. devenir riche comme sa tante
7. pouvoir réussir à l'école comme ses frères
8. vouloir être avocate comme sa mère

D. **L'été prochain.** Marcel is asking his friends about their plans for next summer. Give his questions.

> MODÈLE   aller chez tes grands-parents
> **Est-ce que tu iras chez tes grands-parents?**

1. avoir le temps de te reposer
2. aller en colonie de vacances
3. faire du camping
4. vouloir voyager
5. être ici
6. pouvoir travailler
7. venir me voir

E. **Un voyage au Québec.** Nadine and her family are planning a trip to Quebec. Nadine tells a friend what they plan to do. What does she say?

> MODÈLE   aller au Québec en juillet
> **Nous irons au Québec en juillet.**

1. faire le tour du Québec
2. être là pour la fête nationale
3. pouvoir manger dans des restaurants
4. avoir beaucoup de temps libre
5. revenir ici le 18 juillet
6. aller au Palais des congrès à Montréal

Contextes Culturels

Le Palais des congrès de Montréal sera un des centres les plus modernes du monde. Situé dans le centre-ville, le Palais aura, entre autres choses, trente et une salles de réunion et une salle de bal qui pourra rassembler 4 500 personnes à la fois.

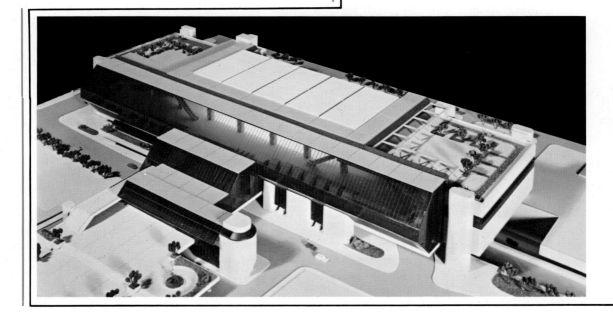

F. **On aura de la visite.** Nadine and her family are bringing some French-Canadian cousins home with them. She is telling a friend what they will do while they are here. Tell what she says.

> MODÈLE   revenir avec nous le 18 juillet
> **Ils reviendront avec nous le 18 juillet.**

1. avoir l'occasion de rencontrer mes amis
2. faire quelques excursions
3. pouvoir visiter la région
4. aller à la piscine avec moi
5. savoir se débrouiller en anglais
6. être contents de connaître le reste de la famille
7. revenir ici souvent

══Communication ════════════════════════

A. **Choix de professions.** Based on what you know about the interests of other students in your class, tell what jobs they will have in the future and why.

> EXEMPLE   Wade sera peut-être mécanicien; il aime réparer les voitures.

B. **Interview.** Using the phrases below, make up questions to ask another student about his or her plans for the future.

> EXEMPLE   aller à l'université
> Est-ce que tu iras à l'université?

1. revenir quelquefois
2. faire beaucoup de voyages
3. vouloir gagner beaucoup d'argent
4. vouloir se marier
5. avoir une grande ou une petite maison
6. avoir des enfants

C. **Un jour.** Using the suggestions below, make up sentences that describe what you think your life will be like in the future.

Verbes à utiliser: être, faire, pouvoir, avoir, aller, savoir, devenir
Sujets à mentionner: votre travail, votre famille, votre maison, vos activités, vos responsabilités, vos problèmes, vos possessions

> EXEMPLE   Un jour, j'aurai un bon travail.

Intégration

You have now learned to express future ideas with both regular and irregular verbs. Remember that both types of verbs take the same future endings.

Based on what is important for you, tell whether or not you will do the following things in the future.

EXEMPLE   devenir célèbre
Je ne deviendrai pas célèbre; ce n'est pas important pour moi.

1. voyager beaucoup
2. faire des études à l'université
3. aller un jour en France
4. réussir dans la vie
5. gagner beaucoup d'argent
6. avoir un travail intéressant
7. me marier
8. avoir des enfants
9. rester près de ma famille
10. prendre le temps de m'amuser

EXPLORATION

⚜ TALKING ABOUT THINGS ALREADY MENTIONED
THE PRONOUN EN

Présentation

When you have already used a partitive construction or any other construction with **de, du, de la, de l',** or **des,** you may avoid repeating it again by using the pronoun **en.** Like other object pronouns, it is placed before the verb.

A. When **en** replaces the partitive, its meaning is similar to *some, any* or *not any.*

- Nous avons mangé *du pain.* → Nous **en** avons mangé.
- Nous allons acheter *des disques.* → Nous allons **en** acheter.
- Il n'a pas *de crayons.* → Il n'**en** a pas.
- Elle ne veut pas *de dessert.* → Elle n'**en** veut pas.

B. When **en** replaces a prepositional phrase with **de,** its meaning is similar to *of it/them, about it/them,* or *from it/them.*

- Elle parle *de ses vacances.* → Elle **en** parle.
- Ils reviennent *du marché.* → Ils **en** reviennent.

C. **En** is also used to replace a noun modified by an expression of quantity or a number.

- J'ai trois *livres.* → J'**en** ai trois.
- Il y a dix *étudiants.* → Il y **en** a dix.
- Nous avons beaucoup *de travail.* → Nous **en** avons beaucoup.
- Je voudrais un kilo *de viande.* → J'**en** voudrais un kilo.

Nous en avons laissé un peu pour toi, papa.

Préparation

A. Misère. Jean Narien is complaining that he doesn't have anything. Tell what he says.

> MODÈLE   De l'argent?
> **Je n'en ai pas.**

1. Du temps libre?
2. Des amis?
3. Des disques?
4. De la chance?
5. Des vêtements élégants?
6. Des vacances?

B. Double Misère! One of Jean Narien's friends is talking about Jean's problems. Tell what his friend says.

> MODÈLE   Des problèmes? (beaucoup)
> **Il en a beaucoup.**

1. Des responsabilités? (trop)
2. Du travail? (beaucoup)
3. De l'ambition? (peu)
4. Des amis embêtants? (beaucoup)
5. Des classes difficiles? (trop)
6. Des problèmes? (beaucoup)

C. Retour du marché. Michel was responsible for buying groceries today. His mother is checking to make sure that he bought everything. How does Michel answer his mother?

> MODÈLE   Tu as acheté du pain?
> **Oui, j'en ai acheté.**

1. Tu as pris des légumes?
2. Tu as acheté des cerises?
3. Tu as pris du lait?
4. Tu as trouvé du fromage?
5. Tu as acheté de la viande?
6. Tu as acheté de l'eau minérale?

D. **Notre ville.** Susan is asking a French friend what his town is like. Give her friend's answers.

> MODÈLE Combien de cinémas est-ce qu'il y a? (9)
> **Il y en a neuf.**

1. Combien de théâtres est-ce qu'il y a? (2)
2. Combien d'écoles est-ce qu'il y a? (8)
3. Combien de parcs est-ce qu'il y a? (6)
4. Combien de piscines est-ce qu'il y a? (4)
5. Combien de banques est-ce qu'il y a? (5)
6. Combien de supermarchés est-ce qu'il y a? (7)

Contextes Culturels

Les villes françaises sont en train de changer. Il y a maintenant plus de supermarchés et de centres commerciaux. On essaie aussi de limiter la circulation automobile et d'avoir des rues commerciales réservées aux piétons.

Communication

A. **Qui a . . . ?** Find another student who has the following items by asking questions that use the words below. Be sure to use **en** in your answers.

> EXEMPLE quatre stylos
> Robert, est-ce que tu as quatre stylos?
> Oui, j'en ai quatre.
> Non, j'en ai seulement un.
> Non, je n'en ai pas.

1. deux vélos
2. trois tee-shirts bleus
3. un crayon jaune
4. beaucoup de revues
5. trois affiches
6. cinq cahiers
7. plusieurs livres
8. beaucoup d'argent

B. **Combien de . . . ?** Use the words below to make up questions to ask another student. **En** must be used in each answer.

>EXEMPLE   Combien d'oncles as-tu?
>J'en ai trois.

1. cousins
2. cousines
3. frères
4. sœurs
5. chiens
6. chats
7. disques
8. livres

C. **Les villes de demain.** What do you think cities of the future will be like? Give your opinion by answering the following questions. Use **en** in each statement.

>EXEMPLE   Est-ce qu'il y aura des voitures?
>Non, il n'y en aura pas.
>Oui, il y en aura beaucoup.

1. des maisons
2. un métro
3. des arbres
4. des journaux
5. une gare
6. un aéroport
7. des parcs
8. des écoles
9. des magasins
10. des hôpitaux
11. des usines
12. des problèmes

Intégration

You now know how to use two types of pronouns to replace direct objects. **Le, la,** and **les** replace nouns with definite articles, possessive adjectives, or demonstrative adjectives. **En** replaces a noun with the partitive article.

Answer the following questions using **le, la, l', les,** or **en.**

>EXEMPLE   Est-ce que vous aimez les animaux?
>Oui, je les aime.
>Est-ce que vous avez des chats?
>Oui, j'en ai deux.

1. Est-ce que vous aimez le poisson?
2. Est-ce que vous mangez souvent du poisson?
3. Est-ce que vous portez souvent des blue-jeans?
4. Qui choisit vos vêtements?
5. Est-ce que vous collectionnez les timbres?
6. Est-ce que vous avez quelquefois des problèmes?
7. Est-ce que vous lisez souvent le journal?
8. Est-ce que vous avez lu des revues françaises?

EXPLORATION

⚜️ *COMBINING IDEAS IN COMPLEX SENTENCES*
CE QUI *AND* CE QUE

═ Présentation ══════════════════════

You have already been using the relative pronouns **qui** and **que** to combine clauses to express more complicated ideas.

- Voilà la personne qui m'a aidé.
- Je voudrais la bouteille qui est sur la table.
- Où est le journal que j'ai acheté?
- Regarde le joli timbre que j'ai trouvé.

Sometimes the words that link the clauses together do not refer to a definite person or thing but to a general idea. In this case **ce qui** and **ce que** are used. Both have meanings similar to *that which* or *what*.

A. **Ce que** is used as the object of the verb in the dependent clause. **Ce que** is often used as a response to the question "**Qu'est-ce que** . . . ?"

- Nous savons ce que le professeur a décidé.
- Personne ne sait ce que nous allons faire.
- Devine ce que j'ai acheté.
- Je ferai ce que je pourrai.

B. **Ce qui** is used as the subject of the verb in the dependent clause. **Ce qui** is often used to answer the question "**Qu'est-ce qui** . . . ?" **Ce qui** is the subject of a sentence that refers only to things.

- Je ne comprends pas ce qui est arrivé.
- Ce qui est intéressant, c'est la couleur.
- Elle déteste tout ce qui est compliqué.
- Nous préférons ce qui est naturel.
- Dis-moi ce qui t'amuse.

Hier j'avais un yo-yo. Et maintenant tout ce que j'ai, c'est un yo.

A. **Un voyage à Fort-de-France.**   A friend is asking Véronique about her plans for a trip. What does Véronique answer?

> MODÈLE   Dis-moi ce que tu feras.
> **Je ne sais pas ce que je ferai.**

1. Dis-moi ce que tu mangeras.
2. Dis-moi ce que tu achèteras.
3. Dis-moi ce que tu me rapporteras.
4. Dis-moi ce que tu porteras pour sortir.
5. Dis-moi ce que tu feras le soir.
6. Dis-moi ce que tu apprendras.

B. **Curiosité.**   Claudine's little brother is very curious about things that his sister did last weekend. Give Claudine's answers.

> MODÈLE   Qu'est-ce que tu as acheté?
> **Voilà ce que j'ai acheté.**

1. Qu'est-ce que tu as trouvé?
2. Qu'est-ce que tu m'as acheté?
3. Qu'est-ce que tu as fait?
4. Qu'est-ce que tu as lu?
5. Qu'est-ce que tu as perdu?
6. Qu'est-ce que tu as mangé?
7. Qu'est-ce que tu as décidé de faire?

C. **Indécision.** Didier isn't sure about what he wants to do. Tell what he says.

> MODÈLE   faire
> **Je ne sais pas ce que je ferai.**

1. apprendre
2. manger
3. porter
4. lire
5. devenir
6. acheter

D. **Ce que j'aime.** Liliane is talking about what she likes. What does she say?

> MODÈLE   vieux
> **J'aime tout ce qui est vieux.**

1. beau
2. intéressant
3. amusant
4. bon
5. différent
6. joli
7. naturel
8. petit

Contextes Culturels

On trouve en France de nombreuses traces des civilisations qui nous ont précédés. Il y a des grottes (*caves*) avec des dessins préhistoriques. En Bretagne, on trouve de grands monuments de pierre (*stone*) construits par les Celtes. Plus tard la France a été une province romaine. On peut visiter, dans le sud du pays surtout, des temples, des théâtres, des arènes et des aqueducs construits par les Romains.

E. **Ce que je n'aime pas.**   Liliane also mentions what she does not like. What does she say?

> MODÈLE   fatigant
> **Je n'aime pas ce qui est fatigant.**

1. difficile
2. trop facile
3. embêtant
4. cher
5. mauvais
6. commercial
7. triste
8. compliqué

F. **Tu es trop curieux.**   Alain is asking all sorts of questions about various things and people. What do his friends answer?

> MODÈLES   Qu'est-ce que tu vas faire?
> **Je ne sais pas ce que je vais faire.**
> Qu'est-ce qui va se passer?
> **Je ne sais pas ce qui va se passer.**

1. Qu'est-ce que Claude va faire ce soir?
2. Qu'est-ce qui s'est passé hier?
3. Qu'est-ce qu'il y a à manger?
4. Qu'est-ce qu'il y a à la télé?
5. Qu'est-ce qui va arriver?
6. Qu'est-ce que tu vas porter demain?
7. Qu'est-ce que Marlène a acheté?

Gouvernement du Québec
Office de la langue française

Le français au travail...

ce qu'il faut savoir...
ce qu'il faut faire...

═══ Communication ═══

A. **Préférences.**   Tell which of the following you like or don't like.

> EXEMPLE   facile
> J'aime ce qui est facile.
> Je n'aime pas ce qui est facile.

1. différent
2. naturel
3. triste
4. vieux
5. difficile
6. amusant
7. fatigant
8. beau

B. **À l'école.** Using words that you know for school and school subjects, answer the following questions.

      EXEMPLE   Qu'est-ce qui est difficile pour toi?
                           Ce qui est difficile pour moi, c'est l'histoire.

1. Qu'est-ce qui est facile pour toi?
2. Qu'est-ce qui est intéressant pour toi?
3. Qu'est-ce qui est compliqué pour toi?
4. Qu'est-ce qui est embêtant pour toi?
5. Qu'est-ce qui est fatigant pour toi?
6. Qu'est-ce qui est difficile pour toi?

C. **Interview.** Use the phrases below to form questions to ask other students.

      EXEMPLE   ce qu'il/elle va regarder à la télé ce soir
                           Qu'est-ce que tu vas regarder à la télé ce soir?

1. ce qu'il/elle va faire ce soir
2. ce qu'il/elle va manger
3. ce qu'il/elle va acheter
4. ce qu'il/elle va lire
5. ce qu'il/elle va écouter
6. ce qu'il/elle va porter demain
7. ce qu'il/elle va étudier l'an prochain
8. ce qu'il/elle va faire après l'école

Intégration

You now know two ways to form sentences by combining two clauses into a complex sentence. **Qui** and **que** are used to introduce dependent clauses that describe a noun. These clauses are therefore much like adjectives.

Ce qui and **ce que**, which link clauses and refer to a more indefinite idea, introduce clauses that function much like nouns.

Fill in the blanks of the following questions with **qui, que, ce qui,** or **ce que**. Then use these questions to interview another student.

1. Quelle est la classe _____ tu aimes le mieux?
2. Est-ce que tu sais _____ tu vas faire ce soir?
3. Quel est le disque _____ tu aimes le mieux?
4. Est-ce que tu sais _____ s'est passé à l'école vendredi?
5. Est-ce que tu comprends _____ le professeur a expliqué?
6. Est-ce que tu sais _____ a eu la meilleure note à l'examen?
7. Je voudrais savoir avec _____ tu vas sortir vendredi soir.
8. Est-ce que tu aimes _____ est difficile?

PERSPECTIVES

Notre monde de demain

L'environnement, j'en suis, moi aussi

Environnement Québec

Laisserons-nous <u>mourir</u> nos lacs et nos rivières? Continuerons-nous à   die
<u>empoisonner</u> l'air que nous <u>respirons</u> et les produits que nous mangeons?   poison/breathe

Continuerons-nous à gaspiller l'énergie? Et quel sera l'avenir de notre
planète si nous ne faisons rien maintenant?

Ce sont peut-être là des problèmes trop difficiles pour nous. Mais nous
pouvons faire quelque chose pour <u>protéger</u> notre environnement. Voici les   protect
dix commandements des jeunes écologistes:

1. Tu protégeras les plantes et les animaux.
2. Tu ne <u>jetteras</u> pas de papiers n'importe où. throw
3. Chaque fois que tu pourras, tu marcheras à pied ou tu prendras ton vélo et tu laisseras ta voiture à la maison.
4. Tu préféreras utiliser des produits naturels chaque fois que ce sera possible.
5. Tu ne feras pas trop de <u>bruit</u>. noise

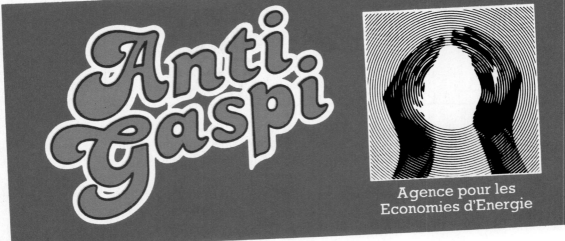

6. Tu ne gaspilleras rien et tu recycleras tous les produits possibles.
7. Tu ne feras jamais de <u>feu</u> là où tu risques de causer un feu de forêt.   fire
8. Tu respecteras les vestiges du passé et notre héritage national.
9. Tu ne <u>fumeras</u> pas et tu n'utiliseras pas de drogues qui peuvent   smoke
    <u>faire du mal</u> à ton corps.   harm
10. Tu n'oublieras pas que si on gaspille le papier, un jour il <u>n</u>'y aura   no more,
    <u>plus</u> de forêts.   no longer

Tell whether or not the following could be added to the commandments for young ecologists. If a statement is inaccurate or inappropriate, reword it to make it true.

1. Les animaux n'ont pas besoin d'être protégés.
2. Pourquoi marcher à pied quand on a une voiture!
3. On ne peut pas s'amuser sans faire de bruit.
4. Quand on fume, on empoisonne l'air que les autres personnes respirent.
5. Chaque personne a le droit de faire du feu où elle veut.
6. Les produits chimiques empoisonnent peu à peu nos lacs et nos rivières.
7. Il faut jeter toutes les vieilles choses.
8. Je peux jeter les papiers dans la rue si j'en ai envie.

COMMUNICATION

A. **Prédictions.** Madame Lavenir has made some more predictions. Indicate whether you agree or disagree with what she says.

1. Nos maisons seront beaucoup plus petites.
2. Les gens auront plus de temps libre.
3. Il y aura des villes sous les océans.
4. Tout le monde parlera anglais.
5. Les enfants iront à l'école de deux à vingt-cinq ans.
6. On pourra voyager de New York à Paris en une heure.
7. Personne ne sera malade.
8. On n'aura plus besoin de travailler.

B. **Vos prédictions.** Make up predictions about what you think will take place in the future. Then see if other students agree or disagree with you.

> EXEMPLE   On habitera sur d'autres planètes.

C. **Un robot à tout faire.** In the future, it is possible that robots will do many things for us. Describe your robot and tell what it will do for you.

> EXEMPLE   Mon robot aura quatre mains et deux têtes.
> Il fera le ménage pour moi; il préparera les repas . . . .

D. **Notre capsule-témoin.** List eight items that you will put in a time capsule. Tell why you think that each of these items is important.

> EXEMPLE   Je mettrai des bandes dessinées dans la capsule. Comme ça, on comprendra ce qui nous amuse.

E. **La vie sur une autre planète.** Answer the following questions and tell how you think life on another planet will be.

1. Quel sera le nom de votre planète?
2. Comment seront les écoles?
3. Qu'est-ce qu'on apprendra?
4. Comment seront les maisons?
5. Comment les gens voyageront-ils?
6. Quelles sortes de travail les gens feront-ils?
7. Qu'est-ce qu'on mangera?
8. Qu'est-ce qu'on fera pour s'amuser?
9. Quelles sortes de vêtements est-ce qu'on portera?
10. Quelles seront les activités d'une personne qui habitera sur cette planète?

Stanley Kubrick
2001
l'odyssee de l'espace

VOCABULAIRE DU CHAPITRE

NOUNS

l'air (*m*)   air
l'amour (*m*)   love
l'avenir (*m*)   future
le bruit   noise
le commandement   commandment
la confiance   confidence
l'écologiste (*m* or *f*)   ecologist
l'environnement (*m*)   environment
la forêt   forest
l'héritage (*m*)   heritage
l'interruption (*f*)   interruption
la planète   planet
la rivière   river
le vestige   trace, vestige

ADJECTIVES AND ADVERBS

chimique   chemical
longtemps   a long time
national   national
plein   full
têtu   stubborn

VERBS

causer   to cause
empoisonner   to poison
faire du mal   to harm
fumer   to smoke
jeter   to throw, throw away
mourir   to die
protéger   to protect
respecter   to respect
respirer   to breathe
tomber   to fall
   tomber amoureux   to fall in love
   tomber malade   to become ill
utiliser   to utilize

OTHER WORDS AND EXPRESSIONS

à propos   by the way
dis-moi   tell me
n(e) . . . plus   no more, no longer

HUITIÈME CHAPITRE

Pour un meilleur monde

8

INTRODUCTION

Le Marathon du courage

C'était le treize septembre. D'un <u>bout</u> à l'autre du Canada, il y avait des   end
gens qui <u>couraient</u>*, qui marchaient, qui pédalaient et qui <u>patinaient</u>. <u>Parmi</u>   ran/skated/among
eux, il y avait des jeunes et des vieux, des athlètes et des handicapés, des
célébrités et des gens ordinaires comme vous et moi.

    À Montréal 2 000 personnes ont participé à la <u>course</u>. Il y avait même   race
une grand-mère de quatre-vingt-dix ans. Elle a dit qu'elle voulait participer,
même si ça allait lui prendre toute la <u>journée</u>.   day

* **Courir** (*to run*) is irregular: **je cours, tu cours, il court, nous courons, vous courez,
ils courent.** The past participle is **couru**; the future stem is **courr-**.

D'autres pays ont aussi organisé des marathons et des mini-marathons: les États-Unis, la Suisse et même l'Arabie Saoudite, par exemple. En tout, plus de trois millions de personnes ont contribué au succès de cet effort. Mais qu'est-ce que tous ces gens voulaient prouver? Ils voulaient simplement continuer le rêve de Terry Fox et son bel acte de courage.

L'histoire de Terry Fox, vous la connaissez peut-être. Quand il a appris qu'il allait mourir d'un cancer, il a décidé de faire quelque chose pour les autres victimes de cette maladie. Il avait seulement une jambe mais cela ne l'a pas <u>empêché</u> de commencer son marathon de l'<u>espoir</u>. prevent/hope

<u>Grâce à</u> son courage on a pu trouver vingt-quatre millions pour aider <u>la recherche</u> contre le cancer. Mais c'est son geste surtout qui a redonné courage aux malades et aux handicapés. thanks to
research

"Terry Fox est un symbole de courage. Il nous a montré que nous n'avons pas besoin de rester dans notre <u>coin</u> sans rien faire," expliquent deux jeunes filles paralysées qui ont participé à la course du treize septembre. corner

COMPRÉHENSION

Answer the following based on *Le Marathon du courage.*

1. Qu'est-ce qui s'est passé au Canada le treize septembre?
2. Qui a participé à ces courses?
3. Et à Montréal, qui a participé à la course?
4. Est-ce qu'il y a eu des courses seulement au Canada?
5. Pourquoi tous ces gens ont-ils participé à ces courses?
6. Qui était Terry Fox?
7. Qu'est-ce qu'il a fait?
8. Quel a été le résultat de son acte de courage?

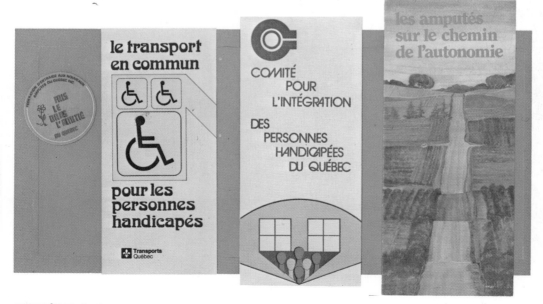

Nous tous. Chaque jour, il y a beaucoup de choses qui se passent dans le monde. Même si c'est très loin, nous sommes tous influencés.

> *Vocabulaire*
>
> | | |
> |---|---|
> | **un événement** event | **une sécheresse** drought |
> | **un accord** agreement | **le chômage** unemployment |
> | **la guerre** war | **la grève** strike |
> | **malheureusement** unfortunately | **la paix** peace |
> | **une inondation** flood | **une récolte** harvest |
> | **un orage** storm | **la découverte** discovery |
> | **un tremblement de terre** earthquake | |

Il y a des événements politiques:

des élections

des accords entre
différents pays

Malheureusement, il y a aussi
quelquefois des guerres.

Il y a des catastrophes naturelles:

des inondations

des tremblements de terre

des orages

des sécheresses

Il y a des problèmes sociaux:

le chômage

les grèves

l'inflation

les crimes

les accidents

Mais il y a aussi de bonnes nouvelles:

des accords de paix

des récoltes qui sont abondantes

de grandes réussites techniques

des exploits sportifs

des créations artistiques

des découvertes et des inventions

Louis Pasteur

des gens qui luttent pour leurs idées

Mme Curie

des hommes et des femmes qui ont fait
quelque chose pour l'humanité

A. Les nouvelles.
Use the new vocabulary to tell what the following news items are about.

EXEMPLE   "Tout est de plus en plus cher."
C'est un article au sujet de l'inflation.

La Presse

TOUT EST DE PLUS EN PLUS CHER.

LES FACTEURS NE SONT PAS CONTENTS.

ILS ONT DECIDE DE S'ARRETER DE TRAVAILLER.

IL PLEUT DEPUIS CINQ JOURS ET MAINTENANT IL Y A
UN METRE D'EAU DANS CERTAINS QUARTIERS DE LA VILLE.

LES VENDAGES EN BOURGOGNE ONT ETE EXCELLENTES ET LE VIN SERA BON CETTE ANNEE.

C'EST DEMAIN QUE LES ITALIENS VONT CHOISIR LEUR NOUVEAU PRESIDENT.

Estier porte-parole

VOUS POUVEZ MAINTENANT ACHETER VOTRE VIDEO-TELEPHONE EN COULEUR.

LES DERNIERS TABLEAUX DE PICASSO VONT ETRE EXPOSES AU MUSEE D'ART MODERNE.

B. À l'école.
Write news items and headlines for events that are taking place in your school.

EXEMPLE   Grande réussite technique et création artistique à la caféteria: le hamburger sans viande

EXPLORATION

🪻 ***EXPRESSING WHAT YOU WOULD DO***
THE CONDITIONAL TENSE

Présentation

In English a conditional idea is expressed by the word "would." We say, for example, "I *would go* camping, if I were free" or "In your condition, I *wouldn't* go jogging." In French a conditional idea is expressed by the conditional tense, which is formed by adding the imperfect endings to the future stem.

aimer	
j'aimer**ais**	nous aimer**ions**
tu aimer**ais**	vous aimer**iez**
il/elle aimer**ait**	ils/elles aimer**aient**

- Je voudrais participer à un marathon.
- Nous pourrions faire ça demain.
- Ils aimeraient mieux rester ici.

A. The conditional tense is used frequently with the following phrases:

à ta place in your place
dans ce cas-là in that case

- À ta place, je ne ferais pas ça.
- Dans ce cas-là, nous partirions tout de suite.

B. The conditional tense of **pouvoir** and **vouloir** is also used to make polite requests or to ask questions in a polite way.

- Pourriez-vous me prêter de l'argent?
- Elle voudrait te parler.
- Je voudrais un kilo de tomates.

Si j'étais à ta place, je prendrais des vitamines.

A. Leurs rêves. Several students are talking about what they would like to achieve. Tell what they say.

> MODÈLE   Maurice / participer à un marathon
> **Maurice voudrait participer à un marathon.**

1. Nous / faire le tour du monde
2. Vous / aider les autres
3. Mes amis / gagner beaucoup d'argent
4. Je / inventer quelque chose
5. Tu / devenir célèbre
6. Sophie / lutter pour ses idées

B. Suggestions. Some friends are talking about what they could do this weekend. Tell what Marianne suggests.

> MODÈLE   Michel / aller au cinéma
> **Michel pourrait aller au cinéma.**

1. Vous / faire une promenade en voiture
2. Tu / aller à la piscine
3. Nous / aller au concert
4. Michelle et Jean / sortir ensemble
5. Serge / faire du sport
6. Je / rester à la maison

C. Lui, il est parfait. Hervé can't seem to do anything right, but he thinks his brother Henri is perfect. Tell what he says about Henri.

> MODÈLE   Je ne comprends pas.
> **Lui, il comprendrait.**

1. Je ne suis pas content.
2. Je ne sais pas la réponse.
3. Je ne réussis pas bien à l'école.
4. Je ne fais pas mes devoirs.
5. Je ne peux pas comprendre.
6. Je ne veux pas travailler.

D. Pour un meilleur monde. Jeanne is talking about what a better world would be like. What does she say?

> MODÈLE   avoir faim
> **Personne n'aurait faim.**

1. avoir froid
2. être triste
3. avoir des problèmes
4. être pauvre
5. faire la guerre
6. être malade
7. faire du mal aux autres

E. **Si tu allais au Canada.** Étienne is asking Régine what she would do on a trip to Canada. What questions does Etienne ask?

> MODÈLE   parler français
> **Est-ce que tu parlerais français?**

1. lire les journaux
2. visiter Montréal
3. acheter des revues canadiennes
4. faire des courses dans les magasins
5. aller à la ville de Québec
6. faire des excursions

Contextes Culturels

Il y a un certain nombre de revues et de journaux français au Canada. Quand on habite à Québec, on peut lire *Le Soleil*, et à Montréal les gens bien informés lisent *Le Devoir*. Parmi les périodiques, c'est sans doute *L'Actualité* et *Châtelaine* qui ont le plus de lecteurs. Mais il y a aussi des revues plus spécialisées comme *Québec Science* ou *La Vie des arts*. Les jeunes peuvent lire *Hibou*, *Mic Mac* ou *Vidéo-Presse*.

Communication

A. **À ta place, je . . . .** What would you do if you were in the place of some friends who tell you the following?

> EXEMPLES J'ai un examen demain. Je vais me coucher tard.
> À ta place, je ne me coucherais pas tard.
> Moi aussi, je me coucherais tard.

1. J'ai des devoirs à faire. Je vais regarder la télé.
2. Je n'ai pas d'argent. Je vais demander à mes amis de m'en prêter.
3. Je suis très fatigué. Je vais commencer à faire mes devoirs.
4. J'ai mal à l'estomac. Je vais manger des pâtisseries.
5. J'ai sommeil. Je vais conduire.
6. Je vais au match de football. Je vais porter une cravate.
7. J'ai du temps libre. Je vais faire du sport.

B. **Un meilleur monde pour tous.** What, in your opinion, would a better world be like?

> EXEMPLES Il n'y aurait plus de guerres.
> Tout le monde serait content.

C. **Politesse.** Imagine you find yourself in the following situations. What polite requests could you make to solve each problem?

> EXEMPLE Vous êtes en étude. Vous avez de la difficulté avec vos devoirs de français. Vous voulez demander à un(e) ami(e) de vous aider.

Est-ce que tu pourrais m'expliquer ce problème?

1. Vous êtes au café. Vous voulez manger un sandwich au jambon.

2. Vous allez sortir avec un(e) ami(e). Votre ami(e) veut aller au cinéma, mais vous, vous préférez aller voir un match.

3. Vous êtes à la maison. Vos parents veulent écouter de la musique classique. Vous préférez autre chose.

4. Vous parlez à un(e) ami(e). Vous avez besoin d'argent. Vous demandez à cet/cette ami(e) de vous en prêter.

D. **Pendant les vacances d'été.** Tell whether or not you would like to do the following activities during your summer vacation.

> EXEMPLES   aller à la piscine
> Moi, j'aimerais bien aller à la piscine.
> Pas moi, j'aimerais mieux aller à la plage.

1. jouer au base-ball
2. aller à l'école
3. faire du camping
4. faire du ski nautique
5. partir en vacances
6. me reposer un peu
7! rester à la maison
8. trouver un travail

Intégration

Although the endings for the conditional and the imperfect tenses are identical, there is never any confusion in spoken or in written language because of the *r* sound or the letter **r** just before the ending in the conditional tenses. Note the difference between **je parlerais** (conditional) and **je parlais** (imperfect).

Answer the following questions or use them to interview another student. Be sure to use the correct verb tense.

1. Est-ce que tu participerais à un marathon?
2. Est-ce que tu savais qu'il y avait "un marathon de l'espoir"?
3. Est-ce que tu aimerais traverser les États-Unis à pied?
4. Est-ce que tu aurais le courage de faire ce que Terry Fox a fait?
5. Est-ce que tu connaissais l'histoire de Terry Fox?
6. Est-ce que tu donnerais de l'argent pour aider la recherche contre le cancer?
7. Est-ce que tu voudrais faire quelque chose pour aider les autres?

EXPLORATION

⚜ SAYING WHAT YOU WOULD DO, IF . . . .
"IF CLAUSES" WITH THE CONDITIONAL

══Présentation ══════════════════

To say that something would happen if something else were to happen is
simpler in French than in English because the "if clause" in English can use
different tenses.

> If I *took* the bus, it would be cheaper.
> If I *would take* the bus, it would be cheaper.
> If I *were to take* the bus, it would be cheaper.

In French, however, the "**si** clause" must be in the imperfect tense and the
result clause in the conditional tense.

> • Si je prenais l'autobus, ça coûterait moins cher.

Note that either clause may come first.

> • Si tu avais besoin de moi, je t'aiderais.
> • Je visiterais tous les pays du monde, si je pouvais.

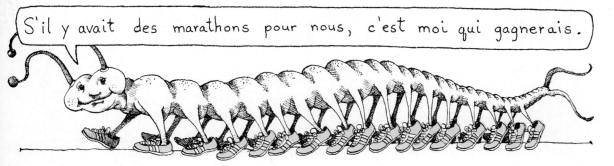

S'il y avait des marathons pour nous, c'est moi qui gagnerais.

══Préparation ══════════════════

A. **Si nous avions le temps, ...** Jean-Luc and Maurice are talking
about what they would like to do if they had more time. Tell what they
say.

> MODÈLE   faire du sport
> **Si nous avions le temps, nous ferions du sport.**

1. se reposer	4. jouer au tennis
2. nager	5. venir au match
3. aller au cinéma	6. faire du vélo

B. **Si nous n'avions pas classe, ...** Several students are talking about what they would do if there were no classes today. What do they say?

> MODÈLE   rester à la maison
> **Si nous n'avions pas classe, je resterais à la maison.**

1. dormir jusqu'à midi
2. lire un roman
3. se reposer
4. jouer au basket-ball
5. aller à la piscine
6. être content
7. faire du ski
8. téléphoner à mes amis

C. **Si j'avais du talent, ...** A group of friends is talking about what they would do if they were more talented.

> MODÈLE   jouer de la guitare
> **Si j'avais du talent, je jouerais de la guitare.**

1. inventer quelque chose
2. faire de la danse
3. dessiner quelque chose
4. être célèbre
5. jouer du piano
6. composer des chansons

Contextes Culturels

Parmi les artistes français, Auguste Renoir est un des plus célèbres. Renoir était un impressionniste et beaucoup de ses tableaux (*paintings*) sont exposés au musée du Jeu de Paume à Paris.

Madame Henriot; Pierre Auguste Renoir; National Gallery of Art, Washington; Gift of Adele R. Levy Fund, Inc.

D. **Si tu étais riche!** Françoise wants to know what Maryse would do if she were rich. Give Françoise's questions.

> MODÈLE   aider les autres
> **Si tu étais riche, est-ce que tu aiderais les autres?**

1. acheter beaucoup de choses
2. être heureuse
3. travailler
4. faire quelque chose pour l'humanité
5. avoir beaucoup de vêtements
6. prêter de l'argent à tes amis

E. **Curiosité.** Janine is asking her friends what they would do if they were to visit different places. Give Janine's questions.

> MODÈLE   aller en France
> **Qu'est-ce que vous feriez si vous alliez en France?**

1. passer vos vacances en Suisse
2. avoir des amis en Belgique
3. faire un voyage en Tunisie
4. être étudiants à Montréal
5. voyager au Maroc
6. aller au Sénégal

Contextes Culturels

N'oubliez pas que si un jour vous voulez voyager ou travailler ou être étudiant(e) dans un pays où on parle français, il y a des pays francophones dans tous les coins du monde.

F. **Regrets.** Several people are telling what they would do if things were different. Tell what they say.

> MODÈLE être plus intelligents / mieux réussir
> **Si nous étions plus intelligents, nous réussirions mieux.**

1. avoir de l'argent / acheter une grande maison
2. être riches / avoir plusieurs voitures
3. avoir du talent / être célèbres
4. avoir le temps / faire une promenade
5. avoir un bon travail / être contents
6. avoir le temps / faire du ski

Contextes Culturels

Pour indiquer que quelque chose est un rêve impossible, on dit souvent en français: "Avec 'si' on pourrait mettre Paris dans une bouteille."

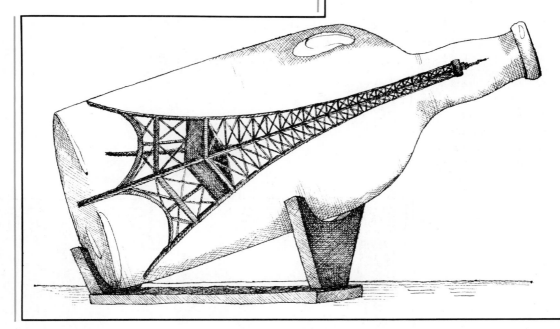

G. **Si j'avais le temps, ...** Several friends are talking about what they would do if they had more free time. Tell what they say.

> MODÈLE je / faire de la gymnastique
> **Si j'avais le temps, je ferais de la gymnastique.**

1. nous / se reposer
2. Gilbert / nager
3. je / aller au cinéma
4. mes amis / rester à la maison
5. tu / venir au match
6. vous / lire un roman

Communication

A. **Un peu de fantaisie.** What if we could be all kinds of things that we are not? Choose six or more of the following and tell what you would choose to be and what you would do.

> EXEMPLES Si j'étais une route, je me promènerais dans la campagne.
> Si j'étais un tableau, je ne me laverais jamais.

1. une couleur
2. un arbre
3. une voiture
4. un légume
5. un magasin
6. une cravate
7. une école
8. un livre
9. un monument
10. un repas
11. la pluie
12. une maison
13. une ville
14. l'hiver
15. un chien
16. un disque

B. **Interview.** Use the phrases below to make up questions to ask another student.

> EXEMPLE si tu étais riche
> Qu'est-ce que tu ferais si tu étais riche?

1. s'il n'y avait pas classe aujourd'hui?
2. si tu allais au Canada?
3. si c'était ton anniversaire aujourd'hui?
4. si tu avais plus de temps libre?
5. si tu n'avais jamais de devoirs?
6. si tu étais riche?

C. **Les âges de la vie.**   What do you think your life would be like at the various ages listed below?

> EXEMPLE   seize ans
> Si j'avais seize ans, j'aurais mon permis de conduire.

1. dix-huit ans
2. vingt et un ans
3. trente ans
4. quarante ans
5. cinquante ans
6. soixante-cinq ans
7. quatre-vingts ans
8. cent ans

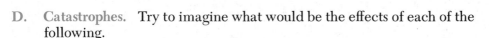

D. **Catastrophes.**   Try to imagine what would be the effects of each of the following.

1. S'il y avait des inondations, ...
2. S'il y avait une sécheresse, ...
3. S'il y avait une guerre, ...
4. S'il y avait un tremblement de terre, ...
5. S'il y avait des grèves, ...

Intégration

In addition to **si** clauses in the imperfect tense, you have also seen and used **si** clauses in the present tense. When the **si** clause is in the present tense, the other clause can be present, future, or imperative.

> tu peux rester à la maison.
>
> Si tu es fatigué → repose-toi.
>
> je ferai la vaisselle à ta place.

What advice might you give to a friend with these problems?

1. Si tu as mal à la tête, _____.
2. S'il fait mauvais demain, _____.
3. Si tu étais malade, _____.
4. Si tu as faim, _____.
5. S'il faisait très froid, _____.
6. Si tu as trop de travail, _____.

EXPLORATION

═ Présentation ═══════════════════════════

The pronoun **y** may be used to replace a prepositional phrase indicating location. The meaning of **y** is often similar to *there* in English.

> Je vais *à Québec* l'an prochain. → J'y vais l'an prochain.

A. The pronoun **y** is placed in the same position as other object pronouns in French.

> Elle va habiter en Belgique. → Elle va y habiter.
> Nous sommes entrés dans l'église. → Nous y sommes entrés.

B. Sometimes **y** is used when it does not refer to location.

> Je pense souvent *à mon avenir.* → J'y pense souvent.

The pronoun **y** may still replace the prepositional phrase as long as the object of the preposition is not a person. (When the object of a preposition is a person, the emphatic pronouns are used: *Tu penses à tes amis?* → *Tu penses à eux?*)

> Est-ce que tu as répondu à sa lettre? → Non, mais j'y pense souvent.
> Je pense tout le temps à ce problème. → J'y pense.

A. **On va au concert.** Véronique wants to go to a concert tonight and is asking her friends whether they are going too. What do they tell her?

> MODÈLE Je vais au concert. Et Robert?
> **Il y va aussi.**

1. Et toi?
2. Et tes amis?
3. Et Micheline?
4. Et les amis de Michel?
5. Et vous?
6. Et vos parents?

Contextes Culturels

Chaque année, il y a dans les villes françaises des séries de concerts pour les jeunes. Ces concerts sont subventionnés par le Ministère de la Culture. Les plus connus s'appellent les JMF (Jeunesse Musicale de France). Leur but (*aim*) est d'initier les jeunes à la musique et à la danse. On y présente les meilleurs musiciens français ou étrangers.

B. **Différences.** Marguerite and Suzanne find out that they don't think about the same things. What does Suzanne say?

> MODÈLE Moi, je ne pense pas souvent à mon avenir.
> **Moi, j'y pense souvent.**

1. Je ne pense pas souvent à mes problèmes.
2. Je ne pense pas souvent à mes études.
3. Je ne pense pas souvent à ma santé.
4. Je ne pense pas souvent à mon travail.
5. Je ne pense pas souvent à mes responsabilités.
6. Je ne pense pas souvent à mon avenir.

C. **À la Maison des Jeunes.** Some French teenagers are telling why they and their friends go to the local recreation center. What do they say?

MODÈLE Jacqueline / voir ses copains
Jacqueline y va pour voir ses copains.

1. Nous / être avec nos copains
2. Moi / apprendre à jouer de la guitare
3. Vous / faire du sport
4. Catherine / apprendre à dessiner
5. Mes amis / jouer dans une pièce de théâtre
6. Toi / écouter de la musique

Contextes Culturels

Dans les grandes villes françaises, il y a souvent plusieurs "Maisons des Jeunes." Là, les jeunes peuvent faire du théâtre, de la poterie, de la peinture, du ballet, par exemple, ou ils peuvent simplement y aller pour retrouver leurs copains et pour jouer ou discuter ensemble.

D. **Activités.** Philippe is asking Claudine about her many activities. Give Claudine's answers.

MODÈLE Est-ce que tu vas aller à la bibliothèque ce soir?
Oui, je vais y aller.

1. Est-ce que tu vas quelquefois au théâtre?
2. Est-ce que tu as envie d'aller à la piscine?
3. Est-ce que tu es allée au stade hier?
4. Est-ce que tu vas aller au concert demain?
5. Est-ce que tu vas souvent à la bibliothèque?
6. Est-ce que tu as l'intention d'aller en ville?

E. **Tout le monde a des responsabilités.** Monsieur Dubois is asking his daughter Monique if everyone has done his or her chores. Give Monique's answers.

> MODÈLE   Est-ce que tu es allée à la boucherie? (oui)
> **Oui, j'y suis allée.**

1. Est-ce que Pierre est allé au marché. (non)
2. Est-ce que tu es allée à la poste? (non)
3. Est-ce que Pierre et toi, vous êtes allés à l'épicerie? (oui)
4. Est-ce que vous êtes allés chez le marchand de légumes? (non)
5. Est-ce que tu es allée à la boulangerie? (oui)
6. Est-ce que ta mère est allée au garage? (oui)

Communication

A. **Habitudes.** Using the scale below, tell how often you go to each of the following places.

> EXEMPLE   Au cinéma?
> J'y vais souvent.

ne . . . jamais	rarement	quelquefois	souvent

1. À la bibliothèque?
2. Au théâtre?
3. Au stade?
4. Au concert?
5. À la plage?
6. À la montagne?
7. À la campagne?
8. Au restaurant?

B. **Et le week-end dernier?** Tell another student where you went last weekend. The second student will then tell you whether or not he or she went there too.

> EXEMPLE   Je suis allé(e) au concert. Et toi?
> Moi aussi, j'y suis allé(e).
> Moi, je n'y suis pas allé(e).

C. **J'ai envie de . . . .** Tell whether or not you want to go to the following French-speaking places.

> EXEMPLE   Est-ce que vous avez envie d'aller en France?
> Oui, j'ai envie d'y aller.
> Non, je n'ai pas envie d'y aller.

1. Et au Sénégal?
2. Et en Suisse?
3. Et à la Martinique?
4. Et en Mauritanie?
5. Et au Canada?
6. Et en Belgique?
7. Et au Maroc?
8. Et en France?

Both **y** and **en** are used to talk about things already mentioned. Note how **y** and **en** are used in the following examples.

y   Replaces prepositional phrases with **à**
        Pensez-vous quelquefois *à l'avenir*? → **Y** pensez-vous quelquefois?
        Véronique va *à Montréal*. → Elle **y** va.

en   Replaces phrases beginning with **de** and nouns following numbers.
        Il parle *de* ses vacances. → Il **en** parle.
        Jean a acheté *du* pain. → Il **en** a acheté.
        Il y a *trois musées* dans ma ville. → Il y **en** a trois.

Answer the following questions using either **y** or **en**.

1. Depuis combien de temps est-ce que vous habitez dans votre ville?
2. Combien de cinémas est-ce qu'il y a dans votre ville?
3. Est-ce que vous avez l'intention de rester toute votre vie dans cette ville?
4. Est-ce qu'il y a beaucoup de musées et de monuments intéressants dans votre ville?
5. Est-ce qu'il y a beaucoup de chômage dans votre ville?
6. Est-ce que vous pensez quelquefois à l'avenir de votre pays?

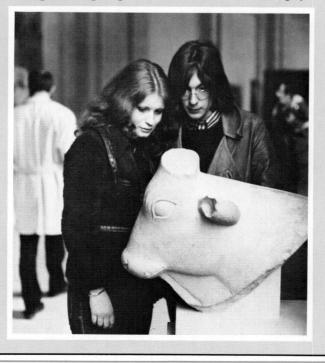

EXPLORATION

🔸 *TALKING ABOUT THINGS YOU SAY OR TELL TO OTHERS*
THE VERB DIRE

Présentation

The verb **dire** (*to say, tell*) is irregular. Here are its forms:

dire	
je **dis**	nous **disons**
tu **dis**	vous **dites**
il/elle **dit**	ils/elles **disent**

Passé composé: j'ai **dit,** etc.
Future stem: dir-

- Dis-moi ce que tu veux.
- Je n'ai pas entendu ce que vous avez dit.
- Qu'est-ce que vous dites?
- Elles ont dit qu'elles viendraient.
- Tu ne lui diras rien, n'est-ce pas?

Dire is used in several common expressions:

vouloir dire	to mean	•	Qu'est-ce que tu veux dire?
dire la vérité	to tell the truth	•	Est-ce qu'ils disent la vérité?
dire un mensonge	to tell a lie	•	Tu m'as dit un mensonge.
dire des mots doux	to whisper sweet nothings	•	Il lui a dit des mots doux.

A. C'est vrai! Some friends want to make sure that they can count on one another not to tell untruths. What do they say?

MODÈLE   Charlotte
Charlotte ne dit jamais de mensonges.

1. Tu
2. Cécile
3. Nous
4. Je
5. Mes amis
6. Vous

B. Curiosité. Jeanne and Roger are catching up on the latest news. Give Jeanne's answers to Roger's questions.

MODÈLE   Qu'est-ce-que Luc t'a dit? (de me dépecher)
Il m'a dit de me dépêcher.

1. Qu'est-ce que le professeur t'a dit? (de bien étudier)
2. Qu'est-ce que tes parents t'ont dit? (de rentrer avant minuit)
3. Qu'est-ce que ton frère t'a dit? (de ne pas l'embêter)
4. Qu'est-ce que Sylvie t'a dit? (de lui téléphoner ce soir)
5. Qu'est-ce que tes copains t'ont dit? (de les attendre)
6. Qu'est-ce que Marc t'a dit? (de ne pas l'attendre)

pour un Québec encore plus beau

Chaque année,
les Québécois jettent
des tonnes de déchets
le long des routes.
Pour un Québec
encore plus beau,
respectons l'environnement
partout sur notre passage.

C. **La fête des rois.** Catherine and Gisèle are planning a party to celebrate **la fête des rois** (*Twelth Night*). Catherine wants to make sure that all the preparations have been made. Give Gisèle's answers to her questions.

> MODÈLE Est-ce que tes amis vont venir.
> **Oui, ils ont dit qu'ils viendraient.**

1. Est-ce que tes frères vont t'aider?
2. Est-ce que Charles va venir aussi?
3. Est-ce que Monique va venir?
4. Est-ce que Serge va prendre des photos?
5. Est-ce que tu vas apporter quelque chose?
6. Est-ce que Josette va jouer de la guitare?

Contextes Culturels

En principe on "fête les rois" le premier dimanche de janvier mais en réalité c'est une occasion d'inviter des amis n'importe quel jour de janvier. On achète ou on prépare une galette (*flat cake*) où il y a une fève (*bean*). La personne qui trouve la fève est le roi (*king*) ou la reine (*queen*). Ensuite le roi choisit sa reine—ou la reine choisit son roi—parmi les invités.

Communication

A. **Qu'est-ce que vous dites?**   Answer the following questions about things that you say or might say.

1. Est-ce que vous dites toujours la vérité?
2. Est-ce que vous dites toujours ce que vous pensez?
3. Est-ce que vous aimez les gens qui disent souvent des mensonges?
4. Comment dit-on "au revoir" en espagnol et en italien?
5. Quel est le premier mot que vous avez dit?
6. Quels sont les mots que votre professeur dit le plus souvent?
7. Qu'est-ce que vous diriez si vous rencontriez un Français ou une Française?

B. **Si je rencontrais . . . .**   Choose several famous people and tell what you would say to them if you could talk with them.

> EXEMPLE   Si je pouvais parler avec Billy Joel, je lui dirais qu'il chante très bien.

C. **Écoutez bien.**   Divide the class into teams. Each person mentions a sport that he or she likes or plays. Listen carefully to what each person says but don't take notes. Then ask other students what each person said. The team that remembers the most answers wins.

> EXEMPLE   Qui a dit qu'elle jouait au basket-ball?
> Monique a dit qu'elle jouait au basket-ball.

Intégration

You now know several verbs that relate to the idea of talking.

dire	• Je dis toujours la vérité.
parler	• Ils aiment parler au téléphone.
raconter	• Qui t'a raconté cette histoire?

Using the words and phrases given below, make up sentences about yourself or people you know using **dire**, **parler**, or **raconter**.

1. français
2. avec mes amis
3. des mots doux
4. tout le temps
5. ce que je pense
6. des mensonges
7. des histoires amusantes
8. au téléphone

PERSPECTIVES

Avec "si" on peut imaginer toutes sortes de choses, n'est-ce pas? Voici le résultat quand on laisse les étudiants libres de dire ce qu'ils veulent.

Ils ont dit des choses amusantes:

Si j'étais une télévision, je <u>ne</u> passerais <u>que</u> des dessins animés.

Si j'étais une affiche, j'en aurais <u>marre</u> d'être toujours à la même place.

Si j'étais une <u>poubelle</u>, j'achèterais cent bouteilles de parfum pour <u>sentir bon</u>.

only; would be fed up; garbage can; smell good

Ils ont imaginé un meilleur monde:

would get along; selfish

> Si les gouvernements travaillaient ensemble, ils pourraient empêcher les guerres.
> Si les gens savaient écouter, ils s'entendraient mieux.
> Si nous étions moins égoïstes, nous serions probablement plus heureux.

Ils ont même décidé d'écrire* un poème:

write

> Si j'avais six mains,
> je pourrais écrire trois lettres
> à la fois.
> Mais alors,
> il me faudrait trois têtes!
> Si j'avais trois têtes,
> je pourrais
>   parler
>   dessiner
>   écrire
> tout en même temps!
> Comme ça serait bien!

I would need

*Écrire is an irregular verb. Its present tense forms are: **j'écris, tu écris, il/elle écrit, nous écrivons, vous écrivez, ils/elles écrivent.** The past participle is **écrit.**

COMPRÉHENSION

1. Qui a dit les phrases présentées dans le texte?
2. Que ferait l'auteur de la première phrase s'il était une télévision?
3. Comment l'auteur de la deuxième phrase se sentirait-il s'il était une affiche?
4. Qu'est-ce que le troisième achèterait et pourquoi?
5. Qu'est-ce qui serait différent dans le monde que les étudiants ont imaginé?
6. Qu'est-ce que les auteurs du poème ont imaginé?

COMMUNICATION

A. **Si vous étiez français(e) . . . .** Imagine what your life would be like if you were a French teenager. Use the suggestions below as a guide.

> EXEMPLE   Si j'étais français(e), j'irais au lycée.
> votre nom
> votre famille
> votre école
> vos amis
> vos activités
> ?

B. **Si on changeait de rôle . . .** What would you do if you were the following people?

1. Si vous étiez le professeur
2. Si vous aviez des enfants
3. Si vous étiez le président
4. Si vous étiez un chanteur ou une chanteuse célèbre
5. Si vous étiez étudiant(e) à l'université

C. **Un voyage imaginaire.** Use the questions below to describe an imaginary trip to a French-speaking country.

1. Où iriez-vous?
2. Comment voyageriez-vous?
3. Avec qui voyageriez-vous?
4. Où mangeriez-vous et où dormiriez-vous?
5. Quelles villes ou quelles régions visiteriez-vous?
6. Que feriez-vous?
7. Qu'est-ce que vous rapporteriez comme souvenirs?

D. **Un meilleur monde.** We can all imagine a better world than what exists today. If you were able to change the world, what would it be like?

> EXEMPLE   Si on conduisait moins vite, il y aurait moins d'accidents.

VOCABULAIRE DU CHAPITRE

NOUNS RELATING TO CURRENT EVENTS

l'accord (*m*) agreement
la catastrophe catastrophe
le chômage unemployment
la découverte discovery
l'événement (*m*) event
la grève strike
la guerre war
l'inondation (*f*) flood
l'orage (*m*) storm
la paix peace
la recherche research
la récolte harvest
la sécheresse drought
le tremblement de terre earthquake

OTHER NOUNS

l'acte (*m*) act, deed
l'athlète (*m*) athlete
le bout end
le cancer cancer
le coin corner
le courage courage
l'effort (*m*) effort
l'espoir (*m*) hope
le geste gesture
la journée day
la maladie illness
le marathon marathon
le mensonge lie, falsehood
le parfum perfume
la poubelle garbage can
le symbole symbol
la vérité truth
la victime victim

VERBS

contribuer to contribute
courir to run
dire to say, tell
écrire to write
empêcher to prevent
s'entendre to get along
passer to show
patiner to skate
pédaler to pedal, cycle
redonner to restore, give back
vouloir dire to mean

ADJECTIVES AND ADVERBS

doux sweet, soft
égoïste selfish
malheureusement unfortunately
ordinaire ordinary
paralysé paralyzed
simplement simply

PREPOSITIONS

parmi among

OTHER EXPRESSIONS

grâce à thanks to
Il me faudrait I would need
J'en ai marre. I'm fed up.
ne . . . que only
sentir bon to smell good

NEUVIÈME CHAPITRE

D'autres mondes à notre porte

9

INTRODUCTION

De Tahiti à Los Angeles

Des danseurs tahitiens à Los Angeles? Vous pensez immédiatement que c'est une troupe de danseurs polynésiens <u>en</u> <u>tournée</u> aux États-Unis. Mais non, ce sont de jeunes américains, comme vous, . . . ou <u>presque</u>.

on tour

almost

Voilà les réponses de Véronique, une jeune fille qui est membre de cette troupe, aux questions que nous lui avons posées.

NOUS   Vous êtes tahitienne?

VÉRONIQUE   Non, je suis américaine, mais mon père est <u>né</u> à Tahiti.

born

NOUS   Et les autres membres de votre troupe?

VÉRONIQUE   <u>La plupart</u> des danseurs sont nés aux États-Unis, mais leurs parents sont tahitiens.

most

NOUS   Il y a beaucoup de Tahitiens à Los Angeles?

VÉRONIQUE   Il y en a au moins trois ou quatre cents qui <u>appartiennent</u> au Club des Amis de Tahiti.

belong

NOUS	Combien de temps avez-vous passé à Tahiti?
VÉRONIQUE	Un an. C'est quand je suis revenue de Tahiti que je suis devenue membre de notre troupe.
NOUS	Pourquoi?
VÉRONIQUE	Je me sentais un peu <u>déracinée</u>, différente des autres teen-agers. Je voulais être avec des jeunes qui avaient la même façon de voir les choses.
NOUS	La danse occupe une place importante dans la vie des Tahitiens?
VÉRONIQUE	Oui, très. On apprend à danser <u>dès</u> l'âge de trois ans. Tout le monde danse, les vieux <u>aussi bien que</u> les jeunes. C'est une façon d'<u>exprimer</u> son amour de la vie et aussi d'être ensemble.
NOUS	Qui s'occupe de votre troupe?
VÉRONIQUE	Une "vraie" danseuse tahitienne qui a joué dans le film *Mutiny on the Bounty*.

uprooted

from
as well as

express

COMPRÉHENSION

Answer the following questions based on *De Tahiti à Los Angeles*.

1. Qui sont ces jeunes danseurs?
2. Est-ce que Véronique est née à Tahiti?
3. Combien de Tahitiens y a-t-il dans la région de Los Angeles?
4. Combien de temps Véronique a-t-elle passé à Tahiti?
5. Quand et pourquoi a-t-elle décidé de devenir membre de la troupe de danse tahitienne?
6. Quelle place la danse occupe-t-elle dans la vie des Tahitiens?
7. Est-ce que la personne qui s'occupe de la troupe connaît bien les danses tahitiennes? Pourquoi?

Une nouvelle vie. Qu'est-ce qui se passe quand on va vivre dans un autre pays?

Vocabulaire

se faire du souci	*to worry*	**il (ne) faut (pas)**	*one must (not)*
s'habituer	*to get used to*	**se décourager**	*to get discouraged*
la nourriture	*food*	**tout un monde nouveau**	*an entirely new world*
créer	*to create*	**découvrir**	*to discover*
l'amitié (*f*)	*friendship*		

Souvent, au début . . .

> on se sent un peu déraciné(e)
> on a la nostalgie de son pays et de ses amis
> on se fait du souci pour tout
> on se sent différent(e)

On se sent un peu perdu parce que . . .

> il faut s'habituer à un nouveau style de vie
> il faut s'habituer à de nouvelles coutumes
> il faut s'habituer à une nouvelle nourriture
> il faut créer de nouvelles amitiés
> il faut apprendre une nouvelle langue

C'est une période difficile bien sûr, mais . . .

> il ne faut pas se décourager
> il ne faut pas avoir peur de ce qui est différent

Et il y a tout un monde nouveau à découvrir!

Et vous? Répondez aux questions suivantes.

1. Et vous, quels pays ou quelles autres cultures aimeriez-vous découvrir?
2. Comment vous sentiriez-vous si vous alliez vivre dans un autre pays?
3. Est-ce que vous auriez de la difficulté à vous habituer à votre nouvelle vie?
4. Qu'est-ce qui serait le plus difficile pour vous? Est-ce que ce serait de vous habituer à une nouvelle nourriture, d'apprendre une nouvelle langue, ou de créer de nouvelles amitiés?
5. À votre avis, qu'est-ce qui serait difficile pour un étranger qui viendrait vivre aux États-Unis?

EXPLORATION

⚜ **TELLING WHAT YOU HAVE TO DO, WHAT YOU WANT TO DO, AND WHAT YOU'RE AFRAID OF THE SUBJUNCTIVE OF REGULAR VERBS**

══ Présentation ══════════════════

You already know several ways to express what has to be done, what you want to do, or your feelings about something.

- Il faut ⎫
- Il faudra ⎬ s'habituer à une nouvelle vie.
- Il faudrait ⎭
- Je voudrais partir tout de suite.
- Nous avons peur d'oublier.

These expressions can also be followed by a **que** clause. In this case, the verb in the **que** clause must be in the subjunctive.

The subjunctive for regular **-er, -ir,** and **-re** verbs is formed by adding the endings shown below to a stem. The stem can be identified by dropping the **ent** from the **ils/elles** form of the verb (parlent — **parl,** choisissent — **choisiss,** attendent — **attend,** sortent — **sort**).

──── parler ────	──── finir ────	──── répondre ────
que je parl**e**	que je finiss**e**	que je répond**e**
que tu parl**es**	que tu finiss**es**	que tu répond**es**
qu'il/elle parl**e**	qu'il/elle finiss**e**	qu'il/elle répond**e**
que nous parl**ions**	que nous finiss**ions**	que nous répond**ions**
que vous parl**iez**	que vous finiss**iez**	que vous répond**iez**
qu'ils/elles parl**ent**	qu'ils/elles finiss**ent**	qu'ils/elles répond**ent**

- Il faudra que je réponde à cette lettre.
- Elle voudrait que tu finisses ton travail.
- J'ai peur que tu perdes ton temps.
- J'aimerais que vous me disiez la vérité.
- Il faudrait que nous nous dépêchions.

The following verbs are the only ones that do not fit this pattern. Their subjunctive forms are introduced in the next chapter.

aller	prendre
avoir	savoir
être	venir
faire	vouloir

Préparation

A. **Des amis difficiles.** Several Louisiana teenagers are complaining about what their friends expect of them. Tell what they say.

MODÈLE   les aider
**Mes amis voudraient
que je les aide.**

1. les attendre après l'école
2. leur téléphoner
3. sortir avec eux
4. les inviter chez moi
5. leur acheter des cadeaux
6. leur prêter de l'argent
7. leur donner des conseils
8. les emmener au cinéma

Contextes Culturels

La Louisiane était autrefois un territoire français qui allait des Grands Lacs au golfe du Mexique. C'est Napoléon qui a vendu la Louisiane aux États-Unis en 1803. La majorité de la population était concentrée dans ce qui est aujourd'hui la Louisiane et surtout dans la région de la Nouvelle Orléans. Après 1755 il y a aussi eu l'arrivée des Acadiens venus de Nouvelle Écosse (*Nova Scotia*). Beaucoup de gens ont continué à parler français ou acadien (un dialecte dérivé du français) et même aujourd'hui on continue à parler français en Louisiane.

B. **C'est moi le chef!** Hervé is always bossing his younger brother around. Tell what he says.

> MODÈLE Écoute.
> **Je veux que tu écoutes.**

1. Attends un peu.
2. Reste tranquille.
3. Obéis.
4. Choisis un autre programme.
5. Lave-toi.
6. Mets ton pyjama.
7. Lis tes bandes dessinés.
8. Couche-toi.

C. **En Louisiane.** Minou and Lisette are planning a get-together where they will serve some typical Cajun food. Tell what they say.

> MODÈLE inviter nos amis
> **Il faudra que nous invitions nos amis.**

1. choisir le jour
2. attendre le week-end
3. téléphoner à Thérèse
4. trouver son numéro de téléphone
5. acheter des provisions
6. nous dépêcher

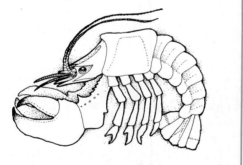

Contextes Culturels

Jambalaya, riz (*rice*) créole, gumbo, café au lait. . . . Ces mots évoquent tout de suite la richesse, la couleur, la longue tradition et les influences variées qui marquent la cuisine créole de Louisiane. D'où vient cette cuisine? On y trouve des traces d'influence française, espagnole, indienne et africaine.

D. **Un professeur sévère.** A French teacher in Louisiana is telling his class what they must not do. What does he say?

> MODÈLE vous décourager
> **Il ne faut pas que vous vous découragiez.**

1. oublier de faire vos devoirs
2. parler anglais en classe
3. vous amuser tout le temps
4. perdre votre temps
5. manger en classe
6. regarder par la fenêtre

Contextes Culturels

Depuis quelques années, il y a une importante renaissance de la tradition et de la culture française en Louisiane. Il y a même un accord avec la France qui permet à des professeurs français de venir enseigner (*teach*) dans les écoles de Louisiane.

Mensuel bilingue publié par Média-Louisiane
P.O. Box 3936   Lafayette, LA 70502

Nº 49/50   SEPTEMBRE/OCTOBRE 1981

Dans ce numéro...

Création de nouveaux chapitres, p. 2
Avis aux lecteurs, p. 6
Bicentenaire..., p.8
L'écriture à la rescousse, p. 12
Guess who's coming to dinner, p. 14
Sondage KRVS-88-FM, p. 15
En scène, p. 17

E. **Madame Lafontaine se fait du souci.** Madame Lafontaine and her class are expecting a group of exchange students. She is worried about how they will get along at first. What does she say?

> MODÈLE ne pas bien se débrouiller
> **J'ai peur qu'ils ne se débrouillent pas bien.**

1. tomber malade
2. ne pas aimer notre cuisine
3. se sentir découragés
4. ne pas réussir à comprendre
5. ne pas s'amuser chez nous
6. ne pas bien dormir

Vous tomberez amoureux de la **New Orleans** *Et elle vous aimera tout autant*

Communication

A. **Amitiés.** Using the words and phrases below, tell what you expect or do not expect from your friends.

EXEMPLES
Je voudrais que mes ami(e)s m'acceptent comme je suis.

Je ne veux pas que mes ami(e)s s'occupent trop de moi.

Je veux
Je voudrais
J'aimerais
Je ne veux pas

{
m'aider
m'écouter
m'embêter tout le temps
me donner des cadeaux
sortir avec moi
manger avec moi à midi
me respecter
me téléphoner tout le temps
me prêter de l'argent
m'accepter comme je suis
s'occuper de moi
conduire ma voiture
me poser des questions
m'oublier
passer tout leur temps avec moi
?
}

B. **Obligations.** Tell which of the following things you have to do in school.

EXEMPLES
lire des romans
Il faut que nous lisions des romans de temps en temps.
Il faudra que nous lisions cinquante pages pour demain.

réciter des poèmes
rester à l'école jusqu'à cinq heures
passer tout notre temps à étudier
manger à la caféteria à midi
réussir à nos examens
écouter les explications du professeur
rester tranquille pendant les études
se dépêcher pour aller d'une classe à l'autre
lire beaucoup

C. **La protection de notre héritage.** Use the following words and phrases to make statements about what must be done and what must not be done to preserve our heritage and our environment.

EXEMPLES   protéger les animaux
Il faut que nous protégions les animaux.
empoisonner nos lacs
Il ne faut pas que nous empoisonnions nos lacs.

1. fumer
2. jeter des papiers n'importe où
3. économiser nos ressources
4. oublier notre passé et nos coutumes
5. connaître notre passé
6. utiliser des produits naturels

7. gaspiller le papier
8. marcher à pied plus souvent
9. recycler tous les produits possibles
10. conduire plus lentement
11. acheter des voitures plus petites
12. restaurer les vieux bâtiments

Intégration

As you have just learned, the subjunctive is used in **que** clauses after certain verbs. In all these instances the subject of the **que** clause is different from the subject of the first verb. Otherwise, an infinitive would be used.

- Je veux que Maurice sorte avec moi.
- Je veux sortir avec Maurice.

Give the French equivalents of the following sentences.

1. I want to buy a bicycle.
2. David is afraid that we will forget.
3. My parents don't want to leave.
4. Everyone must finish this test.
5. We have to speak French in class.
6. These students have to speak French.
7. I would like you to wait for me.

EXPLORATION

⚜ USING LARGE NUMBERS
NUMBERS ABOVE 1,000

══ Présentation ════════════════════════════════

Numbers above 1,000 (**mille**) are expressed in the following ways:

1.351	mille trois cent cinquante et un
1.983	mille neuf cent quatre-vingt-trois
4.445	quatre mille quatre cent quarante-cinq
19.300	dix-neuf mille trois cents
541.000	cinq cent quarante et un mille
2.000.000	deux millions
4.565.918	quatre millions cinq cent soixante-cinq mille neuf cent dix-huit

Notice that **mille** is never spelled with an *s*, while **million** has an *s* in the plural.

A. In French commas are used to indicate decimals. Thus, periods and commas have reversed roles in French and English.

French:	4,5	10,3	152,75	4.476.429,63
English:	4.5	10.3	152.75	4,476,429.63

B. Three-digit groups may also be separated by spaces.

1 000 000 or   1.000.000
463 829 491 or 463.829.491

C. Years can be expressed either by using the word **mille** or by using hundreds. Be sure not to omit the word **cent** when using hundreds.

1865 { mille huit cent soixante-cinq
       { dix-huit cent soixante-cinq

Je peux faire 23.255 omelettes par jour...quand le vent est bon.

= Préparation == I

A. **Dans la classe de géographie.** Students in a geography class in France are giving the population figures for different French-speaking cities around the world. Tell what they say.

> MODÈLE Tunis / 980.000
>
> **Il y a neuf cent quatre-vingt mille habitants à Tunis.**

1. Dakar / 798.800
2. Bruxelles / 1.029.000
3. Québec / 177.082
4. Genève / 151.000
5. Casablanca / 2.113.000
6. Abidjan / 685.800
7. Alger / 2.500.000
8. Paris / 2.299.800

B. **Diversité.** A history teacher in a French **lycée** is telling her students about the large number of people who immigrated to the United States since 1820. What does she say?

> MODÈLE (Espagnols) 257.582
>
> **deux cent cinquante-sept mille cinq cent quatre-vingt-deux Espagnols**

1. (Allemands) 6.976.915
2. (Italiens) 5.294.801
3. (Français) 749.521
4. (Japonais) 405.948
5. (Chinois) 534.587
6. (Polonais) 515.054
7. (Irlandais) 4.723.801
8. (Anglais) 3.175.652
9. (Portugais) 445.282
10. (Mexicains) 2.123.412

C. **Une visite en Europe.** A European travel agent is telling how many tourists visit the following countries. Tell what he says.

MODÈLE   Suisse / 535.000
          Il y a cinq cent trente-cinq mille personnes qui visitent la Suisse.

1. France / 943.000
2. Italie / 718.000
3. Espagne / 443.000
4. Angleterre / 1.617.000
5. Portugal / 195.000
6. Allemagne / 864.000

D. Les dates. A history teacher is giving her class dates for famous French-speaking people who were active in the **Nouveau Monde.** What does she say?

> MODÈLE   Samuel de Champlain / 1608
> **mille six cent huit**

1. Jacques Cartier / 1535
2. Paul de Maisonneuve / 1642
3. Daniel Duluth / 1678
4. Cavelier de La Salle / 1682
5. le Marquis de La Fayette / 1777
6. le Maréchal de Rochambeau / 1781
7. Toussaint Louverture / 1802
8. Joliet et Marquette / 1673
9. Les frères la Verendrye / 1731
10. Jean-Baptiste Lemoyne / 1699

Communication

A.   Est-ce vrai ou faux? Based on what you know about the following French-speaking countries, try to estimate their populations.

> EXEMPLE   Le Luxembourg
> Il y a 358.000 habitants au Luxembourg.

1. La France
2. Le Canada
3. Le Sénégal
4. Le Zaïre
5. Tahiti
6. Le Maroc
7. La Belgique
8. La Suisse

B. **Grandes distances.** Using the map of Africa below, tell how far it is between the following cities.

> EXEMPLE Rabat / Tunis
> La distance entre Rabat et Tunis est de 1.500 kilomètres.

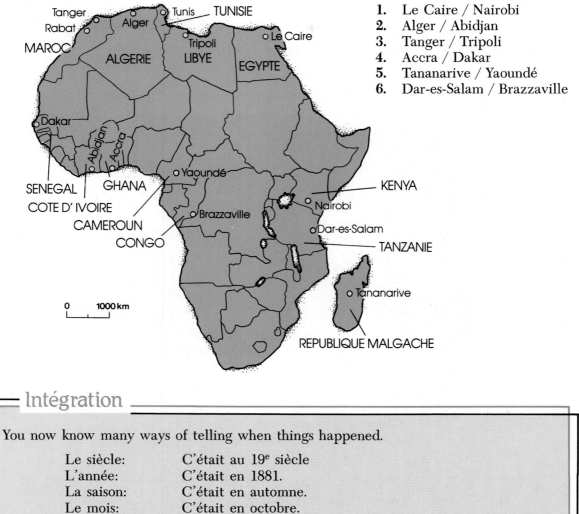

1. Le Caire / Nairobi
2. Alger / Abidjan
3. Tanger / Tripoli
4. Accra / Dakar
5. Tananarive / Yaoundé
6. Dar-es-Salam / Brazzaville

Intégration

You now know many ways of telling when things happened.

Le siècle:	C'était au 19ᵉ siècle
L'année:	C'était en 1881.
La saison:	C'était en automne.
Le mois:	C'était en octobre.
Le jour:	C'était un lundi.
La date précise:	C'etait le lundi 23 octobre, 1881.

Give the year, season, month, day, and date of your birth. Then try to find another student who was born in the same year, a student who was born in the same month, and a student who was born on the same day as you.

EXPLORATION

═ Présentation ═══════════════════════

You know how to use object pronouns in statements and questions. They can also be used in commands.

A. In affirmative commands the object pronoun is placed after the verb.

First-person Objects	**moi** **nous**	Passe-**moi** le beurre, s'il te plaît. Montrez-**nous** vos photos.
Third-person Direct Objects	**le** **la** **les**	Fais-**le** tout de suite. Voilà ta veste. Mets-**la**. Aidez-**les** si vous pouvez.
Third-person Indirect Objects	**lui** **leur**	Donne-**lui** de l'eau. Dites-**leur** ce que vous pensez.
y and *en*	**y** **en**	Vas-**y**. Allez-**y** demain. Prenez-**en** un peu.

B. In negative commands the object pronouns are identical to those used in statements and questions. They are placed in their regular position in front of the verb.

- Ne m'attendez pas.
- Ne le répétez à personne.
- Ne lui posez pas de questions.
- N'y va pas, c'est dangereux!
- N'en mangez pas trop!

Explique-lui que ce n'est pas comme ça qu'on travaille chez nous.

Préparation

A. **Oui, aide-moi, s'il te plaît.** Mireille has just come back to school after having been absent. Françoise offers to help her catch up. Give Mireille's responses.

> MODÈLE Est-ce que tu veux que je t'aide?
> **Oui, aide-moi, s'il te plaît.**

1. Est-ce que tu veux que je te passe mes notes?
2. Est-ce que tu veux que je t'explique cette leçon?
3. Est-ce que tu veux que je te dise ce qu'on a fait?
4. Est-ce que tu veux que je t'attende après la classe?
5. Est-ce que tu veux que je te téléphone ce soir?
6. Est-ce que tu veux que je t'aide?

Contextes Culturels

Quand nous avons des problèmes, nous ne pouvons pas toujours attendre que nos amis viennent nous aider. Il y a un proverbe français qui dit: "Aide-toi et le ciel (*heaven*) t'aidera."

B. **Laissez-moi tranquille.** Henri is in a bad mood and wants everyone to leave him alone. What does he say?

> MODÈLE Je ne veux pas qu'on m'embête.
> **Ne m'embêtez pas.**

1. Je ne veux pas qu'on me parle.
2. Je ne veux pas qu'on me téléphone.
3. Je ne veux pas qu'on me pose des questions.
4. Je ne veux pas qu'on me traite comme un bébé.
5. Je ne veux pas qu'on m'aide.
6. Je ne veux pas qu'on m'attende.
7. Je ne veux pas qu'on me dise des mensonges.
8. Je ne veux pas qu'on me donne des conseils.

C. **Au restaurant.** Serge can't make up his mind about what he wants to do today. Every time he tells the waiter or his friends to do something or to bring something, he changes his mind. What does he say?

> MODÈLE Apportez-moi le menu.
> **Ne m'apportez pas le menu.**

1. Apportez-nous des sandwiches.
2. Donnez-moi du café.
3. Apportez-en pour tout le monde.
4. Montrez-leur le menu.
5. Invitez-les à notre table.
6. Allez-y maintenant.

D. **Mais si!** Janine and Marc can't agree on anything. Each time Janine makes a suggestion about some friends, Marc disagrees with her. What does Marc say?

> MODÈLE Ne leur téléphonez pas.
> **Mais si! Téléphonez-leur.**

1. Ne les invitez pas ce soir.
2. Ne leur parlez pas de nos projets.
3. Ne leur prêtez pas d'argent.
4. Ne les aidez pas.
5. Ne leur promettez pas de venir.
6. Ne les écoutez pas.

E. **Indécision.** Alain and Serge are trying to decide what to do this afternoon. Suzanne is impatient with them and tells each one to go ahead and do what each wants to do. What does she say?

> MODÈLE   J'ai envie d'aller à la piscine.
> **Eh bien, vas-y.**
> Je n'ai pas envie d'aller à la fête.
> **Eh bien, n'y va pas.**

1. Je n'ai pas envie d'aller à la réunion ce soir.
2. J'ai envie de rester à la maison.
3. J'ai envie d'aller au cinéma.
4. Moi, je n'ai pas envie d'aller au cinéma.
5. Je n'ai pas envie d'entrer dans ce magasin.
6. Moi, j'ai envie d'aller au stade.

Communication

A. **Oui ou non?** A friend has made the following suggestions. Tell whether you agree or disagree with each suggestion by using the appropriate form of the imperative and an object pronoun.

> EXEMPLES   Est-ce que je peux te téléphoner ce soir?
> Oui, téléphone-moi ce soir.
> Non, ne me téléphone pas ce soir. Je suis très occupé.

1. Est-ce que je peux t'aider à faire tes devoirs?
2. Est-ce que je peux t'inviter chez moi?
3. Est-ce que je peux te montrer mes photos?
4. Est-ce que je peux te prêter de l'argent?
5. Est-ce que je peux te parler de mes problèmes?
6. Est-ce que je peux te donner des conseils?

B. **On vient d'arriver.** Imagine that you have just moved into a new community and a new school. How would you respond to the following offers?

> EXEMPLES   Est-ce que tu veux que je te montre la ville?
> Oui, montre-moi la ville, s'il te plaît.
> Non merci, ne me montre pas la ville.

1. Est-ce que tu veux que je t'emmène à la réunion de notre club?
2. Est-ce que tu veux que je te présente à mes copains?
3. Est-ce que tu veux que je te prête mon vélo?
4. Est-ce que tu veux que je t'explique ce qu'on a fait à l'école?
5. Est-ce que tu veux que je te dise ce qu'il faut faire?
6. Est-ce que tu veux que je te téléphone quelquefois?

You now know how to use all the pronouns in the French language. All of them are "shortcuts" in the sense that they save you from repeating the same nouns over and over.

Subject Pronouns		Stress Pronouns		Direct Object		Indirect Object	
je	nous	moi	nous	me	nous	me	nous
tu	vous	toi	vous	te	vous	te	vous
il	ils	lui	eux	le	les	lui	leur
elle	elles	elle	elles	la			
on							

Other Object Pronouns

y
en

Denise is talking to her friends Anne and Christine, who are members of the **Club des Amis du Tahiti.** Fill in the blanks of their conversation with the appropriate pronouns.

CHRISTINE   Nous, nous sommes nées à Tahiti. Et toi?

DENISE   _____, je suis née aux États-Unis.

ANNE   Mes amis voudraient que je _____ emmène aux réunions du Club des Amis du Tahiti.

DENISE   C'est une bonne idée. Invite-_____ à une de vos réunions.

CHRISTINE   J'ai envie d'acheter un disque de musique tahitienne.

DENISE   Si tu _____ achètes un, j'espère que tu vas _____ prêter à tes amies!

EXPLORATION

🪷 **TALKING ABOUT LIVING**
THE VERB VIVRE

―Présentation ――――――――――――――――

The verb **vivre** (*to live*) is irregular. Here are its forms:

vivre	
je vis	nous vivons
tu vis	vous vivez
il/elle vit	ils/elles vivent

Passé composé: j'ai vécu, etc.
        Futur: je vivrai, etc.

- Pendant combien de temps avez-vous vécu à Tahiti?
- Est-ce qu'on y vit aussi bien qu'ici?
- Est-ce que tes grands-parents vivaient encore en ce temps-là?

Vivre is most frequently used in the **passé composé** and in the imperfect tenses. It is often used also in the past with **il y a** plus an expression of time to indicate how long ago something happened.

- Louis XIV a vécu il y a plusieurs siècles.
- Mon frère est né il y a huit ans.
- Ma famille est venue aux États-Unis il y a trente ans.
- Il y a trois cents ans la Louisiane était française.

Vous avez écrit ce poème, Jérôme?

Oui, madame.

Je suis heureuse de faire votre connaissance monsieur Victor Hugo. Je ne savais pas que vous étiez encore en vie!

A. **Une famille internationale.** At a family reunion, Fabienne is telling everyone where various members of the family live now. What does she say?

> MODÈLE   Mon oncle / Canada
> **Mon oncle vit au Canada.**

1. Nous / États-Unis
2. Mes grands-parents / France
3. Ma cousine / Belgique
4. Tu / Suisse
5. Ma tante / Sénégal
6. Vous / Maroc

B. **Nous avons souvent déménagé.** Several friends are talking about the various countries where they have lived. What do they say?

> MODÈLE   Serge / Tunisie
> **Serge a vécu en Tunisie.**

1. Je / Algérie
2. Nous / Mauritanie
3. Mon frère / Espagne
4. Tu / Portugal
5. Michel et Roger / Allemagne
6. Vous / Japon

C. **Où vivaient-ils?** Several French Louisiana families are telling where their ancestors lived. Tell what they say.

MODÈLE   Louisbourg
       Ils vivaient à Louisbourg.

1. Baton Rouge
2. la Nouvelle Orléans
3. Saint Martinville
4. Lafayette
5. Grand Pré
6. Napoléonville

Contextes Culturels

Depuis quelques années, les Américains s'intéressent de plus en plus à l'histoire de leur famille et à leur arbre généalogique. En Louisiane, il y a beaucoup de gens qui ont des ancêtres français ou acadiens, et ils sont très fiers (*proud*) de leur héritage. CODOFIL est une organisation qui essaie de cultiver cet héritage français en Louisiane.

D. **Nos ancêtres.** Several French-Canadian families are talking about when their ancestors came to Canada.

MODÈLE   3 siècles
       Ils sont venus ici il y a trois siècles.

1. 150 ans
2. 2 siècles
3. 85 ans
4. 100 ans
5. 225 ans
6. 50 ans

══ Communication

A. **Questions / Interview.** Answer the following questions or use them to interview another student.

1. Est-ce que tu as jamais vécu dans un pays étranger?
2. Est-ce que tu aimerais vivre dans un autre pays? Si oui, quel pays? Pourquoi? Si non, expliquez.
3. Où est-ce que tu vivais quand tu avais cinq ans?
4. Jusqu'à quel âge aimerais-tu vivre?
5. Est-ce que tu aimerais vivre sur une autre planète?
6. Est-ce que tes parents ont toujours vécu aux États-Unis?

B. **Il y a . . . .** What were you doing or what were you like at various times in the past?

> EXEMPLE   5 ans
> Il y a cinq ans, j'étais plus timide que maintenant.

1. 1 an
2. 2 ans
3. 3 ans

4. 4 ans
5. 5 ans
6. 10 ans

Intégration

You have now learned several important ways of expressing time relationships.

- Ils vivent à Paris depuis un an. [They've been living in Paris for a year.]
- Ils ont vécu à Bruxelles pendant deux ans. [They lived in Brussels for two years.]
- Ils vivaient à Dakar il y a dix ans. [They were living in Dakar ten years ago.]

Fill in the blanks of the following letter with **depuis, pendant,** or **il y a.**

Chère Monique,

Nous sommes arrivés aux États-Unis _____ cinq ans. Mon père travaille pour une compagnie internationale _____ son arrivée. Nous avons vécu dans beaucoup de villes différentes: à Boston _____ un an, et à Dallas _____ deux ans. Nous vivons à San Francisco _____ deux ans. Ma mère a commencé à travailler pour un journal américain _____ deux ans. Je suis étudiante à la "high school" _____ un an mais je vais en France _____ les étés pour voir mes grands-parents.

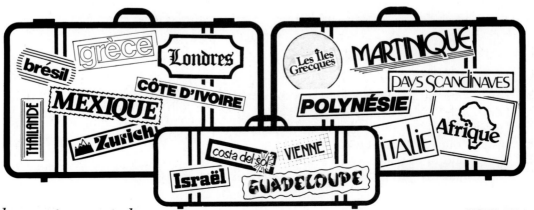

PERSPECTIVES

La Communauté indochinoise du Québec

Il y a eu près de 20.000 Indochinois qui <u>se sont installés</u> au Québec.   settled
Parmi eux, il y a une majorité de Vietnamiens mais il y a aussi un nombre
important de Laotiens et de Cambodgiens. Arrivés au Canada, <u>il a fallu</u>   past of *il faut*
qu'ils s'adaptent à un style de vie et à un climat complètement différents.
Comment cela s'est-il passé?

Quand on est transplanté dans une autre culture, il y a souvent des
<u>malentendus</u>. En voici un qui est assez amusant: Une famille indochinoise   misunderstanding
vient de s'installer dans son nouvel appartement. Le soir, ils entendent
du bruit à la porte. Ce sont des enfants avec des masques et des costumes
<u>effrayants</u>.   frightening

Ils <u>ferment</u> vite la porte mais un autre groupe arrive, puis un autre. Ils   close

ont peur que ce <u>soient</u> des voisins qui n'aiment pas les Orientaux. *subjunctive of* être
Pourtant, le problème était bien simple: c'était le soir d'Halloween.

Les enfants ont beaucoup moins de difficulté à s'adapter que leurs parents. Après quelques mois, ils se sentent complètement québécois. Mais les parents indochinois ont peur que leurs enfants perdent leur culture et leur langue.

Le premier souci des Indochinois est de trouver du travail. Le travail est pour eux une obligation <u>sacrée</u>. Une personne qui ne travaille pas est considérée de la même <u>façon</u> qu'une personne qui est allée en prison. Leur autre souci est de regrouper leur famille. Ils ont un profond respect des vieux et ils regrettent que les appartements canadiens soient souvent trop petits pour permettre à toute la famille de vivre ensemble. *sacred* *way*

Il y a de grandes différences historiques, politiques, et religieuses entre les Vietnamiens, les Laotiens, et les Cambodgiens. Malgré ces différences, les Indochinois <u>se retrouvent</u> tous pour la fête du Tet qui célèbre la rencontre du <u>ciel</u> et de la <u>terre</u>. Beaucoup de Québécois participent à ce nouvel an oriental. Pour eux, c'est une façon de participer à une autre façon de vivre. Et les Indochinois sont heureux de partager cette coutume avec les Québécois qui leur ont donné "une nouvelle <u>patrie</u>." *get together* *sky/earth* *country, homeland*

Adapté d'un article d'*Éducation Québec* par Claude Mareil

COMPRÉHENSION

Answer the following questions based on *La Communauté indochinoise du Québec*.

1. Combien d'Indochinois y a-t-il au Québec?
2. De quels pays viennent les Indochinois qui se sont installés au Québec?
3. Qu'est-ce qui est arrivé à une famille indochinoise le soir d'Halloween?
4. Pourquoi avaient-ils peur?
5. Qui a le plus de difficulté à s'adapter à la vie canadienne, les enfants ou leurs parents?
6. De quoi les parents indochinois ont-ils peur?
7. Pourquoi est-ce que c'est particulièrement important pour un Indochinois de trouver du travail?
8. Est-ce que la vie familiale est très importante pour eux?
9. Qu'est-ce que c'est que le Tet?
10. Qui participe à cette fête?
11. Pourquoi les Indochinois sont-ils heureux de partager cette coutume avec les Québécois?

COMMUNICATION

A. Points de vue. Sometimes parents and teenagers see things from different points of view. For each of the items below, tell what you prefer to do and what your parents want you to do.

> EXEMPLES sortir pendant la semaine
>
> Moi, je voudrais sortir quelquefois pendant la semaine, mais mes parents ne veulent pas que je sorte pendant la semaine.
>
> Moi, j'aime sortir quelquefois pendant la semaine et mes parents sont d'accord.

1. aider à la maison
2. écouter des disques
3. prêter mes vêtements à mes copains
4. travailler pour gagner de l'argent
5. réussir dans mes études
6. inviter des copains à la maison
7. passer tout mon temps à jouer
8. gaspiller mon argent
9. voyager seul(e)
10. rentrer à la maison avant onze heures
11. manger à la caféteria
12. m'amuser tout le temps

B. Conseils. Using the words and phrases provided, tell what advice you might give to a new student in your school.

> EXEMPLES embêter les professeurs
> Il ne faut pas embêter les profs.
>
> aller souvent à la bibliothèque
> Il faut aller souvent à la bibliothèque.

1. avoir peur
2. essayer d'être gentil (gentille) avec tout le monde
3. apprendre à se débrouiller
4. embêter les profs
5. être trop égoïste
6. respecter les droits des autres
7. aller souvent à la bibliothèque
8. passer tout votre temps à étudier
9. jeter des papiers n'importe où
10. faire trop de bruit pendant les études
11. s'amuser en classe
12. dire des mensonges

VOCABULAIRE DU CHAPITRE

NOUNS

l'amitié (*f*) friendship
le ciel sky, heaven
le climat climate
le club club
la communauté community
le costume costume
la façon way, manner
le malentendu misunderstanding
le masque mask
la nourriture food
les Orientaux Oriental people
la patrie country, homeland
la plupart most
la prison prison
le respect respect
la terre earth, land

VERBS

appartenir à to belong to
considérer to consider
créer to create
se décourager to get discouraged
découvrir to discover
exprimer to express
fermer to close
s'habituer to get used to
s'installer to get settled
regretter to regret
regrouper to regroup
se retrouver to get together
vivre to live

NATIONALITIES

cambodgien Cambodian
laotien Laotian
polynésien Polynesian
tahitien Tahitian
vietnamien Vietnamese

ADJECTIVES

déraciné(e) uprooted
effrayant(e) frightening
historique historical
né(e) born
politique political
profond(e) deep
religieux, -euse religious
sacré(e) sacred
transplanté(e) transplanted

ADVERBS

presque almost

PREPOSITIONS

dès from, beginning with

EXPRESSIONS

aussi bien que as well as
en tournée on tour
il ne faut pas one must not, one need not
se faire du souci to worry
tout un monde nouveau an entirely new
    world

DIXIÈME CHAPITRE

Le Monde des animaux

10

INTRODUCTION

Un Gorille qui sait parler

Depuis quelque temps on s'intéresse beaucoup aux différences entre le langage humain et le langage des animaux. Il y a plusieurs singes et quelques gorilles qui ont réussi à apprendre à "parler." Parmi eux, Koko est la plus célèbre. Mais si vous voulez parler avec elle, il faudra que vous parliez avec vos mains, car Koko utilise le langage des sourds pour communiquer avec les humains. C'est Penny Patterson, une psychologue américaine, qui lui a enseigné ce système de signes et de gestes que les sourds utilisent pour communiquer entre eux. Voici une "conversation" entre Kathy, l'assistante de Penny, et Koko qui adore taquiner Kathy.

language/monkeys

because/deaf

psychologist

taught

tease

"Qu'est-ce que c'est que ça?" demande Kathy. Et elle lui montre une photo de Koko elle-même.*

asks

herself

"Un gorille," répond Koko avec les mains.

"Quel gorille?"

"Oiseau," répond Koko pour embêter Kathy qui sait très bien que ce mot représente une insulte dans le vocabulaire de Koko.

bird

*Même can be added to stress pronouns to create a "self" form (e.g., elle-même—herself); moi-même; toi-même; elle-même; lui-même; soi-même (oneself); nous-mêmes; vous-même(s); eux-mêmes; and elles-mêmes.

"Quel oiseau?" demande Kathy.

"Toi," réplique Koko, très contente d'elle-même.　　　　replies

"Pas moi; c'est toi l'oiseau."

"Non, moi, je suis un gorille."

"Alors, qui est un oiseau?" demande Kathy.

"Tu es folle," réplique Koko.

"Pourquoi je suis folle?"

"Folle, folle!" insiste Koko.

"C'est toi qui est folle, pas moi," réplique Kathy qui commence à
se mettre en colère.　　　　get angry

Après cela Koko décide d'abandonner.

"J'en ai marre" dit-elle et elle tourne le dos à Kathy.　　　　back

Comme vous pouvez le voir, Koko n'a pas peur de dire ce qu'elle pense.
Mais elle n'oublie pas qui elle est. Un jour Penny lui a demandé:

"Est-ce que tu es un animal ou une personne?"

"Je suis un bon animal gorille," a répondu Koko sans hésiter.

COMPRÉHENSION

Answer the following questions based on *Un gorille qui sait parler*.

1. Qui est Koko?
2. Qui est Penny?
3. Quel langage Koko utilise-t-elle pour communiquer?
4. Qui lui a enseigné ce langage?
5. Qu'est-ce que Kathy lui a montré?
6. Qu'est-ce que le mot "oiseau" représente dans le vocabulaire de Koko?
7. Pourquoi est-ce que Kathy s'est mise en colère?
8. Quelle a été la réaction de Koko?
9. Quelle définition Koko donne-t-elle d'elle-même?

A. **Une visite à une réserve d'animaux.** Vous aimeriez observer les animaux sauvages (*wild*) en liberté? Alors, faites comme beaucoup de Parisiens et allez les voir dans une réserve près de Paris où les animaux peuvent vivre en semi-liberté.

Vocabulaire

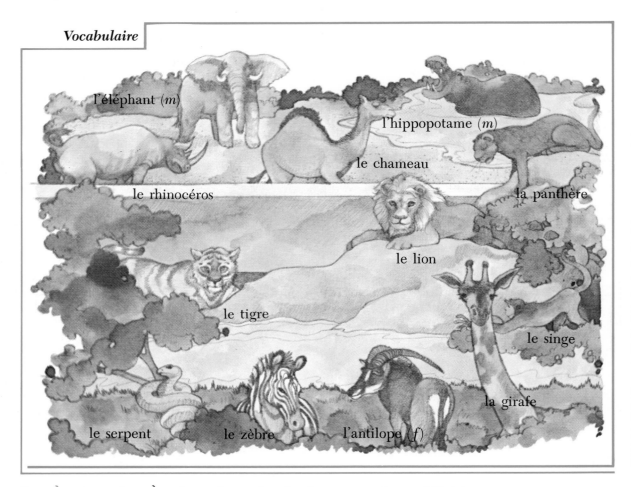

l'éléphant (*m*)

l'hippopotame (*m*)

le chameau

le rhinocéros

la panthère

le lion

le tigre

le singe

la girafe

le serpent   le zèbre   l'antilope (*f*)

B. **À votre avis.** À votre avis, quel animal correspond aux définitions suivantes?
1. Quel est l'animal le plus féroce?
2. Quel est l'animal le plus intelligent?
3. Quel est l'animal le plus rapide?
4. Quel est l'animal le plus fort?
5. Quel est l'animal le plus dangereux?
6. Quel est l'animal le plus courageux?
7. Quel est l'animal le plus timide?
8. Quel est l'animal le plus élégant?

EXPLORATION

EXPRESSING WANTS, NEEDS, AND FEARS
THE SUBJUNCTIVE OF IRREGULAR VERBS

Présentation

Some of the most frequently used verbs are irregular in the subjunctive. Although the endings for the subjunctive are the same as the endings of regular verbs, the stems of these verbs are irregular. Study the following verbs.

être

que je **sois**	que nous **soyons**
que tu **sois**	que vous **soyez**
qu'il/elle **soit**	qu'ils/elles **soient**

- Ils veulent que vous soyez ici à midi.

avoir

que j' **aie**	que nous **ayons**
que tu **aies**	que vous **ayez**
qu'il/elle **ait**	qu'ils/elles **aient**

- J'ai peur que tu aies froid.

faire

que je **fasse**	que nous **fassions**
que tu **fasses**	que vous **fassiez**
qu'il/elle **fasse**	qu'ils/elles **fassent**

- Il faut que tu fasses tes devoirs.

savoir

que je **sache**	que nous **sachions**
que tu **saches**	que vous **sachiez**
qu'il/elle **sache**	qu'ils/elles **sachent**

- Je voudrais que vous sachiez la vérité.

A. **Animaux domestiques.** The Renard family is discussing what type of pet the family should get. What do they say?

MODÈLE

J'aimerais que nous ayons un cheval.

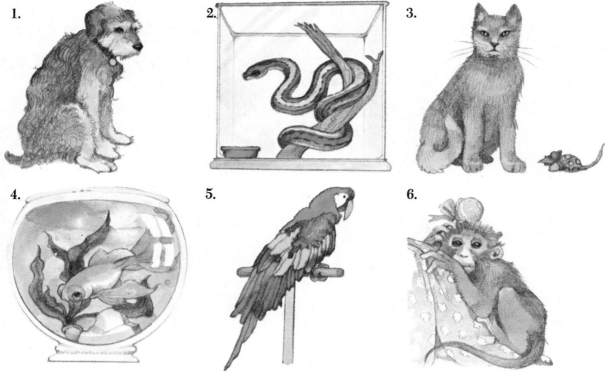

1.

2.

3.

4.

5.

6.

B. **Une visite au Zoo de Vincennes.** A group of **lycée** students is planning a trip to the Vincennes Zoo in Paris. Madame Bonnefois reminds them that they must be at the school at 7 o'clock in the morning. Tell what she says.

MODÈLE   Alain
Il faut qu'Alain soit ici à sept heures.

1. tu
2. Solange
3. nous
4. André et Pierre
5. vous
6. je

C. Responsabilités. The Germain family is deciding who is to do the family chores and errands this weekend. What does Robert say?

MODÈLE   Maman / les courses
Il faut que Maman fasse les courses.

1. Didier / la vaisselle
2. Valérie et Alain / la cuisine
3. Papa / le ménage
4. tu / le marché
5. Michel et moi / une promenade
6. vous / vos devoirs

D. Conseils. Students in a biology class are telling each other what they need to research for their homework assignment. Tell what they say.

MODÈLE   tu / savoir le nom de plusieurs animaux africains
Il faut que tu saches le nom de plusieurs animaux africains.

1. nous / savoir le nom de plusieurs singes
2. Paul / savoir le nom de plusieurs serpents
3. Charles et Viviane / savoir le nom de plusieurs arbres
4. vous / savoir le nom de plusieurs poissons
5. tu / savoir le nom de plusieurs animaux sauvages
6. je / savoir le nom de plusieurs animaux africains

E. On fait du théâtre. Madame Renaud is having her class rehearse a dramatization of some of the fables of La Fontaine. She gives some hints on acting to her students. Tell what she says.

> MODÈLE être plus sûrs de vous
> **Il faut que vous soyez plus sûrs de vous.**

1. être plus naturels
2. avoir plus de patience
3. savoir mieux vos répliques
4. faire plus attention
5. être moins sérieux
6. être plus enthousiastes

Contextes Culturels

La plupart des jeunes Français sont obligés d'apprendre quelques fables de La Fontaine au cours de leurs études. Les personnages de ces fables sont généralement des animaux—par exemple, "Le Lion et le Rat," "Le Corbeau et le Renard" ("The Crow and the Fox").

Communication

A. Questions / Interview. Answer the following questions or use them to interview another student.

1. Est-ce que tu as peur que nous ayons un examen demain?
2. Est-ce qu'il faut que tu fasses tes devoirs ce soir?
3. Est-ce qu'il faut que nous sachions le subjonctif pour demain?
4. Est-ce que tu veux que je fasse mes devoirs avec toi?
5. Qu'est-ce qu'il faut que nous fassions pour notre examen de français?
6. À quelle heure est-ce qu'il faut que tu sois à la maison ce soir?

B. **Demain.** Complete the following sentences using the verbs **être**, **avoir**, **savoir**, or **faire** to describe what you expect your school day to be like tomorrow.

> EXEMPLE   Il faudra que nous _____.
> Il faudra que nous fassions nos devoirs.

1. Il faudra que nous _____.
2. Il faudra que le professeur _____.
3. Je voudrais que nous _____.
4. Je voudrais que le professeur _____.
5. J'ai peur que nous _____.
6. J'ai peur que le professeur _____.

Intégration

In addition to the subjunctive of regular verbs, you also know the irregular subjunctive forms of **avoir, être, faire,** and **savoir.**

Fabien works as an assistant veterinarian at the Vincennes Zoo. Using the phrases provided, tell what he says about his job.

> EXEMPLE   Il faut que nous / nous occuper des animaux
> Il faut que nous nous occupions des animaux.

1. Le patron veut que nous / être ici plus tôt
2. J'ai peur que le petit tigre / être malade
3. Je voudrais que vous / donner à manger aux éléphants
4. Il faudrait que les animaux / avoir plus de liberté
5. Je ne veux pas que les visiteurs / donner à manger aux animaux
6. Il faut que nous / nous reposer maintenant

EXPLORATION

 **EXPRESSING TWO ACTIONS IN THE SAME SENTENCE
PRESENT PARTICIPLES**

Présentation

Present participles are used to express a second action that is closely related to the action of the main verb: *Speaking only in French, the teacher explained one of La Fontaine's fables.* Note that in English, present participles end in *ing* (*speaking, waiting, doing*). In French the present participle always ends in **ant**. It is formed by adding **ant** to the stem of the present-tense **nous** form of the verb.

> nous **parl**ons → **parlant**
> nous **choisiss**ons → **choisissant**
> nous **attend**ons → **attendant**
> nous **fais**ons → **faisant**

Only three verbs in French have irregular present participles.

> avoir → **ayant**   être → **étant**   savoir → **sachant**

A. The most common use of present participles is with the preposition **en.** This use is equivalent to *while* or *upon* with the *ing* form of the verb in English.

- J'ai rencontré Denise en venant à l'école.
- Ne parlez pas en mangeant.
- On dit que les Français font beaucoup de gestes en parlant.
- Elle a eu un accident en faisant du ski.

- I met Denise while going to school.
- Don't talk while eating.
- They say that French people gesture a lot while speaking.
- She had an accident while skiing.

B. Another use of the present participle with **en** is to express how something is done.

- Ce n'est pas en te mettant en colère que tu vas gagner.
- C'est en travaillant qu'on apprend.
- Il a répondu en hésitant.

Note that pronouns are placed after **en** and before the present participle.

- Nous avons appris beaucoup de choses en les écoutant.
- Je lirai le journal en vous attendant.

On les a achetés en passant par la France.

Préparation

A. Les Saint-Bernards. Arnaud wants to know the secrets of how the Saint Bernard dogs are trained. What does the trainer tell him?

MODÈLE   les traiter bien
En les traitant bien

1. répéter souvent la même chose
2. les récompenser
3. être très patient
4. les aimer
5. choisir des chiens intelligents
6. s'occuper beaucoup d'eux
7. passer beaucoup de temps avec eux

Contextes Culturels

Les Saint-Bernards sont des chiens suisses qui ont été dressés (*trained*) spécialement pour les sauvetages (*rescues*) en montagne. Leur nom vient du col (*mountain pass*) du Grand-Saint-Bernard où depuis le 17e siècle on élève cette race de chien.

B. Le secret de la réussite. Madame Beaulieu, who has become very successful in her profession, is explaining how she has done so well. What does she say?

> MODÈLE   travailler beaucoup
> **En travaillant beaucoup**

1. avoir de la patience
2. être très sérieuse
3. prendre des risques
4. faire très attention
5. choisir bien mes amis
6. travailler jour et nuit
7. avoir confiance en moi
8. accepter les difficultés

C. Comment l'avez-vous appris? Frédéric wants to know how his friends found out the big news of the day. What do his friends say?

> MODÈLE   Je lisais le journal.
> **Je l'ai appris en lisant le journal.**

1. Je parlais avec mes amis.
2. J'écoutais la radio
3. Je regardais la télévision
4. Je faisais mes courses.
5. Je venais ici.
6. Je rentrais chez moi

D. Moi, je ne peux pas! Alain can't study and do other things at the same time. What does he say?

> MODÈLE   étudier et penser à autre chose
> **Je ne peux pas étudier en pensant à autre chose.**

1. étudier et écouter la radio
2. étudier et regarder la télé
3. étudier et lire le journal
4. étudier et finir mon dîner
5. étudier et faire autre chose
6. étudier et manger

E. C'est facile. Monique often does two things at the same time. Tell what she says.

> MODÈLE   préparer le dîner et écouter la radio
> **Je prépare le dîner en écoutant la radio.**

1. prendre mon déjeuner et lire le journal
2. me reposer et regarder la télé
3. faire la vaisselle et penser à autre chose
4. aimer rêver et me promener
5. étudier et écouter de la musique
6. m'amuser et faire mes devoirs

══Communication ══════════════

A. Habitudes. Tell whether you can or cannot do the following things at the same time.

> EXEMPLES   étudier et écouter de la musique
> Je peux étudier en écoutant de la musique.
> Je ne peux pas étudier en écoutant de la musique.

1. étudier et regarder la télé
2. manger et faire mes devoirs
3. lire et manger
4. faire la cuisine et parler au téléphone
5. parler et conduire
6. me reposer et lire un livre
7. écouter le prof et penser à autre chose
8. apprendre et m'amuser

B. Qu'est-ce qui s'est passé? Tell something that happened while you were doing the following things.

> EXEMPLE   aller à l'école
> En allant à l'école, j'ai rencontré mes amis.

1. rentrer chez moi
2. me promener
3. lire le journal
4. parler avec mes amis
5. manger à la caféteria
6. aller à l'école

C. Comment est-ce que c'est arrivé? Based on the illustrations below, tell how the following people got hurt.

> EXEMPLE   C'est en faisant du ski que c'est arrivé.

1.

2.

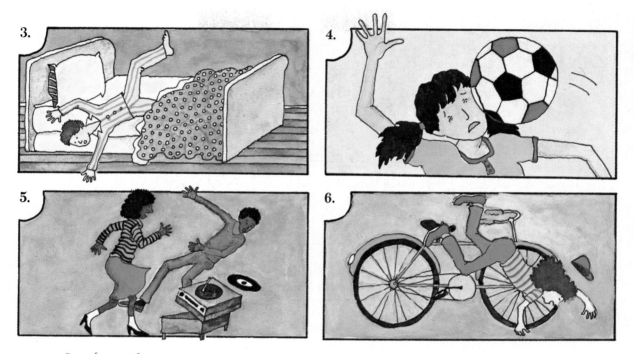

Intégration

In order to talk about a goal or an objective **pour** plus an infinitive is used.

- Pour réussir il faut travailler.
- Il faut avoir beaucoup de patience pour s'occuper d'un animal.

In order to talk about how or when something is done, **en** plus the present participle can be used.

- Ce n'est pas en jetant ton argent par les fenêtres que tu deviendras riche!
- On peut apprendre beaucoup de choses en s'amusant.

Fill in the blanks of the following story about a skiing accident using **pour** or **en** and the appropriate form of the verb given in parentheses.

Ils étaient à Villars _____(1)_____ (faire) du ski dans les montagnes, et rien n'allait les arrêter. Mais ils n'avaient pas beaucoup d'expérience et trois d'entre eux sont tombés _____(2)_____ (faire) du ski. Heureusement, un autre skieur les a vus _____(3)_____ (revenir) au village. Très vite, il est rentré chez lui _____(4)_____ (prendre) des provisions et _____(5)_____ (aller chercher) son chien, un beau Saint-Bernard appelé Émile. Il neigeait de plus en plus et il était nécessaire de faire des efforts énormes _____(6)_____ (avancer) de quelques mètres. Mais _____(7)_____ (travailler) ensemble l'homme et le chien ont réussi à sauver la vie de ces skieurs.

EXPLORATION

⚜ *EXPRESSING FURTHER WANTS, NEEDS, AND FEARS*
THE SUBJUNCTIVE OF OTHER IRREGULAR VERBS

═══ Présentation ═══════════════════════════════

There are four additional verbs you know that have irregular subjunctive forms.

aller

que j' **aille**	que nous **allions**
que tu **ailles**	que vous **alliez**
qu'il/elle **aille**	qu'ils/elles **aillent**

prendre

que je **prenne**	que nous **prenions**
que tu **prennes**	que vous **preniez**
qu'il/elle **prenne**	qu'ils/elles **prennent**

pouvoir

que je **puisse**	que nous **puissions**
que tu **puisses**	que vous **puissiez**
qu'il/elle **puisse**	qu'ils/elles **puissent**

vouloir

que je **veuille**	que nous **voulions**
que tu **veuilles**	que vous **vouliez**
qu'il/elle **veuille**	qu'ils/elles **veuillent**

- Il faut que tu ailles te coucher.
- Nous avons peur qu'ils ne puissent pas venir.
- Je ne veux pas que tu prennes ma voiture.
- Il a peur que personne ne veuille l'aider.

Préparation

A. **Au travail, tout le monde!** Céline is telling her friends where they have to pick up the things they need for the party they are planning. What does she say?

> MODÈLE Colette / aller au supermarché
> **Il faut que Colette aille au supermarché.**

1. Guy / aller au magasin de disques
2. tu / aller à la boulangerie
3. Hélène et Christine / aller à la boucherie
4. nous / aller au centre commercial
5. vous / aller chez le marchand de légumes
6. je / aller à la pharmacie

B. On va faire du camping. Some friends are planning a camping trip to the Camargue region of France. Catherine reminds them of things to take along. Tell what she says.

MODÈLE   Chantal / des provisions
           **Il faudra que Chantal prenne
           des provisions.**

1. tu / un pull
2. vous / des chaussures de marche
3. Didier / un autre pantalon
4. je / un short
5. Denise et Roger / des médicaments
6. nous / des lunettes

Contextes Culturels

La Camargue est une partie très pittoresque du Sud (*South*) de la France. C'est une région marécageuse (*swampy*) située dans le delta du Rhône. On y élève des chevaux et les taureaux (*bulls*) qui sont utilisés dans les corridas (*bullfights*). Les gardians—c'est-à-dire les "cowboys" de Camargue—s'occupent des troupeaux (*herds*). Il y a encore des chevaux sauvages qui y vivent en liberté.

C. Qui veut l'aider? Étienne is explaining to a group of friends why Marc changed his mind about having a party. What does Étienne say?

MODÈLE   Alice ne veut pas l'aider.
           Il a peur qu'Alice ne veuille pas l'aider.

1. Tu ne veux pas l'aider.
2. Nous ne voulons pas l'aider.
3. Damien ne veut pas l'aider.
4. Véronique et Lucie ne veulent pas l'aider.
5. Vous ne voulez pas l'aider.
6. Je ne veux pas l'aider.

D. **Est-ce que nous serons prêts?**   Annette and several other **lycée** students are studying for the **Baccalauréat**. Annette is afraid that they won't do well. What does she say?

> MODÈLE   Nous ne pouvons pas être prêts pour l'examen.
> **J'ai peur que nous ne puissions pas être prêts pour l'examen.**

1. Liliane ne peut pas répondre aux questions.
2. Vous ne pouvez pas apprendre tout ça.
3. Tu ne peux pas être prêt.
4. Gisèle et Daniel ne peuvent pas comprendre les questions.
5. Serge ne peut pas nous aider.
6. Nous ne pouvons pas réussir à l'examen.

E. **Responsabilités.**   Monsieur Perrier has made a list of what each member of the family has to do Saturday afternoon. What does he say?

> MODÈLES   Bruno / aller à la boulangerie
> **Il faut que Bruno aille à la boulangerie.**
> Il / prendre du pain
> **Il faut qu'il prenne du pain.**

1. je / aller à la boucherie
2. je / prendre de la viande
3. vous / aller à l'épicerie
4. vous / prendre des pommes
5. tu / aller à la pharmacie
6. tu / prendre de l'aspirine
7. les enfants / aller à la pâtisserie
8. les enfants / prendre une tarte aux pommes

A. Devinez. Ask questions to find out where other students have to go this weekend.

> EXEMPLE   Est-ce qu'il faut que tu ailles au supermarché?

B. Je voudrais que . . . . Using the verbs below, make up sentences that describe what you would like the following people to do or not to do. Begin each sentence with **je voudrais que** or **j'aimerais que.**

> EXEMPLE   J'aimerais que les étudiants aient plus de vacances.

Les gens: mon professeur, les étudiants, notre classe, mes amis, mon (ma) meilleur(e) ami(e), mes parents
Les verbes: être, avoir, faire, aller, vouloir, pouvoir

Intégration

You now know how to form the subjunctive of regular verbs in French as well as the subjunctive of the irregular verbs **avoir, être, faire, aller, savoir, prendre, vouloir,** and **pouvoir.** Remember that the subjunctive is formed by adding the appropriate endings to the stem of the verb.

Using verbs you know, make a list of things that you have to do today.

> EXEMPLES   Il faut que je fasse mes devoirs.
> Il faut que je téléphone à des amis.

EXPLORATION

⚜ *TALKING ABOUT WHAT YOU SEE AND WHAT YOU BELIEVE*
THE VERB VOIR *AND THE VERB* CROIRE

══ Présentation ══════════════════════════════════

The verb **voir** (*to see*) is irregular. Here are its forms.

┌─── voir ───────────────────────┐
je **vois**	nous **voyons**
tu **vois**	vous **voyez**
il/elle **voit**	ils/elles **voient**
└────────────────────────────────┘

Passé composé: j'ai **vu**, etc.
Future stem: **verr-**

- Est-ce que vous voyez bien?
- Est-ce que tu vois ce que je veux dire?
- Vous verrez que c'est possible.
- Nous n'avons rien vu.

The verb **croire** (*to believe*) is similar to **voir.** Here are its forms.

┌─── croire ─────────────────────┐
je **crois**	nous **croyons**
tu **crois**	vous **croyez**
il/elle **croit**	ils/elles **croient**
└────────────────────────────────┘

Passé composé: j'ai **cru**, etc.
Future stem: **croir-**

- Je crois qu'elle pourra se débrouiller.
- Est-ce que vous croyez qu'ils réussiront?
- Je te croirai quand tu diras la vérité.
- Personne n'a cru cette histoire.

Croire is often used with expressions of opinion such as **avoir raison** (*to be right*) and **avoir tort** (*to be wrong*).

- Je crois que vous avez raison.
- Ils croient que j'ai tort d'insister.

Préparation

A. Où est mon serpent? Richard has lost his pet snake. His brothers and sisters tell him where they think it is. What do they say?

> MODÈLE   Marc / dans ta chambre
> **Marc croit qu'il est dans ta chambre.**

1. Nous / sous ton lit
2. Yvette / dans la cuisine
3. Je / sous tes vêtements
4. Vous / dans la salle de bains
5. Tu / derrière le frigo
6. Maman et papa / dans le garage

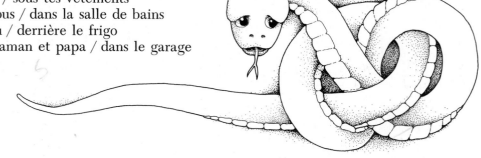

B. On va voir un film. The biology teacher is showing a film about animal life. She asks her students if they can see well enough. What do they say?

> MODÈLE   Brigitte
> **Brigitte ne voit pas bien.**

1. Je
2. Nous
3. Vous
4. Bernadette
5. Tu
6. Les autres

C. **Safari-photo.** Some friends, who have just returned from a photo safari in Cameroun, are talking about what animals they saw. What do they say?

MODÈLE   Didier / lions
          Didier a vu des lions.

1. Je / éléphants
2. Nous / singes
3. Tu / girafes
4. Tout le monde / oiseaux
5. Vous / antilopes
6. Les autres / hippopotames

Contextes Culturels

Les parcs nationaux de Wasa et Bénoué sont deux des parcs les plus populaires du Cameroun et même d'Afrique. On peut y voir et y photographier toutes sortes d'animaux et d'oiseaux typiquement africains.

D. **Est-ce que c'est l'animal le plus rapide?** Roland believes that the antelope is the fastest animal. He asks his friends if they think he is right. Give their answers.

> MODÈLE   Richard / oui
> **Richard croit que oui.**

1. Nous / non
2. Caroline / oui
3. Valérie et Robert / oui
4. Je / non
5. Vous / oui
6. Les autres / non

Contextes Culturels

Il existe beaucoup d'expressions qui comparent les qualités et les défauts (*faults*) d'une personne à certains aspects du caractère d'un animal. On dit, par exemple: Il est têtu comme une mule; il est malin (*clever*) comme un singe; il a une mémoire d'éléphant; il est bête comme une oie (*goose*); il est fort comme un bœuf (*ox*).

Communication

A. **Qui a vu . . . ?** Ask questions to find out who in your class has seen the following things.

> EXEMPLE   Qui est-ce qui a vu un gorille qui sait parler?

1. la Tour Eiffel
2. un film français
3. des chevaux sauvages
4. un hippopotame
5. le zoo de St. Louis
6. un chameau

B. **Prédictions.** Imagine that you are looking into a crystal ball and are making predictions for several friends.

> EXEMPLES   Pour toi je vois une vie longue et heureuse.
> Pour Brigitte je vois une bonne note en français.

You already know many ways to express an opinion.

> Oui, tu as raison.
> Non, tu as tort.
> Oui, c'est vrai.
> Non, c'est faux.
> C'est bien.
> C'est mal.

These expressions can also be combined with **croire** and **penser.**

> Je crois que tu as raison.
> Je pense que tu as tort.
> Je crois que c'est vrai.
> Je crois que c'est faux.
> Je pense que c'est bien.
> Je crois que c'est mal.

Some friends have made the following statements about animals. Use one of the expressions above to give your opinion about what they have said.

1. Les animaux peuvent penser.
2. Les chiens sont plus intelligents que les chats.
3. Les animaux sauvages sont plus heureux que les animaux domestiques.
4. Nous n'avons pas le droit de mettre les animaux dans des zoos.
5. Il faut protéger les animaux sauvages.

PERSPECTIVES

Les Chevaux de l'Île au Sable

L'Île au <u>Sable</u> est située près de la <u>Nouvelle Écosse</u>. <u>Bien qu'elle soit</u>* seulement à 180 kilomètres de la <u>côte</u>, cette île est habitée seulement par des chevaux, des chevaux <u>sauvages</u>.

Même pour les chevaux, la vie n'est pas facile sur cette île. En été, c'est presque parfait, bien qu'il y ait des <u>tempêtes</u> terribles et bien qu'il y fasse souvent du <u>brouillard</u>. Mais en hiver, il faut que les chevaux soient en très bonne santé pour résister au froid et à la faim, car l'île est <u>couverte</u> d'une <u>épaisse</u> <u>couche</u> de neige.

sand/Nova Scotia/ although/coast
wild

storms, tempests
fog

covered/thick/layer

*__Bien que__ (*although*) and other expressions such as __pour que__ (*so that*) are followed by the subjunctive. Note that __il est possible__ and __il est impossible__ both require the subjunctive.

Les chevaux vivent en petits troupeaux. En général, c'est une jument qui commande le troupeau. Les juments ont leurs poulains en mai. Très vite, ils apprennent à manger l'herbe de l'île. Ils restent avec leur mère pendant trois ans. Ensuite, ils choisissent un autre troupeau et forment leur propre famille. `herds/mare` `colts` `grass` `own`

Comment ces chevaux sont-ils arrivés dans l'île? Certains croient qu'ils sont venus sur un bateau espagnol qui a fait naufrage sur les côtes de l'île. Il n'est pas impossible que cette histoire soit vraie car il y a au moins 400 bateaux qui y ont fait naufrage. D'autres croient que des gens de Boston, fatigués de la ville, ont essayé d'habiter dans cette île à la fin du 18e siècle. Mais quand l'hiver est arrivé, ils ont vite décidé de rentrer à Boston. Quand ils ont quitté l'île, ils ont abandonné leurs troupeaux. Des naufragés ont mangé les vaches et les cochons, mais les chevaux sont restés. Et depuis deux siècles, ils sont les seuls maîtres de l'île. `was shipwrecked` `masters`

Adapté d'un article de *Hibou*.

COMPRÉHENSION

1. Où est située l'Île au Sable?
2. Qui habite dans cette île?
3. Quel temps y fait-il en été?
4. Quel temps y fait-il en hiver?
5. Pourquoi faut-il que les chevaux soient en très bonne santé?
6. Comment les chevaux de l'île vivent-ils?
7. Combien de temps les poulains restent-ils avec leur mère?
8. Pourquoi certains croient-ils que les chevaux sont venus sur un bateau espagnol?
9. Qu'est-ce que d'autres personnes croient?
10. Selon eux, qu'est-ce qui est arrivé aux vaches et aux cochons?

COMMUNICATION

A. **Questions / Interview.** Answer the following questions or use them to interview another student.

1. As-tu un chien, un chat ou un autre animal?
2. Si oui, quel est son nom? Sinon, aimerais-tu en avoir un?
3. Quel serait l'animal domestique idéal pour toi? Pourquoi?
4. Quel animal aimerais-tu être? Pourquoi?
5. Quel animal n'aimerais-tu pas être? Pourquoi?
6. Est-ce que tu aimes aller au zoo? Pourquoi ou pourquoi pas?

C. **Petit guide pour animaux domestiques.** Imagine that you are a pet animal and are writing a guide book for other pet animals. What recommendations would you make? Remember to begin each sentence with **il faudra que.**

> EXEMPLES   Il faudra que tu ne fasses pas trop de bruit.
> Il faudra que tu aies beaucoup de patience.

D. **Safari-photo.** Imagine that you are planning a trip to Wasa and Bénoué National Parks in Cameroun. Tell what you will have to do to get ready and what you will have to do on the trip.

> EXEMPLE   Il faudra que j'achète mon billet d'avion.

VOCABULAIRE DU CHAPITRE

NOUNS RELATING TO ANIMALS
l'antilope (*f*) antelope
le chameau camel
l'éléphant (*m*) elephant
la girafe giraffe
le gorille gorilla
l'hippopotame (*m*) hippopotamus
la jument mare
le lion lion
l'oiseau (*m*) bird
la panthère panther
le poulain colt, foal
le rhinocéros rhinoceros
le serpent snake
le singe monkey, ape
le tigre tiger
le zèbre zebra

OTHER NOUNS
l'assistant(e) assistant
le brouillard fog
la côte coast
la couche layer, coat
le dos back
l'herbe (*f*) grass
le langage language
le maître master
la Nouvelle Écosse Nova Scotia
le psychologue psychologist
le sable sand
un sourd a deaf person
la tempête storm, tempest
le troupeau herd

VERBS
demander to ask
enseigner to teach
hésiter to hesitate
répliquer to reply, retort
représenter to represent
taquiner to tease

ADJECTIVES
couvert covered
épais(se) thick
humain human
propre own
sauvage wild, untamed

OTHER EXPRESSIONS
avoir raison to be right
avoir tort to be wrong
bien que although
elle-même herself
faire naufrage to be shipwrecked
se mettre en colère to get angry

ONZIÈME CHAPITRE

D'autres mondes, réels et imaginaires

INTRODUCTION

 Pourquoi s'intéresser à l'astronomie?

L'astronomie est devenue le <u>passe-temps</u> favori d'un grand nombre de jeunes Français. Il y a même des clubs et des colonies de vacances spéciales pour les jeunes qui s'intéressent à cette science. Voici ce qu'ils disent.

hobby

JACQUES   Moi, je suis un "fan" de science-fiction. C'est en lisant des bandes dessinées que j'ai commencé à m'intéresser à ce qui se passe dans le ciel. Je regarde les planètes et j'imagine toutes sortes de voyages <u>spatiaux</u>.

plural of **spatial**

PIERRE   Un jour, je suis allé au Planétarium. Quand j'ai vu le ciel en mouvement, avec des <u>étoiles</u> qui se levaient, d'autres qui se couchaient, je suis tombé amoureux de ce qui se passe <u>là-haut</u>.

stars

up there

MICHELLE   J'ai toujours été fascinée par les découvertes spatiales. <u>Puis</u> j'ai eu envie d'observer moi-même la <u>lune</u>, Vénus, toutes ces planètes que les astronautes et les <u>fusées</u> spatiales ont pu observer <u>de près</u>. J'aimerais qu'un jour ce soit moi . . . .

besides, moreover

moon

rockets

close up

MATHIEU   Au début, j'étais satisfait de regarder et puis j'ai voulu en savoir plus. J'ai acheté des livres et j'ai <u>construit</u>* mon <u>propre</u> téléscope. Je m'amuse à calculer des distances entre les étoiles. <u>Plus</u> j'observe le ciel, plus j'apprécie l'immensité de tout ce qu'il y a à découvrir.   built / own / the more

Les professeurs de science sont bien sûr très contents de voir l'intérêt que cette science <u>éveille</u> chez leurs élèves. Mais ils leurs <u>conseillent</u> d'être très patients. "Il faudra que vous choisissiez un jour favorable. Si vous voulez voir quelque chose, il faudra aussi que vous restiez dans l'<u>obscurité</u> au moins vingt minutes <u>pour que</u> vos yeux puissent s'habituer à voir dans le noir. Et si vous voulez acheter votre propre téléscope, il faudra que vous <u>fassiez des économies</u> parce qu'ils coûtent assez cher."   awakes/advise / darkness/so that / save money

*The verbs **construire** (*to build*), **produire** (*to produce*), and **détruire** (*to destroy*) are conjugated like **conduire: je construis**, etc. Its past participle is **construit**; the future and conditional stems are **construir-**; and its subjunctive is **que je construise**.

Adapté d'un article de Christiane Sacase, *Marie-France*, août 1981.

COMPRÉHENSION

Answer the following questions based on *Pourquoi s'intéresser à l'astronomie?*

1. Quel est le passe-temps favori d'un assez grand nombre de jeunes?
2. Comment Jacques a-t-il commencé à s'intéresser à l'astronomie?
3. Qu'est-ce qu'il aime faire en observant les planètes?
4. Quelle a été la réaction de Pierre la première fois qu'il est allé au Planétarium?
5. Qu'est-ce qui intéresse particulièrement Michelle?
6. Quel est son rêve?
7. Quel est un des passe-temps favoris de Mathieu?
8. Qu'est-ce que Mathieu a appris en observant le ciel?
9. Quelle est la réaction des professeurs de science?
10. Qu'est-ce qu'ils conseillent à leurs élèves?

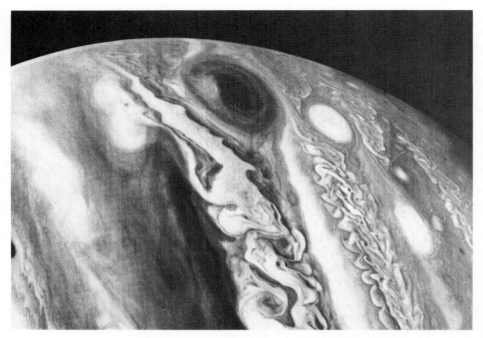

COMMUNICATION

Êtes-vous prêts pour les voyages interplanétaires? Si vous voulez le savoir, faites le test suivant. Indiquez quelle serait votre réaction dans les situations suivantes et choisissez le nombre qui correspond à votre réaction dans chaque cas.

1	**2**	**3**	**4**	**5**
Vous êtes pétrifié de peur.	Vous avez très peur.	Vous avez un peu peur.	Vous restez calme.	La situation vous laisse totalement indifférent.

Vocabulaire

l'ordinateur (*m*) *computer*
soudain *suddenly*
entouré *surrounded*
la soucoupe-volante *flying saucer*
l'appareil (*m*) *machine*
fabriquer *manufacture*
le trou *hole*

le vaisseau spatial *space ship*
attirer *attract*
détruit *destroyed*
tomber en panne *break down*
le rayon *beam*
l'espion (*m*) *spy*

1. Votre ordinateur refuse de suivre vos ordres.
2. Vous êtes soudain entouré(e) par une armée de soucoupes-volantes commandées par des créatures extra-terrestres.
3. L'appareil qui fabrique l'oxygène ne fonctionne plus.
4. Votre vaisseau spatial est attiré dans un trou noir où le temps n'existe pas.
5. Vous êtes entré(e) dans une nouvelle galaxie et vous avez perdu le contact avec la Terre.
6. Vous êtes entré en collision avec une astéroïde et votre système de propulsion nucléaire a été détruit.
7. Tous vos instruments de navigation interplanétaire sont mystérieusement tombés en panne.
8. Les robots qui sont chargés de vous protéger contre les rayons lasers ont décidé de se mettre en grève.
9. Vous venez de découvrir qu'il y a un espion à bord de votre vaisseau spatial.
10. Vos copilotes vous ont abandonné (e) sur une planète où habitent des monstres effrayants.

Total: Additionnez les nombres. Puis, divisez par dix et consultez les résultats.

Résultats

1,0-2,0 Les voyages interplanétaires ne sont pas pour vous. Vous risquez de mourir de peur avant même de quitter la Terre.

2,1-3,0 On dit que c'est normal d'avoir peur. Dans ce cas, vous êtes très, très normal! Mais les voyages interplanétaires ne sont pas pour les gens ordinaires.

3,1-4,0 Vous savez que c'est normal d'avoir peur en face du danger et que ce qui est important, c'est de continuer malgré tout.

4,1-5,0 Ce n'est pas du calme, c'est de la stupidité!

EXPLORATION

EXPRESSING EMOTIONS AND DOUBT
THE SUBJUNCTIVE AFTER VERBS OF EMOTION OR DOUBT

Présentation

In clauses following verbs of emotion the subjunctive is used. Here are some of the main expressions of emotion which (along with **avoir peur que**) you already know:

regretter
- Je regrette que tu sois fatigué.
- Annette regrette que les autres ne comprennent pas.

être content
- Nous sommes contents qu'ils puissent le faire.
- Elle est contente que nous sachions la réponse.

être triste
- Il est triste que tu ne veuilles pas l'aider.
- Je suis triste que vous ayez des problèmes.

être surpris(e)
- Elles sont surprises que vous vouliez abandonner.
- Je suis surpris que tu ne le saches pas.

The subjunctive is also used after indications of doubt or uncertainty. Thus, it is used in clauses following the verb **douter** (*to doubt*), after the negative and interrogative of **penser** and **croire,** and after **il n'est pas sûr.** It is not used after affirmative statements with **penser** and **croire.**

- Je doute qu'ils aient assez d'argent.
- Elle ne croit pas que ce soit possible.
- Nous ne pensons pas que vous puissiez répondre à cette question.
- Je ne crois pas qu'il fasse beau demain.
- Je doute qu'ils aillent très loin.
- Je ne suis pas sûr que vous ayez raison.

Deux yeux, deux oreilles, deux jambes, un nez, et une bouche. Je doute que cette créature puisse exister.

A. **On ne savait pas.** Several friends have just heard that Robert wants to be an astronaut. Give their reactions.

> MODÈLE   Je suis surpris (Il veut être astronaute.)
> **Je suis surpris qu'il veuille être astronaute.**

1. Nous sommes surpris
2. Ses parents regrettent
3. Je ne suis pas sûr
4. Je suis contente
5. Je doute
6. Nous sommes contents
7. Je ne crois pas
8. Ses amis sont contents

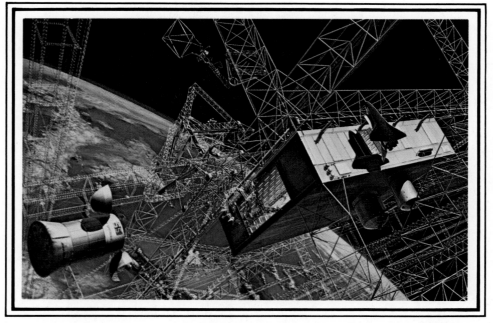

B. **Regrets.** Cécile is sympathizing with some friends who are telling her about their problems. What does she say to each?

> MODÈLE   Je suis malade.
> **Je regrette que tu sois malade.**

1. J'ai mal à la gorge.
2. Florence ne peut pas aller au cinéma.
3. Nous n'avons pas le temps de travailler.
4. Je ne sais pas mes leçons.
5. Nicolas ne veut pas m'aider.
6. Mes amis ont envie de partir.

C. **Un apprenti astronome.** Norbert wanted to watch the stars tonight, but everything went wrong. His friend Roland feels sorry for him. What does Roland say in response to Norbert's complaints?

MODÈLE Je ne peux pas trouver mes lunettes.
Je regrette que tu ne puisses pas trouver tes lunettes.

1. Il fait mauvais.
2. Il y a du brouillard.
3. J'ai mal aux yeux.
4. Je ne sais pas utiliser mon téléscope.
5. Je suis trop fatigué.
6. Je ne comprends pas les explications pour le téléscope.

Contextes Culturels

Les principaux observatoires en France sont à Saint-Michel de Provence, à Nançay et au Pic du Midi de Bigorre. Il est intéressant aussi de noter que la France, le Canada et l'université de Hawaii ont collaboré à la construction d'un observatoire et d'un téléscope géant placé au sommet du mont Mauna Kea sur l'Île de Hawaii. C'est un des plus grands du monde.

D. **Il y en a qui ont de la chance!** Charles Atout has a tendency to brag about his good luck. His friends politely say that they are happy for him. What do they say?

> MODÈLE   J'ai beaucoup d'amis.
> **Nous sommes contents que tu aies beaucoup d'amis.**

1. Je réussis bien à l'école.
2. Mes parents me donnent beaucoup de cadeaux.
3. J'ai beaucoup de temps libre.
4. Mes profs sont très gentils.
5. Je vais en Suisse cet été.
6. Je fais souvent des voyages.

E. **Politesse.** Muriel is very direct in expressing her opinions. Her friend Brigitte does not always agree with her. Tell what Brigitte says.

> MODÈLE   Ils ont tort.
> **Je ne crois pas qu'ils aient tort.**

1. Vous avez tort!
2. Les autres ont tort!
3. Tu as tort!
4. Nous avons tort!
5. Régis a tort!
6. Mireille a tort!

═ Communication ═

A. **Qu'est-ce que vous en pensez?** Do you believe or do you doubt that the following things will happen one day?

> EXEMPLE   Un jour, il y aura des villes sous les mers.
> Je crois qu'un jour il y aura des villes sous les mers.
> Je doute qu'un jour il y ait des villes sous les mers.

1. Il y aura des stations spatiales où habiteront plusieurs millions de personnes.
2. Tout le monde aura son propre ordinateur.
3. Chaque famille aura son vaisseau spatial.
4. On passera ses vacances sur la planète Mars.
5. Tout le monde vivra jusqu'à l'âge de 150 ans.
6. Il y aura des compétitions sportives interplanétaires.
7. On n'aura plus besoin d'aller à l'école.
8. On pourra apprendre en prenant des vitamines spéciales.

B. **Opinions.** Complete the following sentences to make statements about people you know.

1. Je suis content(e) que _____.
2. Le professeur regrette que _____.
3. Les étudiants sont tristes que _____.
4. Mes amis sont contents que _____.
5. Les parents regrettent que _____.
6. Mon meilleur ami n'est pas content que _____.
7. Ma meilleure amie n'est pas contente que _____.

Intégration

As you have already learned, the subjunctive is used after certain verbs and expressions when the subject of the main clause and the subject of the subordinate clause are different. However, when the subject of the two verbs is the same, an infinitive is used instead of a clause.

Je regrette que vous ne puissiez pas m'aider.	(*subjunctive*)
Je regrette de ne pas pouvoir vous aider.	(*infinitive*)
Elle est contente que vous soyez ici.	(*subjunctive*)
Elle est contente d'être ici.	(*infinitive*)
Nous sommes surpris que vous puissiez comprendre.	(*subjunctive*)
Nous sommes surpris de pouvoir comprendre.	(*infinitive*)
Ils sont tristes que vous partiez.	(*subjunctive*)
Ils sont tristes de partir.	(*infinitive*)

Using the expressions above and others that require the subjunctive, make up sentences about yourself and others.

EXEMPLES   Je suis contente d'avoir des vacances.
Je suis triste que mon ami soit malade.

EXPLORATION

⚜ **TALKING ABOUT WHAT YOU HAVE TO DO**
THE VERB DEVOIR

Présentation

Like the expression **il faut**, **devoir** (*to have to*, *must*) is used to talk about what one must or has to do. **Devoir** is irregular and here are its forms:

┌─ devoir ─────────────────────────┐
je **dois**	nous **devons**
tu **dois**	vous **devez**
il/elle **doit**	ils/elles **doivent**
└──────────────────────────────────┘

Passé composé: j'ai **dû,** etc.
Future stem: **devr-**

- Je dois partir tout de suite.
- Vous devez me croire.
- Tu ne dois pas avoir peur.
- Ils ont dû revenir plusieurs fois.
- Vous devrez apprendre à utiliser un ordinateur.

Devoir does not correspond directly to verbs in English. Each tense of **devoir** has a different meaning in relation to English.

A. The conditional tense has a meaning similar to *should* and is used frequently in making requests or in giving advice.

- Vous devriez essayer.
- Tu ne devrais pas te mettre en colère.
- Je devrais être plus sérieuse.

B. The **passé composé** of **devoir** means *had to* or *probably.*

- Nous avons dû partir. We had to leave.
- Ils ont dû oublier. They probably forgot.
  They must have forgotten.

C. The imperfect of **devoir** means *was to* or *supposed to.*

- Elles devaient arriver aujourd'hui.
  They were supposed to arrive today.

D. When **devoir** is accompanied by a direct object rather than an infinitive, it means *to owe.*

- Je vous dois dix dollars.
- Combien d'argent est-ce que je vous dois?
- Vous me devez le respect.

Préparation

A. Excuses. Madame Lavoisier, the science teacher, has suggested that her class watch a documentary on Jules Verne on TV. Unfortunately, several students have other things they must do. What do they say?

MODÈLE   Véronique / étudier
          Véronique doit étudier.

1. Je / faire mes devoirs
2. Mathieu et Jean / aider leur père
3. Vous / finir votre travail
4. Olivier / aller chez sa grand-mère
5. Tu / t'occuper de ton petit frère
6. Nous / étudier pour un examen

Contextes Culturels

Jules Verne (1828–1905) a écrit plus de 100 romans de science-fiction comme *Voyage au centre de la Terre, De la Terre à la Lune, Vingt Mille Lieues sous les mers* et *Le Tour du monde en 80 jours.* Ce qui est intéressant, c'est qu'un grand nombre de ses "inventions" scientifiques sont devenues des réalités [par exemple, l'hélicoptère, le cinéma parlant, la fusée lunaire, la bombe atomique et le sous-marin (*submarine*)].

B. **Le prix des étoiles.** Natalie is saving money to buy a telescope. She reminds her friends how much money they owe her.

> MODÈLE   Marcel / vingt francs
> **Marcel me doit vingt francs.**

1. Tu / 15 francs
2. Lucien / 50 francs
3. Mes sœurs / 30 francs
4. Vous / 75 francs
5. Mon frère / 5 francs
6. Brigitte / 10 francs

C. **Ils ont dû oublier.** Charles Lebrun was planning to go stargazing with his friends, but no one showed up. What explanations do his friends give him the next day?

> MODÈLE   Norbert / oublier
> **Norbert a dû oublier.**

1. Catherine / rester à la maison
2. Je / me coucher tôt
3. Paul / oublier l'heure
4. Vous / oublier où c'était
5. Les autres / étudier
6. Nous / faire des courses

D. **Conseils.** Thierry is talking about some of the things he and his friends should not do. What does he say?

> MODÈLE   Tu / dire des mensonges
> **Tu ne devrais pas dire des mensonges.**

1. Je / me mettre si souvent en colère
2. Nous / porter toujours la même chose
3. Vous / penser seulement à vous-mêmes
4. Gilles / sortir si souvent
5. Tu / conduire si vite
6. Thérèse et Christophe / être si impatients
7. Je / taquiner mes amis
8. Tu / dire des mensonges

A.   **Examen de conscience.** We do not always do what we should or what we were supposed to do. Make sentences describing the following:

   1.   Trois choses que vous deviez faire la semaine dernière, mais que vous n'avez pas faites.

   EXEMPLE   Je devais réparer mon vélo, mais j'ai oublié de le faire.

   2.   Trois choses que vous devez absolument faire cette semaine.

   EXEMPLE   Je dois absolument répondre à la lettre de mon oncle.

   3.   Trois choses que vous devrez faire bientôt.

   EXEMPLE   Je devrai aller chez le dentiste.

   4.   Trois habitudes que vous devriez changer.

   EXEMPLE   Je ne devrais pas taquiner ma petite sœur.

   5.   Trois choses que vous n'aviez pas envie de faire, mais que vous avez dû faire malgré tout.

   EXEMPLE   Je n'avais pas envie de faire la vaisselle, mais j'ai dû la faire malgré tout.

B.   **Le curriculum de l'avenir.** In your opinion, what will students of the year 2000 need to do and to learn in school?

   EXEMPLE   On devra apprendre à utiliser un ordinateur.

C.   **Conseils.** What advice would you like to give to your friends or to students in your French class?

   EXEMPLE   Jacques, tu devrais rester tranquille en classe.

---- Intégration --

You have learned various ways of talking about things you have to do or should do (e.g., **il faut que** + *subjunctive,* **être obligé de,** and **devoir**). Using these expressions, complete the following activity.

   1.   Tell what you have to do today.
   2.   Tell what you have to do tomorrow.
   3.   Tell what you should do soon.

EXPLORATION

⚜ **INDICATING WHICH ONE**
DEMONSTRATIVE PRONOUNS

══ Présentation ══════════════════

You already know how to use demonstrative adjectives (**ce bruit, cette rivière, ces gestes**). Nouns with demonstrative adjectives can be replaced by demonstrative pronouns, which must agree in number and in gender with the noun replaced: <u>Cette radio</u> est à Paul → C'est <u>celle</u> de Paul. Here are the forms of the demonstrative pronoun:

	Singular		**Plural**	
Masculine	**celui**	*this one, that one*	**ceux**	*these, those*
Feminine	**celle**	*this one, that one*	**celles**	*these, those*

A. The demonstrative pronouns are frequently followed by **qui** and **que** clauses.

- Je préfère ce téléscope à celui que Vincent a acheté.
- Je vais répéter pour ceux qui n'ont pas compris.

B. Demonstrative pronouns are also often followed by prepositions, especially **de.**

- Ce tee-shirt a coûté 25 francs et celui d'Élise 30 francs.
- Les maisons de l'avenir seront très différentes de celles d'aujourd'hui.

C. By adding **-ci** and **-là** to demonstrative pronouns you can distinguish between things, much as we do in English by *this* and *that* or *these* and *those.*

- Je ne sais pas quelle cravate choisir. Est-ce que je prends celle-ci ou celle-là?
- Vous n'avez pas d'autres pantalons? Celui-ci est trop grand et celui-là est trop petit.

Celui-ci est moins cher, mais je crois que celui-là serait plus confortable.

Préparation

A. **On n'est pas d'accord.** Robert and Guy have gone shopping downtown. Robert, who is in a contrary mood, disagrees with everything Guy says. Tell what Robert says.

MODÈLE   J'aime bien ce magasin.
Moi, je préfère celui-là.

1. J'aime bien ce vélo.
2. J'aime bien cette chemise.
3. J'aime bien ces chaussures.
4. J'aime bien ces bonbons.
5. J'aime bien ce bâtiment.
6. J'aime bien ce quartier.
7. J'aime bien cette veste.
8. J'aime bien ces disques.

B. **Une visite au Palais de la Découverte.** Monsieur Mauger's class has gone to the **Palais de la Découverte** where everyone has checked his or her coat and other items. Henri is in charge of finding out to whom each item belongs. What does he say?

MODÈLE   Est-ce que cette veste est à Chantal?
(Oui . . . Chantal)
Oui, c'est celle de Chantal.

1. Est-ce que ce manteau est à toi? (Non . . . Paul)
2. Est-ce que cette veste est à François? (Oui . . . François)
3. Est-ce que ce pull est à moi? (Non . . . Joseph)
4. Est-ce que ce livre est à toi? (Non . . . Alain)
5. Est-ce que ce sac à dos est à Gérard? (Oui . . . Gérard)
6. Est-ce que cette affiche est à Claude? (Non . . . Monique)
7. Est-ce que ce plan de Paris est à Geneviève? (Oui . . . Geneviève)

Contextes Culturels

Le Palais de la Découverte, établi en 1937, n'est pas un musée traditionnel mais un centre culturel et scientifique très original. Le but de ce musée est de montrer au public, et surtout aux jeunes, ce qu'est la science. Il y a des maquettes animées (*working models*) accompagnées d'explications. Le musée comprend une salle différente pour chaque science, un planétarium, une librairie, une bibliothèque et une photothèque, et on peut y faire soi-même (*oneself*) des expériences (*experiments*) scientifiques.

C. **Objets trouvés.** It's the end of the year and Madame Pasteur is trying to find out to whom various objects belong. Give her students' answers to her questions.

> MODÈLE   À qui sont ces livres? (Gilbert)
> **Ce sont ceux de Gilbert.**

1. À qui sont ces lunettes? (Jacques)
2. À qui sont ces revues? (Colette)
3. À qui sont ces jeux? (Monique)
4. À qui sont ces crayons? (Juliette)
5. À qui sont ces vieilles chaussettes? (Bernard)
6. À qui sont ces bandes dessinées? (Vincent)
7. À qui sont ces affiches? (Gérard)
8. À qui sont ces disques? (Lucien)

D. **Préférences.** Mireille is asking some friends about what they prefer. What does each one answer?

> MODÈLE   Quel est le disque que tu préfères?
> **Voilà celui que je préfère.**

1. Quelle est la robe que tu préfères?
2. Quel est le roman que tu préfères?
3. Quelle est la couleur que tu préfères?
4. Quels sont les légumes que tu préfères?
5. Quels sont les vêtements que tu préfères?
6. Quel est l'animal que tu préfères?
7. Quels sont les cadeaux que tu préfères?
8. Quelle est la revue que tu préfères?

GARDEZ VOTRE VILLE PROPRE

PARIS 16   29-7-82

Communication

A. **À qui est-ce?** Everyone should contribute one or more items to a collection of objects. Then try to guess to whom they belong. Be sure to use a demonstrative pronoun in your guesses.

> EXEMPLE   À qui est cette cravate?
> C'est celle de Robert.

B. **Préférences.** Which of the following do you prefer?

1. Quels romans est-ce que vous préférez? Ceux d'aventure ou ceux de science fiction?
2. Quelle école est-ce que vous préférez? Celle où vous allez maintenant ou celle où vous alliez il y a plusieurs années?
3. Quelles classes est-ce que vous préférez? Celles que vous avez cette année ou celles que vous aviez l'an passé?
4. Quelles voitures est-ce que vous préférez? Celles qui sont fabriquées au Japon ou celles qui sont fabriquées aux États-Unis?
5. Quelles classes est-ce que vous préférez? Celles que vous avez cette année ou celles que vous aviez l'an passé?
6. Quels vêtements est-ce que vous préférez? Ceux qu'on porte aujourd'hui ou ceux qu'on portait autrefois?

C. **Interview.** Using the questions in *Préférences* as a guide, make up questions to ask other students about the following topics:

les films	**les classes**
les livres	**les programmes de télévision**
les chansons	**les disques**
les matchs	**les rapas**
	?

EXEMPLE   films

Est-ce que tu préfères les films de Burt Reynolds ou ceux de Robert Redford?

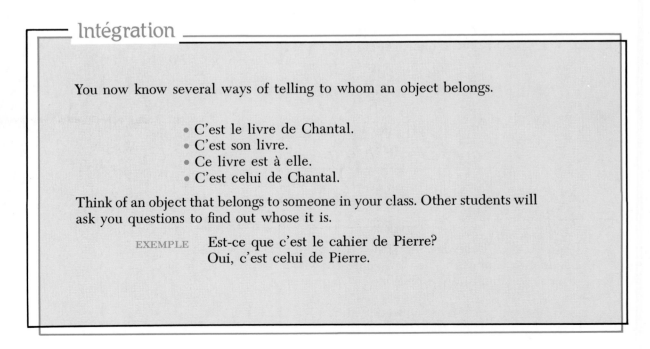

Intégration

You now know several ways of telling to whom an object belongs.

- C'est le livre de Chantal.
- C'est son livre.
- Ce livre est à elle.
- C'est celui de Chantal.

Think of an object that belongs to someone in your class. Other students will ask you questions to find out whose it is.

EXEMPLE   Est-ce que c'est le cahier de Pierre?
Oui, c'est celui de Pierre.

EXPLORATION

── Présentation ────────────────────

After certain phrases that involve opinions and judgments, the subjunctive is always used. Learn those given below.

Il vaut mieux.	It is better.
Il vaudrait mieux.	It would be better.
C'est dommage.	It's too bad.
C'est possible.	It's possible.
C'est impossible.	It's impossible.
Ce n'est pas nécessaire.	It's not necessary.

- Il vaudrait mieux que tu viennes demain.
- Il vaut mieux que nous répondions nous-mêmes à cette lettre.
- C'est dommage qu'on ne puisse rien voir.
- Ce n'est pas nécessaire que vous achetiez un téléscope.

Il vaudrait mieux que tu achètes un autre dictionnaire.

A. **Une conférence de Jacques Cousteau.** Marc and Sabine are going to hear Jacques Cousteau give a lecture and film presentation about his recent underwater explorations. Sabine thinks it's too bad that some of their friends won't be able to attend. What does she say?

> MODÈLE   Je ne peux pas venir.
> **C'est dommage que tu ne puisses pas venir.**

1. Je suis occupé.
2. Nous ne pouvons pas venir.
3. Rémi va chez le dentiste.
4. Martine et Diane ne sont pas libres.
5. Nous attendons des amis.
6. Je n'ai pas envie d'y aller.

Contextes Culturels

Jacques Cousteau a passé la plus grande partie de sa vie à explorer la vie sous les mers. Dans ses nombreux films et dans ses livres, il montre à un public toujours fasciné les merveilles de la vie sous-marine. Ses découvertes ont aussi beaucoup contribué à notre connaissance du monde sous-marin.

B. Conseils. Natalie has become very interested in astronomy and can't wait to use her telescope tonight. Her father doesn't share her enthusiasm. What advice does he give her?

MODÈLE attendre un peu
Il vaut mieux que tu attendes un peu.

1. prendre ton pull
2. consulter une carte du ciel
3. mettre tes lunettes
4. apprendre à utiliser ton téléscope
5. demander conseil à ton professeur
6. choisir un autre jour
7. rester à la maison ce soir
8. aller te coucher maintenant

C. Je suis pour l'énergie solaire. After visiting the solar village of Nandy, Annick has become very interested in the possibilities of solar energy. What does she say?

MODÈLE utiliser moins d'énergie nucléaire
Il vaudrait mieux que nous utilisions moins d'énergie nucléaire.

1. chercher d'autres solutions
2. être plus prudents
3. choisir l'énergie solaire
4. construire des maisons solaires
5. fabriquer moins de machines
6. faire des économies d'énergie
7. revenir à une vie plus simple

Contextes Culturels

Nandy n'est pas un village comme les autres. La différence, c'est que toutes les maisons du village sont des maisons solaires. Chaque maison a une architecture complètement différente. Ces maisons modèles ont été sélectionnées (*chosen*) par le Ministère du Logement qui a organisé le concours des "5 000 maisons solaires."

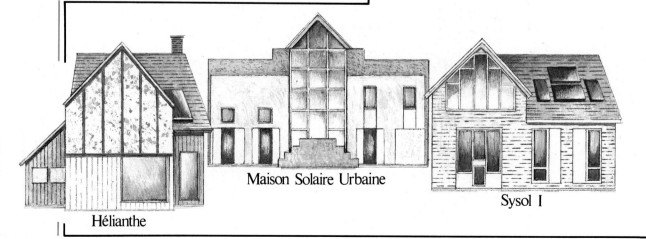

Maison Solaire Urbaine

Sysol I

Hélianthe

D. **C'est impossible!** The members of a space expedition are sending strange messages to Mission Control on Earth. How does Mission Control respond?

> MODÈLE Nous sommes maintenant sur la planète Mars.
> **C'est impossible que vous soyez sur la planète Mars.**

1. Il y a de beaux arbres sur cette planète.
2. Nous n'avons plus besoin de notre oxygène.
3. Les Martiens portent des lunettes.
4. Nous comprenons ce qu'ils disent.
5. Ils mesurent trois mètres de haut.
6. Il y a un drapeau français ici.
7. Notre ordinateur est en panne.
8. Nous refusons de revenir sur Terre.

═Communication

A. **À votre avis.** In your opinion, what would be the better alternative in the following situations? Explain your answers.

> EXEMPLE économiser nos ressources naturelles ou chercher d'autres sources d'énergie
> Il vaudrait mieux que nous économisions nos ressources naturelles.

1. choisir l'énergie solaire, l'énergie du vent ou l'énergie nucléaire
2. continuer ou abandonner l'exploration spatiale
3. construire des villes sous les mers ou construire des stations spatiales
4. réparer les appareils qui ne marchent plus ou en acheter de nouveaux
5. manger beaucoup de viande ou manger beaucoup de légumes, de céréales et de fruits
6. boire du café ou boire du lait
7. faire une promenade ou regarder la télé
8. fabriquer plus d'autobus et de trains ou fabriquer plus de voitures

B. **C'est dommage!** Things are not always the way that we would like them to be. Give five or more sentences that describe what you would like things to be like.

> EXEMPLE C'est dommage qu'il n'y ait pas quatre dimanches par semaine.

Intégration

Two general types of expressions are used with the subjunctive: expressions of emotion and feeling (**je regrette, je suis content(e), j'ai peur, je suis triste,** etc.) and phrases that indicate an opinion or a judgment (**il vaut mieux, il faut, je doute, je ne crois pas, c'est nécessaire,** etc.).

Using these expressions, give your reactions to a friend who has made the following comments.

EXEMPLE   Je ne me sens pas bien aujourd'hui.
Je regrette que tu ne te sentes pas bien aujourd'hui.

1. Nous avons trop de travail en ce moment.
2. Je peux réparer ça en deux minutes.
3. Nous t'aiderons à faire tes devoirs.
4. J'ai envie d'abandonner mes études.
5. Je voudrais être astronaute.
6. Nous nous intéressons beaucoup à l'astronomie.

"La Minerve"
Vaisseau Aerién destiné aux Découvertes
1803

PERSPECTIVES

 On a marché sur la Lune.

Tous les jeunes Français connaissent bien les albums de bandes dessinées qui racontent les aventures de Tintin et de son chien Milou. Les pages suivantes viennent d'un album publié en 1954. Nous sommes à bord de la première fusée lunaire avec Tintin, Milou, le capitaine Haddock, le professeur Tournesol, l'ingénieur Wolff et les détectives Dupont et Dupond.

Allô, allô, ici la Terre.... Allô, fusée lunaire, répondez.... Répondez...

Allô, allô, ici la Terre.... Répondez.

WOUAH! WOUAH!

Le chien...C'est leur chien qui répond!

Tintin! Tintin! Réveille-toi!

Ah! il m'a entendu!

Milou!...Laisse-moi tranquille.... Mais, qu'est-ce qui m'est arrivé? Ah! je me souviens!... Le départ. Cette terrible sensation... J'ai dû m'évanouir!

Allô, allô, fusée lunaire?... Allô, ici la Terre... Répondez!

La Terre!... La Terre qui nous appelle!

Wake up!
Let me alone.

I remember
to faint

Allô, allô, ici fusée lunaire... C'est Tintin qui vous parle... Je viens de reprendre connaissance. Je vais voir comment vont mes compagnons.

Pour ma part, ça va bien, merci. Mais je refuse de croire que nous sommes en route vers la Lune!

regain consciousness

safe and sound

Do you realize . . . ?

joke

make fun of

good for a
laugh

to scare us
speed

1.34h du matin? Pas 13.34h? Mon Dieu! Nous avons cru que c'était à 1.34h de l'après-midi!

Allô... Allô... Ici fusée lunaire!... Information sensationnelle: les deux Dupondt sont à bord! Ils avaient décidé de passer la nuit dans la fusée, croyant que le départ était à 1.34h de l'après-midi!

Cela pose un grave problème: nos réserves d'oxygène étaient calculées pour quatre personnes, et maintenant nous sommes six à bord, sans compter Milou! Aurons-nous assez d'oxygène?

Vous entendez, espèces d'idiots? Tout ça parce que, à votre âge, vous ne savez pas faire la différence entre 1.34h et 13.34h!

you idiots

De toute façon, il faut que j'aille là-haut reprendre moi-même les commandes.

controls

Et quand je pense qu'on m'a interdit de fumer, même une pauvre petite pipe, pour économiser l'oxygène que vous venez de respirer... Et arrêtez-vous de pleurer comme des bébés. Ça produit* de l'acide carbonique. Ah! Je ne sais pas ce qui m'empêche de vous jeter dehors!

forbidden

Oh! dites... Venez voir, mes amis! Venez voir!

cry
produces

*Produire is conjugated like conduire and construire.

COMPREHENSION

Answer the following questions on *On a marché sur la lune.*

1. Après le départ, qui reprend connaissance le premier?
2. Qu'est-ce qui est arrivé à Tintin?
3. Qu'est-ce que le capitaine pense de la situation?
4. Et le professeur, qu'est-ce qu'il en pense?
5. Qui d'autre est à bord de la fusée lunaire?
6. Est-ce qu'ils savent que la fusée est en route vers la lune?
7. Quelle est la cause de leur erreur?
8. Pourquoi étaient-ils à bord de la fusée avant son départ?
9. Quels problèmes est-ce que cela pose?
10. Quelle est la réaction du capitaine?

COMMUNICATION

A. **Une conversation dans l'espace.** You're in a space ship. Make up sentences describing your difficulties. Using the words below, other students will give their comments.

> EXEMPLE   Nous ne pouvons pas réparer notre ordinateur.
> C'est dommage que vous ne puissiez pas réparer votre ordinateur.

je regrette	je doute
je suis triste	je ne crois pas
je suis surpris(e)	ce n'est pas nécessaire
je suis content(e)	il faut
c'est dommage	il vaudrait mieux
	?

B. **Et après?** Based on what took place in the Tintin cartoon, try to imagine what might happen next. Create your own continuation of the story.

C. **C'est vous l'auteur!** Write your own science-fiction story in cartoon form (with or without pictures) or in the form of a story. Include such things as the place where your story takes place, the date, and descriptions of the principal characters.

D. **Nous tous!** You have learned about many young people from different parts of the world. What do you think you have in common? Are there also differences? What do you think should be done to promote understanding among the peoples of the world? Are there special things teenagers can do?

VOCABULAIRE DU CHAPITRE

NOUNS

l'acide (*m*) acid
l'appareil (*m*) machine
l'astronaute (*m/f*) astronaut
la blague joke
le capitaine captain
les commandes (*f*) controls
le compagnon companion
l'espion (*m*) spy
l'étoile (*f*) star
la fusée rocket
l'idiot (*m*) fool
    espèces d'idiots you fools
l'immensité (*f*) immensity
la lune the moon
Mars Mars
l'obscurité (*f*) darkness
l'ordinateur (*m*) computer
le passe-temps hobby
le rayon beam
la soucoupe-volante flying saucer
le téléscope telescope
le trou hole
le vaisseau spatial spaceship
Vénus Venus
la vitesse speed

ADJECTIVES

détruit destroyed
entouré surrounded
interdit forbidden
propre own
sain et sauf safe and sound
spatial space

ADVERBS

à bord on board
de près close up
là-haut up there
plus the more
pour que so that
puis besides, moreover
soudain suddenly

VERBS

attirer to attract
calculer to calculate
conseiller to advise
construire to construct
devoir to have to, must, owe
douter to doubt
s'évanouir to faint
éveiller to awaken
fabriquer to manufacture
faire des économies to save money
faire peur to scare
inspecter to inspect
se moquer de to make fun of
pleurer to cry
produire to produce
se rendre compte de to realize
reprendre connaissance to regain con-
    sciousness
se réveiller to wake up
rire to laugh
avoir le mot pour rire to have a ready wit
tomber en panne to break down

EXPRESSIONS OF JUDGMENT

C'est dommage. It's too bad.
Il vaudrait mieux It would be better
Il vaut mieux It is better

DOUZIÈME CHAPITRE

Tour d'horizon

12

Au Sénégal: Quelle rue faut-il prendre?

A. Où est-ce, s'il vous plaît? You are at the railroad station in Dakar, the capital of Senegal. Tourists stop and ask you how to get to various places. Using the map below, give them directions.

EXEMPLE   Où est le marché Kermel, s'il vous plaît?
                 Prenez l'avenue Canard. Passez devant la poste.
                 Tournez à gauche et vous arriverez au marché.

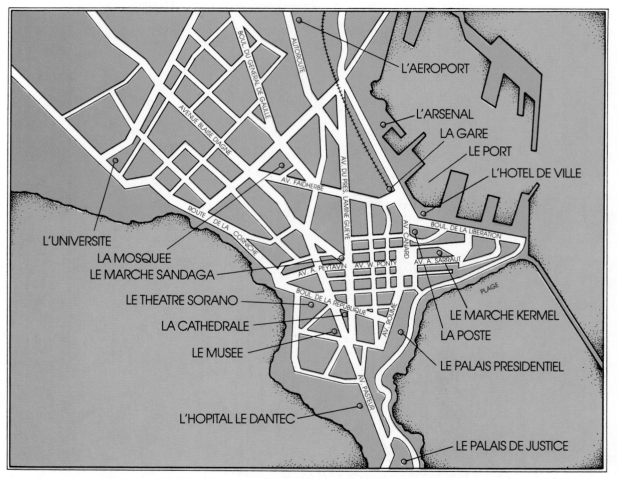

1. Où est la cathédrale, s'il vous plaît?
2. Pourriez-vous me dire où est le marché Sandaga?
3. Et le Palais Présidentiel, où est-il, s'il vous plaît?
4. Où est l'hôpital Le Dantec?
5. Et l'aéroport, est-ce qu'il est loin d'ici?
6. Où est le théâtre Sorano, s'il vous plaît?

B. Distances. Based on the chart below, tell how far it is between various Senegalese cities.

EXEMPLE   La distance entre Dakar et Louga est de cent quatre-vingt-treize kilomètres.

	DAKAR	DIOURBEL	KAOLACK	LINGUERE	LOUGA	MATAM	M'BOUR	RICHARD TOLL	ST. LOUIS	TAMBACOUNDA	THIES	ZIGUINCHOR
DAKAR		146	210	308	193	530	83	374	266	483	70	492
DIOURBEL	146		64	162	175	389	124	356	248	337	76	346
KAOLACK	210	64		226	240	453	107	693	316	273	140	282
LINGUERE	308	162	226		130	227	311	311	203	500	238	508
LOUGA	193	175	240	130		357	196	181	73	449	123	508
MATAM	530	389	453	227	357		533	349	457	393	460	735
M'BOUR	83	124	107	311	196	533		377	269	380	73	389
RICHARD TOLL	374	356	424	311	181	349	377		108	618	304	706
ST. LOUIS	374	248	316	203	73	457	269	108		523	196	586
TAMBACOUNDA	483	337	273	500	449	393	380	618	523		413	415
THIES	70	76	140	238	123	460	73	304	196	413		422
ZIGUINCHOR	492	346	282	508	508	735	389	706	586	415	422	

C. *Et chez vous?* An exchange student from Senegal needs to know how to get around your school. Tell him how to get from your French classroom to various places in the school (e.g., **la bibliothèque, la caféteria, la classe d'histoire, la classe de mathématiques**).

Flash-Info

Saviez-vous qu'il y a 5 millions d'habitants au Sénégal et que 800.000 d'entre eux habitent à Dakar, la capitale du Sénégal?

Au Maroc: De quoi avons-nous besoin?

A. **L'art du marchandage.** You are at a *souk (open-air market)* in Fez and want to buy a piece of Moroccan pottery that costs sixty dirhams, or about fifteen dollars. You don't want to pay that much and decide to try your hand at bargaining. Complete the following dialogue in which you try to convince the merchant to reduce the price.

VOUS	_____
LE MARCHAND	Vous voulez rire! À 60 dirhams, c'est pratiquement donné. Si vous alliez dans un magasin, vous paieriez au moins le double pour une poterie de cette qualité.
VOUS	_____
LE MARCHAND	C'est impossible! Si je vous la vends pour si peu, je vais perdre de l'argent. Mais je vous la laisserai pour 45 dirhams . . . parce que c'est vous.
VOUS	_____
LE MARCHAND	Alors cinq dirhams de moins, mais c'est mon dernier mot.
VOUS	_____
LE MARCHAND	Alors, prenez-la; je vous la laisse pour ce prix!

Flash-Info

Saviez-vous que le souk, c'est-à-dire un marché en plein air, est un aspect caractéristique de la vie nord-africaine? On trouve des souks dans les villages aussi bien que dans les grandes villes. On y vend un peu de tout.

B. **Dans les boutiques de Rabat.** A friend has taken you shopping in Rabat. Use the conversion table below to find out what sizes you need and then make up short conversations based on the situations below. One student will play the **vendeur** or **vendeuse;** the other the customer.

TABLE DE CONVERSION

POINTURES: Les tailles peuvent varier légèrement d'un pays à l'autre. Vérifier bien avant d'acheter.

TAILLES FEMMES

Robes et Manteaux

Eur.	Eng.	Amer.
40	32	10
42	34	12
44	36	14
46	38	16
48	40	18
50	42	20

Corsages et Pulls

Fr.	Eng./Amer.
40	32
42	34
44	36
46	38
48	40

TAILLES HOMMES

Costumes

Fr.	Eng.
34	34
36	34
38	36
40	37
42	38
44	39
46	40
48	42

Pulls pour Hommes

Eur.	Amer.
46	36
48	38
51	40
54	42
56	44
59	46

Chaussures

Fr.	Eng.	Amer.
36	3	5
37	4	6
38	5	7
39	6	7½
40	7	8
41	8	9
42	9	10
43	10	10½

Chaussettes

Fr.	Eng.
39–40	10
40–41	10½
42	11
42–43	11½
43–44	12

1. Vous voulez acheter des chaussures pour vous.
2. Vous voulez acheter une robe pour votre sœur.
3. Vous voulez acheter un pull pour vous.
4. Vous voulez acheter un corsage pour votre mère.
5. Votre ami(e) veut acheter un costume pour son père.

C. **Êtes-vous prêt(e)?** You are getting ready to do the following things while in Morocco. What will you wear or take with you?

1. Vous allez passer quelques jours à la plage à Casablanca.
2. Vous partez pour une excursion en jeep dans le désert.
3. Vous allez faire des courses au souk.
4. Vos amis marocains vous ont invité(e) à aller avec eux à une fête folklorique.
5. Des amis vous ont invité(e) à dîner chez eux.

En Suisse: Qu'est-ce qu'on va faire?

A. **Activités.** Based on the map below, make a list of the activities that you and your friends would enjoy if you were living or studying in Neuchâtel.

EXEMPLE Nous pourrions faire du patinage sur glace.
Nous irions souvent nous promener dans les montagnes.

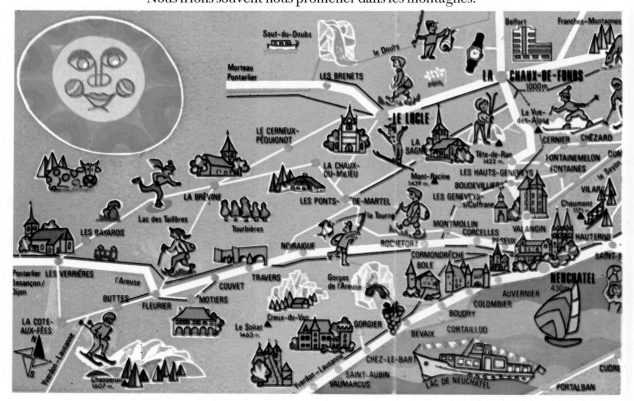

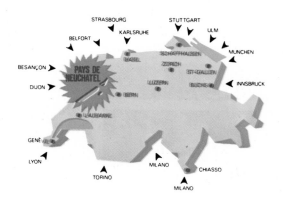

Flash-Info

Saviez-vous qu'en plus des activités sportives, vous trouverez à Neuchâtel de nombreux musées, différents types d'architecture (architecture romane, gothique et de la Renaissance), des salles de musique et de théâtre, une université et plusieurs écoles supérieures?

B. **Négociations.** Using the list of activities that you have just prepared, pick the three that are the most appealing to you. Then get together with a group of students and choose one activity that you will do as a group. You may want to use the suggestions below as you "negotiate" together.

Si vous êtes d'accord: Oui, je crois que c'est une bonne idée; j'aimerais bien faire ça; moi aussi, j'ai envie de . . . , etc. *Si vous n'êtes pas d'accord:* Ah, non, alors, je n'ai pas envie de faire ça; j'aimerais mieux faire autre chose, etc.

C. **Interview: activités et passe-temps.** Make up questions to ask other students about their leisure activities.

EXEMPLE Est-ce que tu fais souvent du jogging?
Est-ce que tu vas quelquefois à la plage?

En France: Voyage dans le passé

A. Catalogue de jouets. The following pictures are taken from a 1905 toy (**jouet**) catalogue. Try to understand as much of the descriptions as you can and imagine that you are a French child living at that time and picking out which toys you would like to receive.

EXEMPLE   Moi, j'aimerais avoir le cheval mécanique parce que j'aime les jouets mécaniques et j'adore les animaux.

Flash-Info

Saviez-vous que les enfants français appellent (*call*) souvent leur grand-père "pépé," leur grand-mère "mémé," leur oncle "tonton" et leur tante "tatan"? Un chien est un "toutou," un cheval est un "dada." Dormir est "faire dodo."

1

2

CHIEN caniche, peau noire naturelle, aboyant, avec collier et laisse, sur galets.
2.25, 3.75, 5.75
7.95, 12.50
et 19.95

4

5

BÉBÉ articulé, tête fine, yeux mobiles avec cils, chemise lingerie ornée de rubans.

Hauteur.	0ᵐ46	0ᵐ51	0ᵐ60
	2.95	3.95	4.95

3

GUIGNOL

THÉATRE DE GUIGNOLS
3.75   4.75   6.25   8.25
11.25   14.75
19.25   24.95   33. »

BÉBÉ articulé, costumes variés. Hauteurs sans le chapeau:

0ᵐ38	^ᵐ40	0ᵐ45	0ᵐ47
2.50	2.95	3.95	5.50
0ᵐ5		0ᵐ54	
6.95		8,50	

CLOWN aux grands pieds avec tubéphone, pièce mécanique à musique, habillage satin riche sur socle peluche. Hauteur 0ᵐ55 . . 25. »

VOITURE de Monsieur et Madame Polichinelle, costumes satin, jouet mécanique mouvementé et roulant.

Longueur 0ᵐ42. . . . . **10.75**

TRAINEAU RUSSE, costumes riches, satin et velours, homme marchant, jouet mécanique roulant.

Hauteur 0ᵐ20. . . . . **19.50**

"LE TOBOGGAN". Nouveau jeu de billes, avec 2 chariots roulants, boîte cartonnage.

Hauteur 0ᵐ75. . . . . . **6.95**

SOLDATS mignons (0ᵐ05 1/2) en carton pâte, décor riche, fusils métal, en boîte cartonnage.

27	45	63	78	94 pièces
2.95	4.95	6.95	8.75	10.75

BICYCLETTE fer peint, à chaîne, pédales à scies, guidon nickelé, roues fer de

BOITE peinture, coffret couvert en papier fantaisie riche, couleurs en godets verre, avec nombreux accessoires.

0ᵐ32/26	0ᵐ35/29	0ᵐ38/31	0ᵐ41/34	0ᵐ44/37
9.75	11.95	14.25	16.50	18.75

TRAIN DE LUXE, article riche, locomotive avec frein, mouvement de marche avant et arrière, 4 wagons rails et accessoires divers, en boîte cartonnage.

28.50   0ᵐ78×0ᵐ59. . . **37.** »

B. **Joyeux Noël.** Imagine what Christmas would be like if you were a child living in France in 1905. Use the questions below to describe the holiday season.

1. Quel temps faisait-il?
2. Quels jouets avez-vous demandés au Père Noël?
3. Quels jouets est-ce qu'il vous a apportés?
4. Quels cadeaux est-ce que vous avez donnés à vos parents et à vos frères et sœurs?
5. Est-ce que vous étiez content(e) des cadeaux qu'on vous a donnés?
6. Qu'est-ce que vous avez mangé?
7. Est-ce que le repas était bon?
8. Et le soir, qu'est-ce que vous avez fait?

C. **Merci beaucoup.** Imagine that you received the gift pictured below from your aunt and uncle. Write a letter in which you thank them for the gift and tell them why you will enjoy it.

" LEÇON DE GEOGRAPHIE ", pièce mécanique à musique, habillage satin et velours, sur socle peluche
Hauteur 0ᵐ55 . . . . . **18.75**

D. **Leur avenir, c'est notre passé.** It is 1905, and you have the gift of being able to see into the future. What predictions will you make for the next eighty years? You may want to base your predictions on the following categories:

les habitations   l'écologie
l'exploration spatiale   les sports
l'éducation   la musique
les moyens de transport la guerre et la paix
les vêtements   la santé
la famille   l'agriculture

EXEMPLES   On inventera l'ordinateur.
On marchera sur la lune.
Il y aura un nouveau type de musique qui deviendra
la musique préférée des jeunes: le rock.

E. **Une vie.** Make a time line showing the dates of the important events that have taken place in your life, the life of a member of your family, or the life of a famous French person. Then write a sentence about each of these events. You may also indicate some of the things you expect to happen in the future.

EXEMPLE   le passé │ le présent ──► l'avenir
           ─────────┼──────────────────────────
           1958   │

1958: Je suis né(e) le trois juillet, mille neuf cent cinquante huit à trois heures du matin.

En France: Ici, c'est l'anglais qui est une langue étrangère.

A. L'étude de l'anglais. French students who are studying English often choose to study abroad. Based on the advertisement below, give all the information you can about this English course offered in England and in the United States.

Intensive English Courses
177 High Street, Oxford (G.B.)   Tél.: OXF 47299
I.S.E. 21, rue Théophraste Renaudot 75015 Paris   Tel.: 533.13.02 +
propose

L'ANGLAIS en ANGLETERRE
pour jeunes, étudiants, adultes

OXFORD: (Notre Central Principal): Séjours individuels sur mesure à toute époque de l'année. —Enseignements par Tutorials (leçons particulières). —Cours spécialisés: Anglais commercial, technique, scientifique, littérature anglaise. —Dates et durée des séjours au choix, Tous niveaux. —Logement au choix: famille-Bed and Breakfast-Hôtel.
READING, BRISTOL, NORTHAMPTON: Enseignement en petits groupes (8 maximum par classe)
LONDRES: Séjour de perfectionnement oral

NOUVEAU 1983

NEW YORK: (USA) pour jeunes de 14 à 20 ans. —Programme complet de loisirs —Voyage en groupe —Logement dans une famille anglaise agréable

Flash-Info
Saviez-vous qu'en France à peu près 80% des élèves des écoles secondaires étudient l'anglais?

B. Et aux États-Unis? Prepare an advertisement in which you describe the advantages that French students might have if they were to study English in your town or region.

> EXEMPLE   Ici, vous aurez l'occasion de parler anglais avec des étudiants sympathiques.

C. Il faut savoir l'argot. Make a list of slang terms (**argot**) that French students who are studying in your school should know. Then explain these words or expressions in French.

> EXEMPLE   cram for a test: Ça veut dire étudier beaucoup la nuit avant un examen.

Aux Antilles: Découverte de la cuisine créole

A. **Avez-vous l'esprit d'aventure?** Below is a list of typical Creole dishes that are often found on menus in Martinique and Guadeloupe. Based on the descriptions given, tell whether or not you would want to try any of these dishes. Use the scale below in giving your answers.

Flash-Info

Quand on vous offre un plat pour la deuxième fois, si vous en voulez encore, vous pouvez dire:

Oui, donnez m'en encore un peu, s'il vous plaît.

Oui, avec plaisir. Je vais en reprendre un peu.

Si vous n'en voulez pas plus, vous pouvez dire:

Non merci, je n'ai plus faim. Mais ne dites jamais, jamais, "Non merci, je suis plein."

Spécialités créoles			
Accras (à morue)	*Fritters (codfish)*	**Lambi**	*Conch*
Blaff	*Fish stew*	**Langouste**	*Large crayfish*
Boudin créole	*Creole sausage*	**Ouassous**	*Small crayfish*
Chatrous	*Small octopuses*		*(in Guadeloupe)*
Colombo	*Curry*	**Palourdes**	*Clams*
Christophine	*Potatolike vegetable*	**Pâté en pot**	*Thick mutton soup*
Court-bouillon	*Steamed fish*	**Tourment d'amour**	*Coconut tart*
Crabes farcis	*Stuffed crabs*	**Z'habitants**	*Small crayfish*
			(in Martinique)

B. **Vous invitez des amis.** Some friends from Martinique are going to be visiting your town for several weeks and you want to have them become acquainted with various types of American cooking. What would you do in the following situations?

1. Qu'est-ce que vous allez leur préparer pour le petit déjeuner?
2. Et pour le déjeuner, qu'est-ce que vous allez préparer?
3. Qu'est-ce que vous allez manger pour le dîner?
4. Est-ce que vous allez les inviter à manger à la caféteria de votre école? Pourquoi ou pourquoi pas?
5. À quel restaurant allez-vous les emmener? Pourquoi?
6. Où est-ce que vous allez les emmener pour faire un pique-nique et qu'est-ce que vous allez manger?

C. **Un nouveau restaurant.** Plan a restaurant that you might open in your town. Indicate the type of cooking you would include (**cuisine française, italienne, américaine,** etc.), the name of your restaurant, and the foods you would serve (**du bifteck, des légumes,** etc.).

Au Canada: C'est tout près de chez nous.

A. **Choix.** The following ads represent places in Canada where American students can study French. Look at the ads and then answer the questions about these schools.

1. Trouvez l'école qui est la moins chère.
2. Trouvez celle qui est la plus chère.
3. Trouvez celles où vous pouvez habiter avec des familles canadiennes.
4. Trouvez celles qui sont situées dans la région où il y a le plus d'attractions.
5. Trouvez celles qui sont situées dans la plus grande ville.

Ecole française d'été. College de Bois-de-Boulogne. 10555 av. de Bois-de-Boulogne, Montréal H4N 1L3, Canada. Tél: 514/332-3000

Dates: 29 juin - 6 août.
Niveaux: Débutant, intermédiaire, avancé.
Frais d'inscription: Aucun
Logement: En résidence sur le campus, ou famille.
Prix du séjour: Comprenant les cours, logement, pension et activités: $1250.00 (CAN). Dépôt de $40.00 exigé au moment de l'inscription.
Diplôme offert: 3 crédits de niveau collégial.
Divers: Une bourse complète est accordée à l'institution ou à l'individu qui recrute 12 étudiants.
Attraits de la région: Hospitalité et animation de Montréal.

Ecole de langue française. Université du Québec. 930, Jacques-Cartier Est. Chicoutimi, Québec G7H 2B1.

Dates: 2 sessions: 13 mai - 22 juin; 29 juin - 7 août.
Niveaux: 6 niveaux: débutant à très avancé.
Prix du séjour: $1100 (CAN), comprend logement nourriture.
Logement: Familles.
Diplôme: 6 crédits par session.
Attraits de la région: Le Royaume du Saguenay sur les bords de la rivière Saguenay; le coin le plus français d'Amérique, sites pittoresques, caps majestueux, accueil chaleureux.

Ecole française d'été. Université de Montréal. 3333 Chemin de la Reine-Marie, Montréal, Québec H3C 3J7.

Dates: 3 sessions. 4 mai - 3 juillet (9 semaines); 1 - 19 juin (3 semaines), 6 juillet - 14 août (6 semaines).
Niveaux: Débutant, intermédiaire, avancé.
Frais d'inscription: $450 (U.S.), 1e session; $150, 2e session; $300, 3e session.
Prix logement + repas: $1500 (U.S.), 1ère session; $500, 2e, $900, 3e.
Diplôme: Session A: 9 crédits; session B: 3 crédits; session C: 6 crédits.
Attraits de la région: Vie sociale et culturelle intense.
Divers: Dans la session A (9 semaines), une option "séminaire" est offerte aux professeurs américains qui veulent accompagner un groupe, en échange de conditions de séjour particulièrement intéressantes.

Ecole française d'été. McGill University. 3460 McTavish, Peterson Hall 242, Montréal, Québec H3A 1X9. Tél: 514/392-4678, 4679

Dates: Une session: 27 juin - 8 août.
Niveaux: 1e cycle: langue, histoire & civilisation française et québécoise. 2e cycle: id + diplôme M.A. sans thèse.
Frais d'inscription: $15.00 CAN.
Logement: Campus de l'Université.
Prix du logement + repas: $690 CAN.

B. **Un(e) correspondant(e) canadien(ne).** You have just received the name of a Canadian student who would like to exchange letters with an American student. Write an introductory letter in which you tell this person your name, age, interests, activities, and give information about your family and friends.

C. **Interview: à l'école.** Answer the following questions or use them to interview another student.

1. Qu'est-ce que tu étudies?
2. Et l'année prochaine, qu'est-ce que tu étudieras?
3. Quelle est la classe que tu aimes le plus? Pourquoi?
4. Et celle que tu aimes le moins? Pourquoi?
5. Combien d'études as-tu chaque jour? Qu'est-ce que tu fais pendant les études?
6. De quels clubs fais-tu partie?
7. Qu'est-ce que tu aimes faire après l'école?

Flash-Info

Saviez-vous que les jeunes Québécois commencent leur étude de l'anglais à l'âge de dix ans, et qu'en général la plupart des jeunes ont étudié l'anglais pendant au moins sept ans?

Nous tous: Points communs et différences

A. **Des climats bien différents.** The chart below indicates the temperature and rainfall in different parts of the world. Find out the following
information.

1. Le pays où il pleut le plus en mai.
2. Le pays où il pleut le moins en mai.
3. Le pays où il fait le plus chaud en juillet.
4. Le pays où il fait le moins chaud en juillet.
5. Le pays qui a un climat qui ressemble le plus au climat de votre région.

QUEL TEMPS FAIT-IL?

TEMPERATURE EN DEGRES CENTIGRADES ET QUANTITE D'EAU EN MM

PAYS	VILLES	MAI		JUILLET		SEPTEMBRE		PAYS	VILLES	MAI		JUILLET		SEPTEMBRE	
ANTILLES		26°	135	26°7	179	26°7	196	JAPON	TOKYO	17°6	131	25°1	146	22°8	217
ARGENTINE	BUENOS AIRES	15°	80	10°	95	13°	90	KENYA	MOMBASA	25°8	319	23°9	72	25°2	71
									NAIROBI	17°8	150	14°9	19	16°8	26
BOLIVIE	LA PAZ	11°2	22	9°8	5	11°8	48	MAROC	AGADIR	19°2	5	22°1	0	21°9	6
									MARRAKECH	21°3	17	28°7	2	25°4	10
BRESIL	MANAUS	26°6	193	26°9	61	27°9	52	MAURICE		22°9	175	19°3	130	19°8	84
	RIO DE JANEIRO	23°5	77,5	22°	40	24°	65								
CANADA	MONTREAL	13°	72	21°	89	15°	82	MADAGASCAR	TANANARIVE	15°6	13	13°	10	15°1	15
CANARIES	PUERTO DE LA CRUZ	20°4	6	24°2	0	24°1	3	MAJORQUE	PALMA	16°	53	24°	6	20°	70
CHINE	PEKIN	22°	25	32°	185	27°	42	MEXIQUE	MEXICO	17°4	55	15°9	160	15°9	129
COLOMBIE	BOGOTA	17°2	161	17°3	40	17°7	94	PEROU	LIMA	17°8	6	15°3	6	15°4	6
EGYPTE	LE CAIRE	25°	2,5	29°	0	26°	0	PHILIPPINES	MANTILLE	29°4	189	27°9	279	27°4	403
EQUATEUR	QUITO	13°1	130	12°9	20	13°2	81	REUNION	SAINT-DENIS	23°5	213	22°	77	21°5	30
ETATS-UNIS	LOS ANGELES	18°	70	23°	20	21°		ROUMANIE	BUCAREST	17°	69	23°3	55	18°3	30
	NEW YORK	17°	91	25°	94	20°	100								
FRANCE	PARIS	14°	59	19°	54	16°	57	SENEGAL	DAKAR	23°	1	27°3	88	27°5	163
	NICE	16°5	68	22°4	20	20°5	77								
GRECE	ATHENES	20°	23	27°6	6	23°5	15	THAILANDE	BANGKOK	29°8	156	28°4	178	27°9	306
HONG-KONG		26°	263	28°5	292	27°5	205	TCHECOSLOVAQUIE	PRAGUE	12°9	61	17°9	82	13°9	36
INDE	DELHI	34°	8	31°	211	29°	150	TUNISIE	DJERBA	20°6	9	26°5	03	25°6	14
	BOMBAY	29°9	16	27°5	709	27°4	297								
ISRAEL	TEL AVIV	20°2	4	23°3	0	21°8	1	U.R.S.S.	MOSCOU	11°9	52	19°	74	11°2	58
									LENINGRAD	8°9	41	18°4	69	11°2	58

B. **L'heure aussi est différente.** Based on the following map of time zones around the world, tell what time it is in these cities when it is six o'clock in your area.

Quelle heure est-il . . .

1. À Montréal?
2. À Buenos Aires?
3. À Dakar?
4. À Tananarive?
5. À Bruxelles?
6. À Moscou?
7. À Hong-Kong?
8. À Tokyo?
9. À Algers?
10. À Pointe-à-Pitre?

Flash-Info

Saviez-vous qu'il y a 157 pays qui sont membres des Nations-Unies et que le français est une des six langues officielles des Nations-Unies?

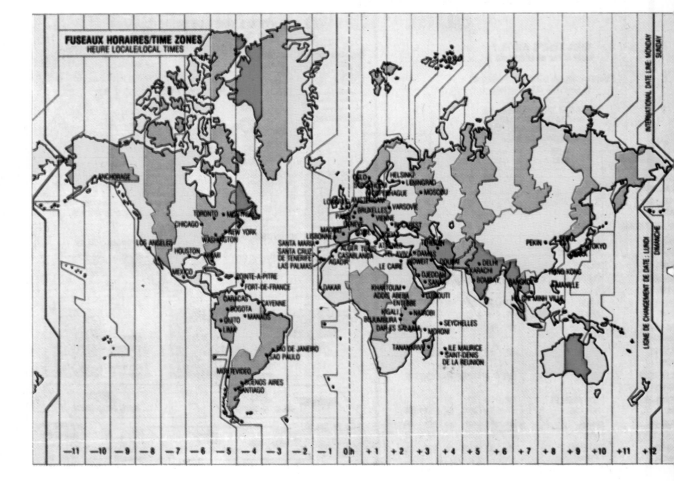

C. **Des amis dans le monde entier.** An international pen-pal organization has provided information on teenagers from different countries and indicated the type of person they would like to correspond with. Use the information provided about each student to answer the questions below.

Miko. Japonaise. Désire correspondre avec jeunes filles de 16 ans, de nationalité française, espagnole ou américaine.

Annick. Belge. Voudrait correspondre avec garçons ou filles habitant n'importe quel pays, parlant français ou anglais et âgés de 12 à 16 ans.

Renata. Allemande. Aime le rock et la moto. Aimerait correspondre avec garçons ou filles ayant les mêmes passe-temps.

Christine. Haïtienne. Désire correspondre avec jeunes filles âgées de 17 à 19 ans, d'origine vietnamienne ou chinoise et parlant français.

Pedro. Espagnol. Voudrait correspondre avec garçons ou filles parlant anglais pour perfectionner son anglais.

Philippe. Français. Aimerait correspondre avec jeunes filles de 15 à 20 ans habitant le Canada et parlant anglais ou français.

Giuseppe. Italien. S'intéresse à l'exploration sous-marine. Voudrait correspondre avec garçons ou filles âgés de 14 à 17 ans et partageant la même passion.

1. Avec qui Miko veut-elle correspondre?
2. Est-ce qu'Annick est allemande?
3. Est-ce qu'Annick voudrait correspondre avec des jeunes qui parlent espagnol?
4. À quoi Renata s'intéresse-t-elle?
5. Quelle est la nationalité de Christine?
6. Pourquoi est-ce que Pedro voudrait correspondre avec des jeunes qui parlent anglais?
7. Avec qui est-ce que Philippe voudrait correspondre?
8. À quoi Giuseppe s'intéresse-t-il?
9. Avec qui aimeriez-vous correspondre?
10. Si vous deviez préparer une description de vous-même, qu'est-ce que vous diriez?

D. **Forum du Développement.** The **Forum du Développement** is the French-language edition of a newspaper published by the United Nations in various languages. The following headlines are taken from articles published in this newspaper. Read them and then answer the questions below.

1. Quels sont les différents problèmes qui sont mentionnés?

   EXEMPLE   Le premier article est au sujet des villes qui prennent de plus en plus de place.

2. À votre avis, quels sont les problèmes les plus sérieux?

   EXEMPLE   Le problème qui me préoccupe le plus est celui de la faim dans le monde.

3. Est-ce que vous avez des solutions à ces problèmes?

   EXEMPLE   Si on travaillait ensemble, il y aurait assez à manger pour tout le monde.

4. Il n'y a pas seulement des problèmes dans le monde. Il y a aussi beaucoup de bonnes choses. Donnez-en quelques exemples.

   EXEMPLE   Je connais beaucoup de gens qui sont gentils et sympathiques.

TREIZIÈME CHAPITRE

Le Plaisir de lire

13

En feuilletant le journal: Échos de France

Météo: Persistance du beau temps

A.   **Mots clés et mots apparentés.**   Le sens (*meaning*) des mots de la colonne de gauche vous est donné. Pouvez-vous, à partir de là, comprendre le sens des mots et des expressions de la colonne de droite qui sont extraits du texte?

Idée principale	Mots du texte qui sont associés à cette idée
l'orage *storm* AUTRE MOT: la tempête	orageux/orageuse; orages locaux; pré-orageux; totalement orageux
le nuage *cloud*	nuageux/nuageuse; front nuageux
le soleil *sun*	ensoleillé(e); le lever du soleil; le coucher du soleil
la brume *light fog* AUTRE MOT: le brouillard *fog*	brumes matinales; brumeux/brumeuse
la pluie *rain* AUTRES MOTS: les averses—grosses pluies soudaines; la bruine—petite pluie fine; le verglas *thin coating of ice (on the road)*	pluvieux/pluvieuse; pluies éparses
provenir de *to come from*	en provenance d'Espagne
s'étendre *to stretch*	s'étend des Açores à la Baltique; s'étendra

MÉTÉO Persistance du beau temps

L'anticyclone qui s'étend des Açores à la Baltique, en imprimant aux perturbations atlantiques une trajectoire nordique, continuera à protéger du mauvais temps la majeure partie de la France.

Cependant, une perturbation orageuse, en provenance d'Espagne, s'étendra progressivement des Pyrénées à la Méditerranée et au sud des reliefs.

En France aujourd'hui

RÉGION PARISIENNE. — Bien que faiblement nuageux le matin, le temps sera généralement beau et la journée bien ensoleillée ce qui permettra au thermomètre d'atteindre 25 à 27°

AILLEURS. — Après des brumes matinales, plus accentuées près du littoral de la Manche, le beau temps régnera sur une grande partie du pays.

Toutefois une zone nuageuse, faiblement pluvieuse, localement orageuse, sévira du Nord-Est le matin à l'Est et aux Alpes du Nord le soir.

De plus, des bancs de nuages pré-orageux apparaîtront au cours de la journée, des Pyrénées au golfe du Lion et au sud du Massif central. Les températures maximales s'étageront de 22 à 34° du Nord au Sud.

DEMAIN. — Accentuation de la tendance orageuse avec pluies éparses et orages locaux du sud du Massif central et des Alpes au pourtour méditerranéen et à la Corse.

Sur les autres régions, persistance du beau temps chaud et bien ensoleillé, faiblement brumeux le matin.

PRESSION ATMOSPHÉRIQUE à Paris le 17 juin à 14 heures : 756,2 millimètres de mercure, soit 1021,6 millibars.

SOLEIL : lever, 5 h 48 ; pass. au méridien, 13 h 52 ; coucher 21 h 55 ; durée du jour, 16 h 07.

LUNE : (20° jour), lever, 1 h 39 ; pass. au méridien, 5 h 43 ; coucher, 10 h 19.

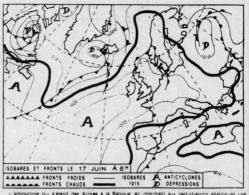

ISOBARES ET FRONTS LE 17 JUIN À 8ᴴ

FRONTS FROIDS — ISOBARES A ANTICYCLONES
FRONTS CHAUDS 1015 D DÉPRESSIONS

L'anticyclone qui s'étend des Açores à la Baltique, en imprimant aux perturbations atlantiques une trajectoire nordique, continuera à protéger du mauvais temps la majeure partie de la France. Cependant, une perturbation orageuse, en provenance d'Espagne, s'étendra progressivement des Pyrénées à la Méditerranée et au sud des reliefs.

CLIMATS POUR VOS VOYAGES

FRANCE

Ajaccio	N	18	23
Biarritz	N	17	19
Bordeaux	S	15	25
Brest	S	12	22
Cherbourg	S	14	21
Clermont-F.	S	11	23
Dijon	S	13	23
Dinard	S	14	20
Embrun	O	14	22
Grenoble	S	15	25
La Rochelle	S	15	26
Lille	N	13	20
Limoges	S	15	23
Lorient	S	15	24
Lyon	S	13	22
Marseille	S	18	25
Nancy	S	12	21
Nantes	S	16	23
Nice	N	20	22
Paris	S	14	22
Pau	N	16	25
Perpignan	S	18	25
Rennes	N	14	25
Rouen	N	12	21
St-Étienne	S	11	22
Strasbourg	S	11	21
Toulouse	N	15	25
Tours	S	14	23

EUROPE

ANGLETERRE — IRLANDE

Brighton	C	12	18
Edimbourg	C	14	20
Londres	O	15	20
Cork	C	13	16
Dublin	C	13	16

ALLEMAGNE — AUTRICHE

Berlin	P	12	14
Bonn	C	9	17
Vienne	C	15	20

ESPAGNE — PORTUGAL

Barcelone	C	17	25
Las Palmas	C	20	23
Madrid	C	15	27
Marbella	B	18	21
Palma Maj.	S	16	27
Séville	S	18	25

ITALIE

Florence	N	16	28
Milan	S	17	23
Naples	B	16	26
Rome	S	18	26

SUISSE

Bâle	S	10	21
Berne	B	11	21
Genève	B	13	21

U.R.S.S.

Leningrad	S	17	20
Moscou	S	12	17
Odessa	O	16	19

RESTE DU MONDE

AFRIQUE DU NORD

Agadir	C	19	22
Alger	C	18	29
Casablanca	C	20	21
Djerba	S	20	26
Marrakech	C	21	23
Tunis	N	21	31

U.S.A. — CANADA

Boston	S	14	17
Chicago	S	25	25
Houston	S	26	26
Los Angeles	B	17	18
Miami	A	25	24
New York	C	17	19
Nouv.-Orl.	B	23	22
San Francis	S	12	11
Montréal	S	16	17

CARAÏBES

Ft-d-France (F)	P	26	28
Pte-à-Pitre (F)	N	25	28
San Juan (US)	B	24	26

AMÉR. CENTR. ET SUD

Acapulco	C	26	25
Buen. Aires	C	8	13
Lima	B	16	16
Mexico	N	16	23
Rio de Jan.	B	17	27

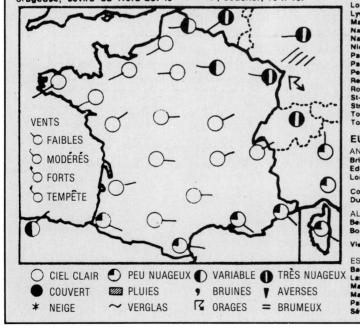

VENTS
- ☊ FAIBLES
- ☊ MODÉRÉS
- ☊ FORTS
- ☊ TEMPÊTE

- ○ CIEL CLAIR
- ◐ PEU NUAGEUX
- ◑ VARIABLE
- ◖ TRÈS NUAGEUX
- ● COUVERT
- ▨ PLUIES
- ◗ BRUINES
- ▼ AVERSES
- ✳ NEIGE
- ∼ VERGLAS
- ⌐ ORAGES
- ≡ BRUMEUX

Extrait du *Figaro*, 17 juin 1984.

B.   **Compréhension générale du texte.**   Étudiez la section «Météo» de ce journal. Puis répondez aux questions suivantes.

1.   Quel temps fait-il ce jour-ci dans la région parisienne?
2.   Et dans le reste de la France, quel temps fait-il?
3.   Quel temps fera-t-il le jour suivant dans le sud de la France?
4.   Et quel temps fera-t-il le jour suivant dans les autres régions?
5.   D'après la petite carte, quel temps faisait-il à une heure de l'après-midi dans le sud-ouest de la France près de la frontière espagnole? Et dans le nord?
6.   Pourquoi est-ce qu'on donne aussi le temps et la température dans différentes villes françaises et dans différents pays du monde?
7.   Quelles villes américaines sont mentionnées? À votre avis, pourquoi a-t-on choisi ces villes?
8.   Dans quelle ville française a-t-il fait le plus chaud le 17 juin? Et le moins chaud?
9.   Dans quelle ville d'Afrique du Nord a-t-il fait le plus chaud le 17 juin?
10.   Quels temps a-t-il fait dans les Caraïbes?
11.   Quels autres renseignements sont présentés dans cette section du journal en plus du temps et des températures?

C.   **Coin culturel.**   Comparez la météo de ce journal avec la météo qu'on présente dans le journal de votre ville ou de votre région. En quoi sont-elles semblables et en quoi sont-elles différentes? Ensuite comparez le temps qu'il fait en France (d'après la météo présentée à la page 329) avec le temps qu'il fait normalement dans votre région pendant ce même mois. Et finalement, utilisez les renseignements donnés dans la météo pour faire le bulletin météorologique pour les différentes villes d'un pays francophone (e.g., un pays d'Afrique du Nord, la Belgique, la Suisse).

Et vous?

1.   Choisissez une région des États-Unis ou un pays étranger où vous aimeriez vivre et décrivez-en le climat. Mentionnez le temps qu'il y fait pendant les différentes saisons.
2.   Des visiteurs français vont venir passer l'été dans votre région. Quels renseignements leur donneriez-vous sur le climat, les vêtements qu'ils devraient emporter, ou les activités possibles? Et que leur diriez-vous s'ils avaient l'intention de venir en hiver?

Nouvelles régionales

A. Mots et contextes. Utilisez le tableau suivant pour vous aider à comprendre les mots nouveaux contenus dans les articles suivants. La colonne de gauche vous donne l'idée principale; la colonne de droite vous donne les mots du texte qui sont associés à cette idée par leur forme ou par leur sens.

Idée principale	Mots du texte qui sont associés à cette idée
la naissance *birth*	né(e); le nouveau-né
la mort	être décédé(e); le défunt; le cimetière; les obsèques; le deuil *mourning*
la compétition	le premier prix; la mention d'honneur; le concours (la compétition); la partie *set, game;* le jeu
la résidence	le foyer (la maison); domicilié(e); le quartier; au milieu des siens *in his or her family*
l'expression des sentiments	pour un événement heureux (naissance, mariage, fête, succès): nos meilleurs vœux, félicitations; pour un événement triste (mort): la sympathie, les condoléances

Deuil

C'est au cimetière de la Grave que selon son désir a été récemment inhumé M. René Guesdon, officier de police en retraite, décédé à Nice à l'âge de 73 ans. M. Guesdon avait longtemps habité à Peille, il y était non seulement connu mais très estimé, c'est pourquoi, les habitants de la Grave se retrouvaient nombreux à l'église pour témoigner leur sympathie à la famille du regretté défunt.

Nous adressons à ses enfants, petits-enfants ainsi qu'à toutes les personnes touchées par ce deuil l'expression de nos sincères condoléances.

Ramassage des ordures ménagères. — En raison des fêtes de la mi-août, il n'y aura pas de ramassage des ordures ménagères le samedi 15 et le dimanche 16 août. Il est demandé de déposer les ordures ménagères dans les conteneurs le 16 août après 20 h, ceci pour l'agrément du village.

Naissance

On apprendra la naissance à Lyon de Eric, deuxième enfant au foyer de M. Alain Dipas et de Mme Gisèle Dipas, née Marcucci, le nouveau-né est le petit-fils de M. Antoine Marcucci et de Mme, née Bovis. Nos félicitations aux heureux parents et grands-parents, et nos meilleurs vœux de prospérité pour Eric.

Amicale sportive

La section pétanque organise le dimanche 17 juin un concours à la mêlée en trois parties par addition de points avec changement de joueur à chaque partie.

Inscriptions à 14 h 30. Mise en jeu à 15 h.

A cette occasion, des inscriptions seront prises pour le déplacement du 23 au Club des Trente, par triplettes arrangées.

Appel du 18 juin

Une cérémonie commémorative aura lieu le lundi 18 juin, à 19 h, au monument aux Morts. Nous vous espérons nombreux pour commémorer l'appel du 18 juin 1940.

Deuil

Récemment ont été célébrées les obsèques de M. Victor Unia, décédé à l'âge de 57 ans. Il était le frère de M. Tino Unia et beau-frère de Mme, née Marie Goujon.

M. Victor Unia exerçait la profession d'artisan maçon et était domicilié au quartier du Gabre où il y avait toujours mené une existence exemplaire au milieu des siens.

A son épouse M. Monique Unia, son fils, Alain, à tous les parents et alliés nous adressons nos condoléances.

Succès au concours

Au concours régional organisé par l'Accordéon-Club de Provence - Côte d'Azur, à Nice, salle Bréa, le jeune Berrois Christophe Rosset a obtenu le premier prix (coupe) avec mention d'honneur dans la catégorie préparatoire « A ».

Christophe est le petit-fils de M. et Mme Raymond Rosset. Nos félicitations.

Articles tirés de *Nice Matin*, 15 juin 1984.

B. **Compréhension générale du texte.**   Après avoir lu le journal, plusieurs personnes parlent des nouvelles du jour. Malheureusement,
elles n'ont pas bien compris ce qu'elles ont lu. Corrigez leurs phrases
en utilisant les renseignements donnés dans le journal. Il y a au moins
deux erreurs dans chaque phrase.

1. Éric Dipas est né à Bovis. C'est le premier enfant de M. et Mme
   Dipas.
2. M. René Guesdon, mort à l'âge de 67 ans, est un ancien officier
   de police. Il a passé toute sa vie dans la même ville. Il est mort
   sans laisser d'enfants.
3. Christophe Rosset (le petit-fils de M. et Mme Marcucci) a obtenu
   le premier prix au concours de pétanque de la région.
4. Il n'y aura pas de ramassage des ordures ménagères au mois de
   juillet à cause de la grève des travailleurs municipaux.
5. Un concours de pétanque aura lieu le 15 août. Les jeux commen-
   ceront à deux heures de l'après-midi.
6. M. Victor Unia, sans profession, est mort seul et abandonné de
   tous.
7. Quelques personnes ont participé lundi dernier à la cérémonie
   commémorative.

C. **Coin culturel.**   Est-ce qu'on annonce les naissances de la même
façon dans le journal de votre ville ou de votre région? Quelles sont
les différences entre l'annonce des décès *(obituaries)* dans ce journal
et dans le journal de votre ville ou de votre région? Quelles annonces
sont typiquement françaises ou n'existeraient pas dans un journal
américain? Votre ville (ou votre région) possède-t-elle un monument
aux Morts?

Et vous?

Inspirez-vous des annonces que vous avez lues dans cette section du journal
pour décrire un événement d'intérêt public (réel ou imaginaire) qui a eu lieu
récemment (ou qui va avoir lieu prochainement) dans votre ville ou dans votre
lycée.

Bonne fête, papa!

ACHETEZ
VOS CADEAUX
POUR
LA FÊTE
DES PÈRES

A.   Étude du vocabulaire du texte.   Répondez aux questions suivantes pour essayer de vous familiariser avec le vocabulaire utilisé dans cette publicité.

Catégorie son

1. Si **se réveiller** veut dire *to wake up*, qu'est-ce que c'est qu'une **radio-réveil**?
2. Le mot **mur** veut dire *wall*. Alors, qu'est-ce que c'est qu'un **téléphone clavier mural**?
3. Si le mot **pile électrique** veut dire *battery* et si une radio-cassette peut fonctionner sur pile ou sur secteur, que veut dire **secteur**?

Catégorie textile

1. Dans quelle situation porterait-on un pantalon ville: pour faire du sport ou pour aller faire des courses dans les magasins?
2. Les mots **un(e), union, unique, uniforme** sont tous de la même famille. Par conséquent, **une chemise unie** est-elle une chemise d'une seule couleur ou de plusieurs couleurs?
3. Quelle expression vous indique que les cravates ne sont pas toutes au même prix?
4. D'après ce que vous savez des chaussures de sport, est-ce que le mot **cuir** (voir la description du Tennis Puma) veut dire: a) *rubber*, b) *leather*, ou c) *cloth*?

Catégorie jardin

1. Regardez les deux descriptions des **tondeuses** et essayez de deviner le sens de ce mot. N'oubliez pas que le mot **jardin** en français donne aussi l'idée de *yard*.
2. D'après ce que vous savez des barbecues, est-ce que le mot **acier** veut dire a) *copper*, b) *wood*, ou c) *steel*?
3. La fonte est un autre métal utilisé dans la fabrication des barbecues. Par conséquent, est-ce que **fonte** veut dire a) *lead*, b) *cast iron*, ou c) *silver*?

Catégorie bricolage

1. Le mot **bricoler** veut dire *to putter*. Que veut dire le mot **bricolage**?
2. **Percer** veut dire *to pierce*, **poncer** signifie *to sand*, et **scier** veut dire *to saw*. Alors, qu'est-ce que c'est qu'**une perceuse, une ponceuse**, et **une scie**?
3. À quel mot anglais le mot **lubrifiant** ressemble-t-il? Notez aussi que le mot **litre** est mentionné. Par conséquent, est-ce que **lubrifiant** veut dire a) *gasoline*, b) *oil*, ou c) *seat cover*?
4. D'après les différentes compagnies mentionnées (Michelin, Goodyear, Dunlop, et Pirelli), est-ce que le mot **pneumatique** (**pneu**) veut dire a) *hub cap*, b) *battery*, ou c) *tire*?

Catégorie camping

1. Les mots **relax** et **positions** ont le même sens en anglais et en français. Par conséquent, **un relax 6 positions** est probablement une sorte de a) chaise, b) ustensile de cuisine, ou c) produit de beauté.
2. Dans le mot **remorque bagagère**, notez que le mot **bagagère** ressemble au mot **bagage** qui veut dire *luggage*. Notez aussi le prix (999.95 francs) et le poids que cette remorque peut porter (270 kilos). Par conséquent, **remorque bagagère** veut probablement dire a) *suitcase*, b) *car trunk*, ou c) *baggage trailer*.

Catégorie rasoirs

Le verbe **se raser** veut dire *to shave*. Alors, que veut dire le mot **rasoir**?

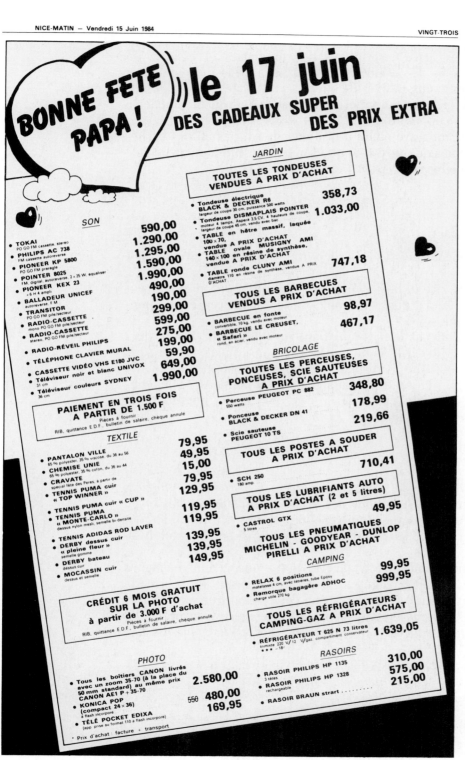

B. **Compréhension générale du texte.** Selon les renseignements donnés dans cette publicité pour la fête des pères, quel serait à votre avis le meilleur cadeau pour chacune des personnes suivantes?

1. Les Régnier viennent de s'acheter une maison avec un assez grand jardin derrière. Quel serait un bon cadeau pour M. Régnier?
2. Quand il fait beau, les Barenne aiment bien manger dans le jardin. Dans ce cas-là, c'est toujours M. Barenne qui fait la cuisine. Quel cadeau lui ferait probablement plaisir?
3. Monique veut acheter un cadeau pour son père qui est passionné de photographie. Malheureusement elle n'a pas beaucoup d'argent. Quel est le cadeau le moins cher dans la catégorie photo?
4. Michel n'a que cinquante francs et veut acheter des vêtements pour son père. Quels choix a-t-il?
5. Mme Dupont a décidé d'acheter un très bon rasoir à son mari. Quel rasoir est-ce qu'elle va choisir?
6. Le grand-père de Richard et Véronique aime bien bricoler. Il a déjà une scie et une ponceuse. Quel cadeau est-ce que ses petits-enfants pourraient lui acheter?
7. François n'aime pas être réveillé brusquement le matin; il préfère se réveiller en écoutant de la musique. Qu'est-ce que sa famille pourrait lui acheter pour la fête des pères?
8. La famille Ménard a envie d'acheter un nouveau téléviseur pour M. Ménard. Quelle est la différence entre le téléviseur Univox et le Sydney?

C. **Coin culturel.** À l'occasion de quelles fêtes et circonstances particulières offre-t-on des cadeaux à des parents ou à des amis aux États-Unis? Quelles sortes de cadeaux offre-t-on pour chacune de ces occasions? Et en France?

Et vous?

1. Quel cadeau aimeriez-vous offrir à votre père, à votre grand-père, ou à un homme de votre choix pour la fête des pères? Pourquoi avez-vous fait ce choix?
2. Quelle sorte de cadeaux est-ce que vous offrez à vos parents, à vos frères et sœurs, ou à vos amis pour leur anniversaire?
3. Quelles sortes de cadeaux aimez-vous recevoir? Est-ce vrai que cela fait plus de plaisir de donner que de recevoir?

Sports en bref

A.   Mots et contextes.   Utilisez le tableau suivant pour vous aider à comprendre les mots nouveaux contenus dans les résultats sportifs. La colonne de gauche vous donne l'idée principale; la colonne de droite vous donne les mots du texte qui sont associés à cette idée par leur forme ou par leur sens.

Idée principale	Mots et expressions du texte
les différents sports mentionnés	**l'aviron** *rowing;* **l'escrime** *fencing;* **le football; les sports équestres** (**l'équitation, le cheval**); **le ski nordi- que** *cross-country skiing;* **le rugby** (Il y a normalement 15 joueurs dans chaque équipe.); **le jeu à treize** (le rugby à 13, une variante du rugby qui se joue surtout dans le sud de la France. Dans ce jeu, il y a seulement treize joueurs dans chaque équipe.)
les événements spor- tifs	**une course; un championnat; la finale; une partie** *a game;* **une épreuve** (une partie d'un championnat, un test); **un tournoi** *tournament;* **la deuxième division**

les résultats	RÉSULTATS POSITIFS
	le succès, la victoire
	gagner un match, remporter (gagner) une épreuve
	détenir le titre *to hold the title*
	conserver son titre *to keep one's title*
	renouveler son succès *to repeat . . .*
	avoir un point d'avance *to be one point ahead*
	prendre un léger avantage *to have a slight advantage*
	battre un rival *to defeat a rival*
	éliminer un rival
	se qualifier pour . . .
	RÉSULTATS NÉGATIFS
	la défaite
	perdre; être battu *to be defeated*
	s'incliner devant *to bow to*
	abandonner *to give up*
	se contenter de la 3ème place
	subir la deuxième défaite
	avoir été tenu en échec
	faire match nul *to end in a tie*

Sports en bref

AVIRON

● **ENCORE OXFORD.** – Pour la huitième année consécutive, Oxford a battu Cambridge, samedi, au cours de la traditionnelle course les opposant sur la Tamise.

ESCRIME

● **LAURENCE MODAINE BATTUE EN FINALE.** – À Budapest, où se disputent les championnats du monde moins de vingt ans, la Française Laurence Modaine n'a pu conserver son titre. Elle s'est inclinée en finale, 3 touches à 8, face à l'Italienne Dorina Vaccaroni. Les Italiens ont complété leur triomphe avec un doublé au fleuret masculin (Vitalesta devant Cerioni) et un succès au sabre avec Marin. Aujourd'hui, finale de l'épée.

FOOTBALL

● **FRANCE-ITALIE EN FINALE À CANNES.** – En battant l'Angleterre (2-0), l'équipe de France s'est qualifiée pour la finale du tournoi juniors de Cannes (cet après-midi 14 heures) où elle affrontera l'Italie qui a fait match nul avec le Brésil (0-0).

● **RENNES TRÉBUCHE.** – Lors de la 28e journée du championnat de France de deuxième division, Rennes a subi sa deuxième défaite de la saison en s'inclinant à Alès. Les Bretons n'ont plus maintenant qu'un point d'avance sur Nîmes. Dans le groupe B, Reims, vainqueur à Blénod, a pris un léger avantage sur Toulon et Nice. **GROUPE A** : Nîmes b. *Angers 4-1 ; *Valenciennes b. Châteauroux 5-1 ; *Racing Paris « 1 » b. Corbeil 4-1 ; *Guingamp b. Angoulême 1-1 ; *Montpellier et Le Havre 1-1 ; *Alès b. Rennes 2-1 ; *Libourne et Nœux 0-0 ; *Abbeville b. Limoges 2,1 ; Béziers b. *Viry 2-0. **CLASSEMENT** : 1. Rennes, 44 points ; 2. Nîmes, 43 ; 3. Valenciennes, 39 ; 4. Racing Paris « 1 », 37 ; 5. Guingamp, 32 ; 6. Montpellier, Angoulême, 31 ; 8. Le Havre, 29 ; 9. Abbeville, 27 ; 10. Châteauroux, 26 ; 11. Béziers, Nœux-les-Mines, 24 ; 13. Angers, 23 ; 14. Alès, Libourne, 22 ; 16. Limoges 21 ; 17. Viry, 16 ; 18. Corbeil, 13. **GROUPE B** : *Marseille et Toulon, 0-0 ; Reims b. *Blénod 2-1 ; *Nice et Martigues, 3-3 ; *Dunkerque b. Besançon, 3-1 ; *Orléans et Grenoble 0-0 ; *Gueugnon et Cuiseaux, 0-0 ; *Thonon

b. Cannes, 1-0 ; *Fontainebleau et Stade Français, 1-1 ; *Red Star et Montceau, 1-1. **CLASSEMENT** : 1. Reims, 42 points ; 2. Toulon, 41 ; 3. Nice, 40 ; 4. Marseille, Martigues, Dunkerque, 34 ; 7. Grenoble, 30 ; 8. Cannes, 29 ; 9. Orléans, 28 ; 10. Gueugnon, 27 ; 11. Thonon, Besançon, 24 ; 13. Stade Français, Red Star, 23 ; 15. Cuiseaux, 21 ; 16. Fontainebleau 19 ; 17. Montceau-les-Mines, 17 ; 18. Blénod.

GOLF

● **FINALE A SAINT-CLOUD.** – Dix Suédoises s'étaient qualifiées pour le championnat international juniors féminin à Saint-Cloud : l'une d'entre elles, Eva Bahloff, jouera aujourd'hui la finale (sur 36 trous) contre la Britannique Claire Waite, championne junior de son pays. Eva Bahloff a accédé à la finale au détriment de sa compatriote Camilla Karlsson (2 et 1) après avoir éliminé la Française Corinne Soulès (3 et 2) qui détenait le titre. Claire Waite devait, elle, se qualifier en battant (4 et 3) l'Allemande de l'Ouest Karin Koch.

HOCKEY-SUR-GLACE

● **STATU QUO EN TETE.** – Saint-Gervais et Chamonix, tous deux victorieux, restent sur leurs positions aux deux premières places du championnat de France à l'issue du huitième tour de la poule finale. **RÉSULTATS** : Grenoble b. *Gap, 6-3 ; Mégève b. *Viry-Chatillon, 11-6 ; Saint-Gervais b. Villars-de-Lans, 5-3 ; Chamonix b. *Tours, 9-8. **CLASSEMENT** : 1. Saint-Gervais, 47 points ; 2. Chamonix, 46 ; Grenoble, 43 ; 4. Villard-de-Lans, 34 ; 5. Viry-Chatillon, 33 ; 6. Gap, 29 ; 7. Tours, Mégève, 27.

JEU A XIII

● **AVIGNON EN FORME.** – Lors des huitièmes de finale de la coupe de France, Avignon (le tenant) a confirmé sa forme actuelle en battant Villeneuve, 22-10. **AUTRES RÉSULTATS.** : *Le Soler b. Pennautier, 5-2 ; *Albi b. Villefranche, 12-4 ; Carcassonne b. *Toulouse, 12-3 ; *Saint-Gaudens b. Le Pontet, 11-4 ; Pia b. La Réole, 31-2 ; Saint-Estève b. *Lézignan, 10-7 ; XIII Catalan b. Roanne, 15-12.

RUGBY

● **LES « BARBARIANS » EN ÉCHEC.** – Après leur facile victoire (36-12) sur Penarth, les « Barbarians » ont été tenus en échec par Cardiff 32-32 à l'Arms Park à l'issue d'une partie très spectaculaire ponctuée par six essais de part et d'autre.

● **PAU ET BÉZIERS BATTUS.** – Deux surprises lors des huitièmes de finale du challenge Du Manoir avec les défaites de Béziers et de Pau. **Résultats** : Toulon b. La Rochelle 25-3 ; Tarbes b. Dax 18-9 ; Narbonne b. Montferrand 18-15 ; Biarritz b. Pau 18-0 ; Perpignan b. Béziers 29-9.

Aujourd'hui : Romans-Aurillac, Carcassonne-Bayonne, Agen-Graulhet.

VOLLEY-BALL

● **LES FRANÇAISES TROISIÈMES.** – L'équipe de France féminine n'a pu renouveler son succès de l'année dernière lors de la Coupe du Printemps. Les Françaises ont dû, cette fois, se contenter de la troisième place après une victoire sur la Finlande 3-0 (15-1, 15-4, 15-8). En demi-finales, elles s'étaient inclinées devant l'Allemagne de l'Ouest (1-3) qui remportait l'épreuve en battant les Pays-Bas (3-1).

SPORTS ÉQUESTRES

● **SAUMUR : MORVILLERS DEVANT BIGOT.** – La troisième étape du championnat de France-Crédit Agricole de concours complet, à Saumur, a été remportée par Pascal Morvillers sur « Isa E » (72 pts) devant Armand Bigot sur « Iris du Bois » (82,40) et la vice-championne 1982, Marie-Christine Duroy, sur « Igor » (88,20).

SKI NORDIQUE

● **PREMIERS TITRES POUR FARGEIX ET FRASSE-SOMBET.** – A Chapelle-des-Bois (Doubs), Paul Fargeix (27 ans) a remporté son premier titre de champion de France en gagnant l'épreuve des 50 km devant Sandoz et Badonnel. Surprise, également, chez les dames avec le succès de Gabrielle Frasse-Sombet (25 ans) dans le 20 km devant Jocelyne Poirot et Marielle Missillier. Marie-Christine Subot, la favorite, a abandonné au dixième kilomètre, alors qu'elle était en tête.

Extrait du *Figaro,* 4 avril 1983.

B. **Compréhension générale du texte.**   Répondez aux questions suivantes selon les renseignements donnés dans *Sports en bref.*

1. Qui a battu Cambridge en aviron? Est-ce que c'est la première fois que cette équipe a battu Cambridge?
2. Est-ce que la Française Laurence Modaine a pu garder son titre dans les championnats du monde d'escrime? Quel pays a eu le plus de succès au championnat?
3. En football, qui l'équipe de France a-t-elle battu et contre quel pays va-t-elle jouer son match suivant?
4. Combien de matchs de football est-ce que Rennes a perdu cette année? Qui l'a battu?
5. Quelle est la première équipe dans le classement des membres du Groupe A en football? Et la dernière? Et dans le Groupe B, quelle équipe est en première position?
6. Comment s'appellent les deux finalistes du championnat international de golf? Quelle est leur nationalité?
7. Quelles sont les deux premières équipes de hockey-sur-glace en ce moment?
8. Quelle équipe a gagné les huitièmes de la coupe de France de rugby à treize?
9. Est-ce que les villes de Pau et de Béziers ont gagné leurs récents matchs de rugby? Contre qui ont-ils joué?
10. Quelle position occupent les Françaises en volley-ball?
11. Quel cheval a gagné la course qui a eu lieu à Saumur? Comment s'appelait son jockey?
12. Qui a gagné son premier titre de champion de France de ski nordique? Qu'est-ce qui est arrivé à la favorite, Marie-Christine Subot?

C. **Coin culturel.**   Comparez les résultats sportifs présentés dans *Le Figaro* avec la «sports page» d'un journal de votre ville ou de votre région. Est-ce que les Français et les Américains s'intéressent aux mêmes sports? Quelles sont les ressemblances et les différences? Est-ce que votre journal présente les résultats locaux, régionaux, nationaux, et internationaux comme ce journal français?

D. **Vous êtes reporter.**   Préparez (oralement ou par écrit) un reportage sportif (résultats et commentaires) sur un récent match ou championnat local, régional, national, ou même international. Utilisez la section **Sports en bref** pour vous guider dans votre présentation.

Des amis français vous ont posé les questions suivantes au sujet des sports aux États-Unis. Répondez oralement ou par écrit à ces questions.

1. Quel est votre sport favori? Quand avez-vous l'occasion de le pratiquer? Avec qui jouez-vous?
2. Quels sports peut-on pratiquer dans votre école? Est-ce que les garçons et les filles pratiquent les mêmes sports? Est-ce qu'ils jouent dans les mêmes équipes?
3. Quel est le sport le plus populaire dans votre école? Pourquoi?
4. Est-ce que les sports jouent un rôle important dans votre lycée? Est-ce que beaucoup de gens assistent aux matchs? Quands ces matchs ont-ils lieu?
5. Êtes-vous obligé(e) d'avoir des classes d'éducation physique? Pourquoi?

Au fil des pages: Vidéo-Presse, une revue pour les jeunes

La Soupe aux poireaux

Le temps frais revenu suggère la bonne soupe chaude. Voici une soupe aux poireaux très facile à réaliser.
Bon appétit!

INGRÉDIENTS

3 poireaux
3 pommes de
terre moyennes
3 c. à soupe
de beurre
2 litres d'eau
250 ml de crème
ou de lait
sel et poivre

PRÉPARATION

Couper les poireaux en rondelles fines.
Faire fondre le beurre dans une marmite; y faire dorer les poireaux.
Peler les pommes de terre et les couper en dés; les ajouter aux poireaux.
Ajouter l'eau et cuire à feu doux 1 heure.
Ecraser les légumes et ajouter la crème ou le lait.
Saler, poivrer et servir.

Si vous avez des suggestions à me faire ou des recettes à partager avec moi, n'hésitez pas à m'écrire.
Si vous cuisinez déjà, j'aimerais bien savoir ce que vous aimez préparer.
A bientôt.

Lorraine Boisvenue est l'auteur du Guide de la Cuisine traditionnelle québécoise *et de* Recevoir à la Québécoise, *publiés aux Editions Internationales Alain Stanké.*

Article tiré de *Vidéo-Presse*, novembre 1980.

A. **Apprentis traducteurs et apprentis cuisiniers.** La personne qui a traduit cette recette en anglais ne comprend pas bien le français . . . ni les principes essentiels de cuisine! Utilisez votre français—et votre bon sens—pour corriger les erreurs que cet apprenti a faites. Pour vous aider, l'erreur est soulignée dans chacune des phrases.

1. <u>Roll</u> the leeks in small pieces.
2. <u>Burn</u> the butter in a pot and sauté the leeks.
3. <u>Shell</u> the potatoes and dice them up; add them to the leeks.
4. Add the water and <u>roast</u> on low for an hour.
5. Mash the vegetables and <u>spread</u> the cream or milk.
6. Add salt, pepper, and <u>wait</u>.

B. **Place aux vrais chefs!** Lorraine Boisvenue vous a invité à lui envoyer une de vos recettes. Utilisant les mots que vous connaissez déjà, écrivez une recette que vous pourriez lui suggérer. Vous pouvez choisir une recette très simple (par exemple, un bon sandwich au jambon) ou bien quelque chose de plus compliqué (une quiche lorraine, par exemple). N'oubliez pas d'ajouter une petite introduction à votre recette pour attirer l'attention des lecteurs et piquer leur curiosité.

C. **Coin culturel.** Quel type de cuisine mange-t-on habituellement dans votre famille? La cuisine américaine reflète la variété de la population des États-Unis. Pouvez-vous indiquer quelques plats d'origine française, italienne, mexicaine, allemande, ou orientale? Quelles sont les spécialités régionales de la ville ou de l'état où vous habitez?

Et vous?

1. Quelle sorte de cuisine préférez-vous? Aimez-vous faire la cuisine? Avez-vous une spécialité? Quel est votre repas favori?
2. Décrivez la cuisine servie dans la cafétéria de votre école et commentez sur sa qualité.
3. Y a-t-il de bons restaurants dans votre ville? Est-ce que vous y allez souvent?

Les Mots curieux et le sens des noms et des prénoms

par JOSEPH LAFRENIÈRE

ABÉNAQUIS
Nom d'une tribu amérindienne qui eut toujours d'excellents rapports avec les Français. Les Algonquins appelaient les Abénaquis «wabanaki». De «waban», le levant, l'est; et «aki», terre: terre de l'Est qu'ils habitaient.

ESQUIMAU
Le nom Esquimau est de moins en moins utilisé. On préfère dire «Inuit», ce qui signifie homme dans la langue esquimaude. Les Cris disaient de ces gens, «askikow»; ils mangent cru ou du cru! Effectivement, les Inuits ne faisaient jamais cuire leurs viandes.

DACTYLO
Dactylo est une abréviation de dactylographe. Une dactylo. ce n'est pas la machine à écrire elle-même; c'est plutôt la personne qui s'en sert. Du grec "dactylos", doigt.

BASQUE
Il y a des Basques en France et en Espagne. Le peuple basque se nomme lui-même Escualdunac. "Basque" vient de l'abréviation de la désignation espagnole: "Vascongado". Il est prouvé que les Basques visitaient l'Amérique à l'époque de Colomb. et sans doute plus tôt.

ANIMER
Du latin "animare": donner la vie. L'homme qui dirige les débats d'une émission télévisée d'affaires publiques est appelé animateur en français. En anglais, c'est le contraire; on le nomme "moderator".

par JOSEPH LAFRENIÈRE

Sens des noms

NAUD, NAULT
Formes régionales de Noël, nativité. C'était le surnom d'une personne née le jour de Noël.

BLAIS
Ton nom est une forme populaire du prénom Blaise.

DE JORDY
Jordy est une ancienne forme du prénom Georges.

BORDEAU (X), BORDUAS
Du francique "bord": planche. Par extension, maison de planches ou ferme. L'habitant lui-même. Bordeaux: ville française et région où l'on récolte un excellent vin.

GRANGER
De grange, évidemment. Un granger, c'était un fermier qui cultivait une terre, à condition d'en partager les profits avec son propriétaire.

Articles tirés de *Vidéo-Presse*, septembre 1980, novembre 1980 et février 1981.

A. **Compréhension générale du texte.** Utilisez les renseignements donnés dans le texte pour répondre aux questions suivantes.

Les mots curieux

1. Que veut dire le mot *Inuit* en esquimau?
2. On dit que Christophe Colomb n'est peut-être pas le premier européen à avoir découvert l'Amérique. Quel peuple est probablement venu en Amérique avant lui?
3. D'apres le sens des différents mots donnés, quel mot français veut dire *typist*?
4. Quel est le nom de la personne qui a les mêmes fonctions qu'un *moderator*?
5. Quel est le nom de la tribu amérindienne qui s'entendait bien avec les Français? Quelle est l'origine de son nom?

Le sens des noms et des prénoms

1. Quel nom désignait autrefois un fermier qui n'était pas propriétaire des terres qu'il cultivait?
2. Quel nom se réfère à un habitant d'une ferme ou d'une maison construite en planches *(boards)*?
3. Quel nom est une forme populaire du prénom Blaise?
4. Quels noms sont associés aux fêtes de Noël?
5. Quel nom est une ancienne forme du prénom Georges?

B. **Coin culturel.** Quels sont les noms de famille les plus fréquents aux États-Unis? Quels sont les prénoms (masculins et féminins) les plus populaires en ce moment? Le nom d'une ville peut aussi avoir une origine ou une signification particulière. Y a-t-il, par exemple, des villes ou des localités dans votre région qui portent des noms français? Que veulent dire ces noms? Quelles grandes villes américaines portent des noms français?

Et vous?

1. Savez-vous l'origine de votre nom ou de votre prénom?
2. Savez-vous pourquoi on vous a donné ce prénom?
3. Quels sont vos prénoms (masculins et féminins) favoris?
4. Quels sont les noms d'origine étrangère les plus communs dans votre région?

A. **Compréhension générale du texte.** Utilisez les renseignements donnés pour répondre aux questions suivantes.

1. Combien d'albums contient cette série?
2. Quels sont les usages possibles des posters?
3. Quel est le prix de chaque série de vingt albums?
4. Est-ce que les albums sont en blanc et noir ou en couleurs?
5. Quels sujets généraux sont représentés dans cette série?

B. **Projets et recherches.** Imaginez que vos professeurs ont donné les sujets suivants comme projets de recherches individuelles. Quel(s) album(s) pourriez-vous consulter pour vous documenter?

1. la musique autour du monde
2. la vie animale
3. carrières et professions
4. la vie des pionniers dans le far west
5. la popularité des bandes dessinées
6. les temps préhistoriques
7. le corps humain
8. les moyens de transport
9. le sport
10. hommes et femmes célèbres
11. les mass-media
12. la protection de l'environnement

C. **Coin culturel.** Parmi les thèmes et sujets de recherches présentés dans cette documentation, y en a-t-il qui s'appliquent plus particulièrement au Canada? À l'Amérique du Nord en général? À d'autres pays du monde?

Et vous?

1. Quels volumes vous intéressent particulièrement? Pourquoi? Est-ce qu'il y a un album qui intéresserait particulièrement un(e) de vos ami(e)s? Un membre de votre famille?
2. Sur quels autres sujets aimeriez-vous trouver une documentation de ce genre?

Les Coutumes de nos ancêtres: Les Conteurs

A. **Mots et contextes.** Le texte présenté dans cette section parle du rôle que jouaient les conteurs d'histoires *(storytellers)* au Canada, surtout pendant la période des fêtes de Noël.

Pour vous préparer à cette lecture, familiarisez-vous avec les thèmes ou contextes présentés et avec le vocabulaire qui s'y rapporte. Ils vous aideront à comprendre le sens général du texte, à deviner *(guess)* les mots nouveaux, à élargir votre vocabulaire, et à compléter les activités qui suivent le texte.

Thèmes ou contextes	Mots du texte qui sont associés à cette idée
les fêtes	les coutumes **d'antan** (d'autrefois) **lancer une partie, une veillée** *to throw a party* les festivités **se succédaient** (se suivaient) **la veillée** (Les gens se réunissaient après le dîner pour veiller, c'est-à-dire, passer ensemble les longues soirées d'hiver.) **les retrouvailles** (from **se retrouver** *to get together*) **les convives** *guests* **les veilleux** (les gens qui veillaient ensemble)
les conteurs	**raconter** une histoire **tousser** *to cough* **avancer sa chaise** *to move one's seat forward* **bourrer sa pipe** *to fill one's pipe* **un troubadour** (un chanteur et conteur d'histoires) **le récit** (l'histoire) **les dires** (les paroles, les mots) **le répertoire** (l'ensemble des histoires que le conteur connaît) **un tour** *a trick* **la voix** *voice;* **les intonations; les gestes;** et **les mimiques** **les drôleries** (from **drôle:** amusant)
les contes: personnages et circonstances	le roi, la reine, le prince, la princesse, **le jardinier, le veuf** *widower* **le sorcier, la sorcière** *warlock, witch;* **les démons, les forces des ténèbres** *forces of darkness;* **les fantômes** *ghosts;* **les feux follets** *wills-o'-the-wisp;* **les jeteuses de sort** (from **jeter un sort** *to cast a spell*) **le royaume** (territoire gouverné par le roi) **le palais** **le parterre** *flower bed* **cauchemardesque** (from **le cauchemar** *nightmare*) **un mauvais coup** *an evil deed*
les auditeurs (*listeners*) et leurs réactions	**Les convives** (les invités) sont captivés. Ils écoutent **les yeux ronds, la bouche ouverte.** **Ils savourent chaque parole.** *They enjoy every word.* Le conteur **les tient en haleine.** *holds their attention* Ils ont **la chair de poule.** *goose bumps* Ils **applaudissent.** *clap*

Les coutumes de nos Ancêtres

LES CONTEURS par YVON DESAUTELS

**Au cours des veillées, un événement en particulier
avait l'art de captiver et de subjuguer les convives: c'était
la participation du <<conteur d'histoires>>.**

Dans la campagne québécoise d'antan, le mois de janvier avait la réputation de ne pas être comme les autres. En effet, les festivités familiales s'y succédaient d'une façon presque ininterrompue. L'occasion qui déclenchait ces joyeuses retrouvailles, c'était évidemment la fête de Noël. Une fois la première veillée lancée, les autres suivaient tout naturellement comme les grains d'un chapelet. L'entrain et l'enthousiasme des <<fêteux>> étaient tels que les célébrations ne dérougissaient pas pendant une vingtaine de jours.

Au cours des veillées qui s'organisaient alors, un événement en particulier avait l'art de captiver et de subjuguer les convives: c'était la participation du <<conteur d'histoires>>. Lorsque celui-ci toussait et avançait ostensiblement sa chaise vers le milieu de la salle commune (cuisine), l'auditoire comprenait que le spectacle allait commencer. Un silence peu commun s'installait dans la maison.

Après avoir bourré sa pipe, le conteur commençait sa première histoire. <<I' y avait une fois un roi qui était veuf et qui vivait dans un beau palais. I' était surtout glorieux de son parterre. Un jour, son jardinier s'en vient l'avertir qu'une bourrasque de vent ou queuqu'sorcier "ratoureux" est venu ravager le jardin et a piétiné ses fleurs...>>

Les yeux ronds, la bouche parfois ouverte, les veilleux savouraient chaque parole qui sortait de la bouche de notre troubadour.

Pour tenir ses auditeurs en haleine, le conteur avait plusieurs tours dans son sac. Chaque fois que son récit s'y prêtait, il appuyait ses dires par le mimique de son visage et par des gestes appropriés: piétinement des pieds, claquement des doigts, haussement des épaules, volée des bras. Fin comédien, il avait recours également aux différentes intonations de voix pour souligner tantôt les passages sinistres d'un conte, tantôt les drôleries de l'un de ses personnages. A plusieurs reprises, il s'aventurait même à changer sa voix pour faire parler le sorcier <<ratoureux>>, le beau prince berné, ou encore pour simuler un bruit nécessaire au déroulement du drame ou de la comédie.

Chaque conteur possédait son propre répertoire d'histoires. Glanées au fil de ses rencontres, de ses voyages, ces histoires étaient transmises de bouche à oreille sans jamais être écrites.

Ces histoires s'inspiraient souvent de très vieux contes d'origine française. On y évoquait des royaumes lointains où régnaient des rois et des princesses débonnaires et où de malicieux personnages, comme les sorciers, les jeteuses de sort, venaient semer la zizanie. Évidemment, comme dans les films d'une certaine époque, les choses finissaient par s'arranger et l'histoire se terminait sur une note de gaieté, mais pas toujours. En effet, le conteur avait en réserve, dans son répertoire, quelques contes plus cauchemardesques qu'il gardait pour la fin de la soirée, au moment où les enfants étaient couchés. Racontés souvent comme des histoires vécues, ces épisodes mettaient en scène les forces des ténèbres: démons, fantômes, feux follets, gnomes s'y disputaient le palmarès des mauvais coups. De quoi donner la chair de poule au plus solide gaillard. D'autant plus que, dans bien des cas, il fallait rentrer à la maison peu de temps après, et ce, au beau milieu de la nuit.

Les contes variaient également en longueur. En moyenne, ils pouvaient durer entre une demi-heure et une heure. Mais certains anciens mentionnent des cas où le conteur avait mis jusqu'à deux grandes veillées pour passer à travers son histoire.

Lorsque finalement l'histoire s'achevait, le groupe manifestait son contentement en applaudissant à tout rompre. Le maître du logis, pour sa part, s'empressait de verser un grand verre de <<remontant>> à l'artiste qui l'acceptait avec un sourire de satisfaction.

Extrait de *Les Conteurs* d'Yvon Desautels,
Vidéo-Presse, janvier 1981.

B. **Compréhension générale du texte.** Cherchez dans le texte les renseignements qui vous permettront de répondre aux questions suivantes. Aidez-vous du vocabulaire présenté dans **Mots et contextes** pour formuler vos réponses.

1. Pendant quel mois de l'année les veillées étaient-elles les plus fréquentes?
2. Combien de temps les célébrations duraient-elles?
3. Comment le conteur indiquait-il qu'il était prêt à raconter une histoire?
4. Que faisait le conteur pour captiver l'attention de ses auditeurs?
5. Comment le conteur avait-il appris ces histoires?
6. De quoi ces histoires parlaient-elles?
7. En général, comment ces histoires se terminaient-elles?
8. Quelle sorte d'histoires les conteurs racontaient-ils quand les enfants étaient couchés?
9. À quelle heure les gens rentraient-ils chez eux?
10. Quelle était la longueur moyenne de ces histoires?

C. **Le coin culturel.** Comment célébrait-on les fêtes de Noël autrefois aux États-Unis? Et au Québec? Que faisaient les gens pour passer le temps pendant les longs mois d'hiver? Comment célèbre-t-on Noël de nos jours? Que font les gens pendant l'hiver?

Et vous?

1. Aimiez-vous qu'on vous raconte ou qu'on vous lise des histoires quand vous étiez petit(e)? Qui vous racontait des histoires? De quoi ces histoires parlaient-elles? Que faisait la personne qui vous racontait ces histoires pour captiver votre attention? Utilisez les idées et le vocabulaire présentés dans **Mots et contextes** pour vous aider à décrire la scène.
2. Si vous préférez, vous pouvez essayer d'inventer vous-même une histoire à raconter à des enfants.

Lire pour le plaisir: Deux chansons canadiennes

Je suis...

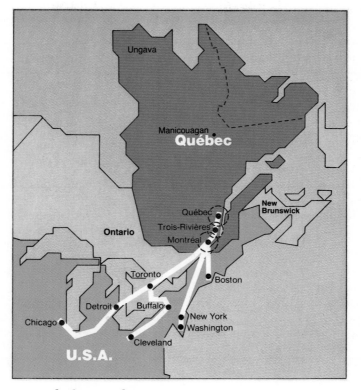

Je suis de lacs et de rivières.
Je suis de gibier, de poissons.
Je ne suis pas de grandes moissons.
Je suis de sucre et d'eau d'érable
de *pater noster*, de *credo*.
Je suis de dix enfants à table.
Je suis de janvier sous zéro.
Je suis d'Amérique et de France.
Je suis de chômage et d'exil.
Je suis d'octobre et d'espérance.
Je suis l'énergie qui s'empile d'Ungava à Manicouagan.
Je suis Québec mort ou vivant.

Chanson de Claude Gauthier

Permission to reprint granted by Gamma Records, Ltd., 3575 Boul. St. Laurent, Montreal, Quebec, Canada, H2X 2T7.

A. **Compréhension générale du texte.** Qui suis-je? Claude Gauthier, un chanteur/poète canadien, répond à cette question en s'identifiant au pays où il est né et où il a grandi, le Québec. Lisez le poème. Puis lisez les explications de la colonne de droite et répondez aux questions.

Texte	Explications
Je suis de lacs et de rivières.	Si vous regardez une carte du Québec, vous pouvez voir qu'il y a beaucoup de lacs et de rivières. Pouvez-vous nommer quelques lacs ou rivières de cette région?
Je suis de gibier, de poissons.	Les forêts et les lacs du Québec sont riches en gibier *(game)* et en poisson. C'est un paradis pour les pêcheurs, les chasseurs et les gens qui aiment la nature. Avez-vous jamais passé des vacances au Québec? Dans d'autres régions du Canada? Quelles régions des États-Unis ressemblent un peu au Québec?
Je ne suis pas de grandes moissons.	Les grandes moissons *(harvests)* de blé *(wheat)* et de maïs *(corn)* se trouvent dans les provinces de l'ouest. En comparaison, le Québec est beaucoup moins riche. Quelles sont les grandes moissons américaines? Dans quels états?
Je suis de sucre et d'eau d'érable . . .	On utilise la sève *(sap)* de l'érable *(maple tree)* pour faire du sucre. C'est une ressource importante du Québec. Savez-vous en quelle saison on recueille *(collects)* la sève, et dans quelle(s) région(s) des États-Unis on produit du sucre et du sirop d'érable?

de *pater noster*, de *credo*.	Le *pater noster* et le *credo* sont des prières. La religion catholique a toujours occupé une place importante au Québec. Quelles sont les religions principales pratiquées aux États-Unis?
Je suis de dix enfants à table.	Traditionnellement les familles québécoises étaient assez nombreuses et très unies. Quel est le nombre moyen d'enfants dans les familles américaines? Et autrefois, de combien était-il?
Je suis de janvier sous zéro.	En hiver, il fait très froid au Québec et la température reste au-dessous le 0°C pendant plusieurs mois. Quelles régions des États-Unis ont un climat comparable? Comment sont les hivers dans la région où vous habitez?
Je suis d'Amérique et de France.	Les ancêtres des Québécois sont venus de France (surtout de Normandie), et l'influence de la culture française est restée importante. Mais le Canada est aussi un pays d'Amérique, et l'influence américaine y est importante. Et le peuple des États-Unis? Pourquoi dit-on que les États-Unis sont un *melting pot*? De quels groupes ethniques sont-ils composés? Quels groupes ethniques ont gardé leur identité culturelle?
Je suis de chômage et d'exil.	En partie à cause de la dominance de l'anglais, des Canadiens français ont longtemps été défavorisés, et il y a plus de chômage que dans les autres régions. Au 18ème siècle, quand les Anglais ont établi leur domination, beaucoup de Canadiens français (les Acadiens) ont été exilés. Parmi quels groupes sociaux et dans quelles régions y a-t-il le plus de chômage aux États-Unis? Est-ce un problème sérieux dans votre région?

Je suis d'octobre et d'espérance.	Octobre, c'est le début de l'automne, c'est-à-dire, le déclin. L'espérance *(hope)*, c'est, au contraire, la promesse d'une nouvelle vitalité. Ces deux mots évoquent à la fois les problèmes du Québec et sa nouvelle vitalité culturelle et politique.
Je suis l'énergie qui s'empile d'Ungava à Manicouagan.	Le Québec est riche en énergie grâce aux nombreux barrages *(dams)* qui produisent de l'électricité. Quels états américains sont riches en énergie hydro-électrique? Quels sont les principaux barrages et où sont-ils situés?
Je suis Québec mort ou vivant.	Sa vie et son identité sont inséparables de celles de son pays. Si le Québec perd son identité, les Québécois perdront aussi la leur.

Et vous?

1. Utilisez le poème de Claude Gauthier comme modèle et écrivez un poème sur le même thème: Être américain(e), qu'est-ce que ça veut dire pour vous?
2. En quoi consiste votre héritage national?

Demain mon fils

A. **Compréhension générale du texte.**   La chanson de Jean Lapointe intitulée *Demain mon fils* exprime les sentiments d'un père qui voit son fils grandir et qui pense à ce que la vie va lui apporter. Pour vous aider à comprendre les mots ou les expressions difficiles, consultez la section **Vocabulaire et explications** qui suit le texte.

Demain mon fils

Demain tu seras grand, demain t'auras vingt ans
Demain tu pourras faire à ta guise.
Partir vers les pays dont tu rêves aujourd'hui
Visiter tes châteaux en Espagne.
Et seul comme un nouveau matador,
Tu entreras dans l'arène
Ne craignant ni la peur ni la mort
Courant vers les années qui viennent.

Demain tu seras grand, demain t'auras le temps
Demain tu seras fort de ton âge
Les années passeront, les rides sur ton front
Déjà auront creusé leur sillage

Et seul comme un très grand matador
Tu sortiras de l'arène avec des coups au cœur et au corps
Marchant vers les années qui traînent.

Demain tu seras vieux, pourtant tu verras mieux
Tu te retourneras en arrière
Alors tu comprendras ce que je sais déjà
Tout comme le savait mon vieux père.
Et seul comme un trop vieux spectateur
Voyant ton fils dans l'arène
Alors tu sauras ce qu'est la peur
Tu comprendras combien je t'aime.

Chanson de Jean Lapointe

être grande(e) = être adulte

faire à sa guise = faire ce qu'on veut

les pays dont tu rêves = les pays que tu as envie de connaître

des châteaux en Espagne = des rêves, des projets impossibles à réaliser

un matador . . . l'arène = la vie est comme une arène où le matador est
seul devant le taureau. Il y a des corridas en
Espagne et dans le sud de la France.

craignant = participe présent de **craindre** (avoir peur)

courant = participe présent de **courir**

vers *toward*

les rides = quand on vieillit (*grows old*) on prend des rides (*wrinkles*)

creuser un sillage *to plow a furrow*

des coups = quand on lutte, on reçoit des coups (*blows*)

des coups au cœur = les peines, les chagrins, les regrets

des coups au corps = les maladies, les accidents

traîner *to drag*

se retourner en arrière *to look back*

tout comme *just as*

voyant = participe présent de **voir**

Et vous?

1. Écrivez un poème ou une histoire qui commencera ainsi: «Demain, je serai grand(e), demain j'aurais vingt ans . . .»
2. Si vous préférez, vous pouvez écrire une histoire ou un poème dont le titre sera: «Demain ma fille . . .»

PHOTO CREDITS

Abbreviations used: *t*, top; *c*, center; *b*, bottom; *l*, left; *r*, right; *i*, inset.

All HRW Photos by Russell Dian except as noted below:

Chapitre Passerelle **3:** Courtesy Montreal Expos. **7:** Gouvernement du Québec. **10,11:** Canada's Wonderland.

Deuxième Chapitre **15:** *tc*, Richard W. Wilkie/Black Star; *cl*, Carl Purcell/Photo Researchers; *bl*, French West Indies Tourist Board; *br*, NASA. **16:** *tr*, Richard W. Wilkie/Black Star; *bl*, Carl Purcell/Photo Researchers. **17:** *r*, French West Indies Tourist Board. **21:** HRW Photo by Helena Kolda. **24:** Ronny Jacques/Photo Researchers. **29:** *c*, Rust Craft Inc., Canada. **35:** *tl*, Paolo Koch/Photo Researchers; *tr*, Rafael Macia/Photo Researchers; *b*, Christa Armstrong/Photo Researchers. **36:** *t*, Katrina Thomas/Photo Researchers; *b*, Jan Lucas/Photo Researchers. **38:** Courtesy Le Carnaval de Québec.

Troisième Chapitre **41:** Alain Nogues/Sygma. **43:** *tr*, HRW Photo by Helena Kolda; *bl*, Judith Aronson/Peter Arnold. **44:** *tr*, French Government Tourist Office; *bl*, HRW Photo by Walter Clark. **45:** *br*, C. Raimond-Dityron/Viva from Woodfin Camp & Associates. **52:** HRW Photo by Anita Dickhuth. **56:** Courtesy *Midi-Olympique*. **57:** HRW Photo by Helena Kolda. **64:** HRW Photo by Catherine Ursillo. **65:** Owen Franken/Stock/Boston.

Quatrième Chapitre **70:** Pierre Vanthey/Sygma. **71:** HRW Collection. **73:** *cr*, *br*, French Government Tourist Office. **76:** Record Cover Album-Design, Allen Weinberg/Photo Culver Pictures Inc. © 1981, CBS, Inc. **77:** Courtesy *Une Semaine de Paris*. **78:** Courtesy EUROPE 1. **87:** *l*, Courtesy Anne Tremblay; *r*, Société des Autoroutes du Sud de la France. **92:** French Government Tourist Office. **93:** Rhoda Sidney/Leo de Wys. **94:** *l*, Credit Union des Banques Suisses; *c*, Parks and History Association in cooperation with the National Park Services, U.S. Dept. of the Interior. **97:** From *Guide indicateur des rues de Paris*. **98:** *b*, Courtesy Volumetrix.

Cinquième Chapitre **101:** J. Pavlovsky/Sygma. **103:** Courtesy *Jeune Afrique* Magazine. **106:** UNICEF. **107:** Ian Berry/Magnum. **109:** James Renner. **113:** Marc Riboud/Magnum. **115:** James Renner. **124:** Latham/Monkmeyer. **125:** Abbas/Gamma Liaison. **126:** James Renner.

Sixième Chapitre **131:** © Tom Pix 1977/Peter Arnold. **132,133,134:** Swiss National Tourist Office. **136:** Lambert/Gamma Liaison. **137:** Mia et Claus. **139:** French Embassy, Press and Information Division. **140:** *l*, Dan Koblitz/Editorial Photocolor Archive. **143:** Saudi Arabia Information Services. **148:** *t*, Mia et Claus; *b*, Comité organisateur de la fête du Québec. **149:** *tl*, Margot Granitsas/Picture Researchers; *tr*, Derek Lepper/Black Star; *bl*, Canada's Wonderland; *br*, National Film Board of Canada by Wayne Lynch. **152:** Will McIntyre/Photo Researchers. **153:** Swiss National Tourist Office. **157:** Joan Menschenfreund/Sygma.

Septième Chapitre **159:** Arthur d'Arazien/The Image Bank. **163,170:** Courtesy French West Indies Tourist Of-
fice. **164:** *tl*, Culver Pictures; *bl*, Brown Bros.; *br*, French Government Tourist Office. **166:** French Embassy, Press and Information Division. **167:** Courtesy *L'Équipe* Magazine. **171:** Maquettes Art. **173:** HRW Photo by Helena Kolda. **179:** Shostal. **180:** French Government Tourist Office. **183:** HRW Photo by Richard Haynes.

Huitième Chapitre **189:** F. Whitney/Image Bank. **190:** Canadian Press Picture Service. **202:** NASA. **204:** Jeffrey Richards Associates. **207:** Courtesy CBS Records. **208:** French Embassy, Press and Information Division. **210:** HRW Photo by Walter Clark. **213:** Beryl Goldberg, Photographer © 1982. **215:** Museum of Modern Art, N.Y.C.

Neuvième Chapitre **219:** Ray Manley/Shostal. **221:** Movie Star News. **224:** Culver Pictures. **225:** J. Barry O'Rourke/Image Bank. **226:** *b*, Greater New Orleans Tourist & Convention Commission. **228:** Gouvernement du Québec, Ministère de l'Environnement. **230:** Rebecca Loveless. **236:** French Cultural Services. **238:** Latham/Monkmeyer. **240:** *l*, Courtesy *Dialogue* Magazine, S.A.G.E.P., Tunis, Tunisia; *r*, Rebecca Loveless. **241:** J. Lurie Photography/FPG. **243:** Wide World Photos.

Dixième Chapitre **247:** Jan Spieczny/Peter Arnold Inc. **248:** UPI. **253:** *l*, HRW Photo by Anita Dickhuth. **254:** SATOUR. **258:** Frank Roche/Animals, Animals. **264:** Robert Maier/Animals, Animals. **266:** J. Jacob/Frederic Lewis.

Onzième Chapitre **277:** NASA. **278:** Sanford Photo/Monkmeyer Press Photo. **280:** NASA. **284,288,292:** French Embassy, Press & Information Division. **289:** Courtesy Jardin des Plantes. **296:** Courtesy of the Cousteau Society Inc. **299:** Design by Étienne Gaspard Robertson (Robert Belbow, photography).

Douzième Chapitre **307:** Gianni Tortoli/Photo Researchers. **309:** Herbert Lanks/Black Star. **310:** Allyn Baum/Monkmeyer Press Photo. **312:** *t*, Courtesy Neuchatel Tourist Office; *b*, Courtesy Swiss National Tourist Office. **313:** Carroll Seghers II/Leo de Wys. **314–316:** Christmas Toy Catalogue, Paris, 1905.

Treizième Chapitre **327:** HRW photo by Richard Haynes. **328:** *l*, Bernard Pierre Wolfe/Photo Researchers Inc.; *r*, Bill O'Connor/Peter Arnold. **331:** Gilda Schiff/Photo Researchers. **334:** HRW photo by Richard Haynes. **338:** Guy Le Querrec/Magnum. **339:** Bruce Bennett. **342:** Masterfile. **349:** NYPL Picture Collection. **351:** Photo courtesy Municipal Library, Montreal. **353:** Gouvernement du Québec. **356:** Public Archives of Canada C-101020. **358:** Gilles Peress/Magnum.

Quebec realia on pages **12, 168, 171, 177, 181, 183, 184**(*t*)**, 185, 186, 191, 212, 228,** Courtesy Gouvernement du Québec.

Verb Charts

Infinitive	Present	Passé Composé	Imperfect	
parler	je **parle** tu **parles** il **parle** nous **parlons** vous **parlez** ils **parlent**	j'ai **parlé** tu as **parlé** il a **parlé** nous avons **parlé** vous avez **parlé** ils ont **parlé**	je **parlais** tu **parlais** il **parlait** nous **parlions** vous **parliez** ils **parlaient**	
finir	je **finis** tu **finis** il **finit** nous **finissons** vous **finissez** ils **finissent**	j'ai **fini** tu as **fini** il a **fini** nous avons **fini** vous avez **fini** ils ont **fini**	je **finissais** tu **finissais** il **finissait** nous **finissions** vous **finissiez** ils **finissaient**	
vendre	je **vends** tu **vends** il **vend** nous **vendons** vous **vendez** ils **vendent**	j'ai **vendu** tu as **vendu** il a **vendu** nous avons **vendu** vous avez **vendu** ils ont **vendu**	je **vendais** tu **vendais** il **vendait** nous **vendions** vous **vendiez** ils **vendaient**	

REFLEXIVE VERBS

Infinitive	Present	Passé Composé	Imperfect	
se lavér	je me **lave** tu te **laves** il/elle se **lave** nous nous **lavons** vous vous **lavez** ils/elles se **lavent**	je me suis **lavé(e)** tu t'es **lavé(e)** il/elle s'est **lavé(e)** nous nous sommes **lavé(e)s** vous vous êtes **lavé(e)s** ils/elles se sont **lavé(e)s**	je me **lavais** tu te **lavais** il/elle se **lavait** nous nous **lavions** vous vous **laviez** ils/elles se **lavaient**	

IRREGULAR VERBS

Infinitive	Present	Passé Composé	Imperfect	
aller	je **vais** nous **allons** tu **vas** vous **allez** il **va** ils **vont**	je suis **allé(e)**	j'**allais**	

Future	Conditional	Subjunctive
je **parlerai** tu **parleras** il **parlera** nous **parlerons** vous **parlerez** ils **parleront**	je **parlerais** tu **parlerais** il **parlerait** nous **parlerions** vous **parleriez** ils **parleraient**	que je **parle** que tu **parles** qu'il **parle** que nous **parlions** que vous **parliez** qu'ils **parlent**
je **finirai** tu **finiras** il **finira** nous **finirons** vous **finirez** ils **finiront**	je **finirais** tu **finirais** il **finirait** nous **finirions** vous **finiriez** ils **finiraient**	que je **finisse** que tu **finisses** qu'il **finisse** que nous **finissions** que vous **finissiez** qu'ils **finissent**
je **vendrai** tu **vendras** il **vendra** nous **vendrons** vous **vendrez** ils **vendront**	je **vendrais** tu **vendrais** il **vendrait** nous **vendrions** vous **vendriez** ils **vendraient**	que je **vende** que tu **vendes** qu'il **vende** que nous **vendions** que vous **vendiez** qu'ils **vendent**

Future	Conditional	Subjunctive
je **me laverai** tu **te laveras** il/elle **se lavera** nous **nous laverons** vous **vous laverez** ils/elles **se laveront**	je **me laverais** tu **te laverais** il/elle **se laverait** nous **nous laverions** vous **vous laveriez** ils/elles **se laveraient**	que je **me lave** que tu **te laves** qu'il/elle **se lave** que nous **nous lavions** que vous **vous laviez** qu'ils/elles **se lavent**

Future	Conditional	Subjunctive	
j'irai	**j'irais**	que j'**aille** que tu **ailles** qu'il **aille**	que nous **allions** que vous **alliez** qu'ils **aillent**

Infinitive	Present		Passé Composé	Imperfect		
avoir	j'ai tu as il a	nous avons vous avez ils ont	j'ai eu	j'avais		
conduire	je conduis tu conduis il conduit	nous conduisons vous conduisez ils conduisent	j'ai conduit	je conduisais		
connaître	je connais tu connais il connaît	nous connaissons vous connaissez ils connaissent	j'ai connu	je connaissais		
courir	je cours tu cours il court	nous courons vous courez ils courent	j'ai couru	je courais		
croire	je crois tu crois il croit	nous croyons vous croyez ils croient	j'ai cru	je croyais		
devoir	je dois tu dois il doit	nous devons vous devez ils doivent	j'ai dû	je devais		
dire	je dis tu dis il dit	nous disons vous dites ils disent	j'ai dit	je disais		
dormir	je dors tu dors il dort	nous dormons vous dormez ils dorment	j'ai dormi	je dormais		
écrire	j'écris tu écris il écrit	nous écrivons vous écrivez ils écrivent	j'ai écrit	j'écrivais		
être	je suis tu es il est	nous sommes vous êtes ils sont	j'ai été	j'étais		
faire	je fais tu fais il fait	nous faisons vous faites ils font	j'ai fait	je faisais		

Future	Conditional	Subjunctive	
j'aurai	j'aurais	que j'**aie** que tu **aies** qu'il **ait**	que nous **ayons** que vous **ayez** qu'ils **aient**
je **conduirai**	je **conduirais**	que je **conduise** que tu **conduises** qu'il **conduise**	que nous **conduisions** que vous **conduisiez** qu'ils **conduisent**
je **connaîtrai**	je **connaîtrais**	que je **connaisse** que tu **connaisses** qu'il **connaisse**	que nous **connaissions** que vous **connaissiez** qu'ils **connaissent**
je **courrai**	je **courrais**	que je **coure** que tu **coures** qu'il **coure**	que nous **courions** que vous **couriez** qu'ils **courent**
je **croirai**	je **croirais**	que je **croie** que tu **croies** qu'il **croie**	que nous **croyions** que vous **croyiez** qu'ils **croient**
je **devrai**	je **devrais**	que je **doive** que tu **doives** qu'il **doive**	que nous **devions** que vous **deviez** qu'ils **doivent**
je **dirai**	je **dirais**	que je **dise** que tu **dises** qu'il **dise**	que nous **disions** que vous **disiez** qu'ils **disent**
je **dormirai**	je **dormirais**	que je **dorme** que tu **dormes** qu'il **dorme**	que nous **dormions** que vous **dormiez** qu'ils **dorment**
j'**écrirai**	j'**écrirais**	que j'**écrive** que tu **écrives** qu'il **écrive**	que nous **écrivions** que vous **écriviez** qu'ils **écrivent**
je **serai**	je **serais**	que je **sois** que tu **sois** qu'il **soit**	que nous **soyons** que vous **soyez** qu'ils **soient**
je **ferai**	je **ferais**	que je **fasse** que tu **fasses** qu'il **fasse**	que nous **fassions** que vous **fassiez** qu'ils **fassent**

Infinitive	Present		Passé Composé	Imperfect	
lire	je lis tu lis il lit	nous lisons vous lisez ils lisent	j'ai lu	je lisais	
mettre	je mets tu mets il met	nous mettons vous mettez ils mettent	j'ai mis	je mettais	
partir	je pars tu pars il part	nous partons vous partez ils partent	je suis parti(e)	je partais	
pouvoir	je peux tu peux il peut	nous pouvons vous pouvez ils peuvent	j'ai pu	je pouvais	
prendre	je prends tu prends il prend	nous prenons vous prenez ils prennent	j'ai pris	je prenais	
savoir	je sais tu sais il sait	nous savons vous savez ils savent	j'ai su	je savais	
venir	je viens tu viens il vient	nous venons vous venez ils viennent	je suis venu(e)	je venais	
vivre	je vis tu vis il vit	nous vivons vous vivez ils vivent	j'ai vécu	je vivais	
voir	je vois tu vois il voit	nous voyons vous voyez ils voient	j'ai vu	je voyais	
vouloir	je veux tu veux il veut	nous voulons vous voulez ils veulent	j'ai voulu	je voulais	

Future	Conditional	Subjunctive	
je **lirai**	je **lirais**	que je **lise**	que nous **lisions**
		que tu **lises**	que vous **lisiez**
		qu'il **lise**	qu'ils **lisent**
je **mettrai**	je **mettrais**	que je **mette**	que nous **mettions**
		que tu **mettes**	que vous **mettiez**
		qu'il **mette**	qu'ils **mettent**
je **partirai**	je **partirais**	que je **parte**	que nous **partions**
		que tu **partes**	que vous **partiez**
		qu'il **parte**	qu'ils **partent**
je **pourrai**	je **pourrais**	que je **puisse**	que nous **puissions**
		que tu **puisses**	que vous **puissiez**
		qu'il **puisse**	qu'ils **puissent**
je **prendrai**	je **prendrais**	que je **prenne**	que nous **prenions**
		que tu **prennes**	que vous **preniez**
		qu'il **prenne**	qu'ils **prennent**
je **saurai**	je **saurais**	que je **sache**	que nous **sachions**
		que tu **saches**	que vous **sachiez**
		qu'il **sache**	qu'ils **sachent**
je **viendrai**	je **viendrais**	que je **vienne**	que nous **venions**
		que tu **viennes**	que vous **veniez**
		qu'il **vienne**	qu'ils **viennent**
je **vivrai**	je **vivrais**	que je **vive**	que nous **vivions**
		que tu **vives**	que vous **viviez**
		qu'il **vive**	qu'ils **vivent**
je **verrai**	je **verrais**	que je **voie**	que nous **voyions**
		que tu **voies**	que vous **voyiez**
		qu'il **voie**	qu'ils **voient**
je **voudrai**	je **voudrais**	que je **veuille**	que nous **voulions**
		que tu **veuilles**	que vous **vouliez**
		qu'il **veuille**	qu'ils **veuillent**

Vocabulaire français-anglais

The *Vocabulaire français–anglais* includes the vocabulary from each chapter with the exception of the *Contextes culturels*. The number or letter following each entry indicates the chapter in which the word or expression is first introduced (**P** stands for *Chapitre Passerelle* and **T** for *Tour d'horizon*.) If a word is used in the text in more than one sense, each use is given, with the appropriate chapter reference.

Adjectives are given in the masculine, with feminine endings noted. In the case of irregular adjectives, the feminine form is given in full.

Idiomatic expressions are listed under the main words in each idiom.

The following abbreviations are used:

adj. adjective; *adv.* adverb; *conj.* conjunction; (*f*) feminine; (*m*) masculine; *pl.* plural; *prep.* preposition; *pron.* pronoun

A

à in, at, to **P**
abandonner to give up, leave behind **7**
abondant,-e plentiful **8**
d'abord first **P**
absolument absolutely **3**
acadien,-ne Acadian **9**
accepter to accept **3**
l'accident (*m*) accident **10**
accompagné,-e accompanied **11**
l'accord (*m*) agreement **8**; **d'accord** agreed, fine, OK **3**; **être d'accord** to agree **5**
accueillant,-e hospitable, friendly **5**
acheter to buy **P**
l'acide (*m*) acid **11**
l'acrobate (*m/f*) acrobat **P**
l'acte (*m*) act **8**
l'acteur (*m*) actor **2**
actif, active active **3**
activement actively **3**
l'activité (*f*) activity **5**
l'actrice (*f*) actress **2**

s'adapter to become adjusted **9**
additionner to add **11**
admirer to admire **P**
adopté,-e adopted **2**
adorer to adore, love **2**
l'adulte (*m/f*) adult **3**
l'aéroport (*m*) airport **4**
affectueusement affectionately **2**
l'affiche (*f*) poster **2**
afin de in order to **11**
africain,-e African **4**
l'Afrique (*f*) Africa **2**
l'âge (*m*) age **3**
âgé,-e older **5**
l'agent (*m*) policeman **4**
aie *subjunctive of* **avoir 10**
aille *subjunctive of* **aller 10**
aider to help **2**
aimer to like, love **P**
l'air (*m*) air **7**
l'aise (*f*): **être à l'aise** to be comfortable **2**
l'Algérie (*f*) Algeria **9**
algérien,-ne Algerian **2**
l'Allemagne (*f*) Germany **2**
allemand,-e German **2**

aller to go **P**
alors then, so **P**
l'ambiance (*f*) atmosphere **P**
ambitieux, ambitieuse ambitious **3**
l'ambition (*f*) ambition **7**
américain,-e American **2**
l'ami (*m*), **l'amie** (*f*) friend **P**
l'amitié (*f*) friendship **9**
l'amour (*m*) love **7**
amoureux, amoureuse in love **7**; **tomber amoureux (amoureuse)** to fall in love **7**
l'amphithéâtre (*m*) amphitheater **P**
amusant,-e amusing, funny **3**
s'amuser to have fun, have a good time **4**
l'an (*m*) year **P**; **avoir _____ ans** to be _____ years old **P**
l'ancêtre (*m*) ancestor **9**
ancien,-ne old, ancient **7**
anglais,-e English **P**
l'Angleterre (*f*) England **9**

l'animal (*m*), (*pl.* **les animaux**) animal 3

animé,-e animated 8; **le dessin animé** cartoon (*movie*) 8

l'année (*f*) year P

l'anniversaire (*m*) birthday 2; anniversary 6

l'antilope (*f*) antelope 10

août (*m*) August 6

l'appareil (*m*) machine 11

l'appartement (*m*) apartment P

appartenir to belong 9

appelé,-e called, known as 6

s'appeler to be named 2

apporter to bring 6

apprécier to appreciate P

apprendre to learn P

l'apprenti (*m*) apprentice 11

après after P

l'après-midi (*m*) afternoon 2

l'aqueduc (*m*) aqueduct 7

arabe Arab 4; **l'arabe** (*m*) Arabic 5

l'arbre (*m*) tree 5

l'arc: **l'arc-en-ciel** (*m*) rainbow P

l'architecte (*m*) architect 4

l'architecture (*f*) architecture 4

l'arène (*f*) arena 7

l'argent (*m*) money 2

s'arrêter to stop 4

l'arrivée (*f*) arrival 2

arriver to arrive P

l'article (*m*) article 8

artistique artistic 8

l'ascension (*f*) ascent P; **faire l'ascension de** to climb P

l'aspect (*m*) aspect 10

assez rather P; **assez de** enough P

assis,-e seated 3

l'astéroïde (*f*) asteroid 11

l'astronaute (*m/f*) astronaut 11

l'astronome (*m/f*) astronomer 11

l'astronomie (*f*) astronomy 11

l'athlète (*m*) athlete 8

attacher to attach 5

attendre to wait, wait for 2

attirer to attract 11

l'attitude (*f*) attitude 4

l'auberge (*f*): **l'auberge de jeunesse** hostel 2

audiovisuel,-le audiovisual 4

aujourd'hui today 2

aura *future of* **avoir** 7

aussi also P; **aussi bien que** as well as 3

l'auteur (*m*) author 11

l'autobus (*m*) bus 2

automne (*m*) autumn 9

l'autoroute (*f*) highway 4

autour around 3

autre another 2; **autre chose** something else 4; **d'autres** others 4

autrefois formerly 4

avancer to advance 10

avant before 4

l'avenir (*m*) future 7

l'aventure (*f*) adventure P

l'avenue (*f*) avenue 2

l'avion (*f*) airplane 4; **en avion** by plane 4

avis: à mon avis in my opinion P

l'avocat (*m*), l'avocate (*f*) lawyer 2

avoir to have P; **avoir _____ ans** to be _____ years old P; **avoir besoin de** to need 2; **avoir de la chance** to be lucky P; **avoir envie de** to feel like, want to 2; **avoir faim** to be hungry P; **avoir froid** to be cold 2; **avoir l'intention de** to intend to 8; **avoir peur** to be afraid 7; **avoir raison** to be right 10; **avoir sommeil** to be sleepy P; **avoir tort** to be wrong 10; **en avoir**

marre to be fed up 8

ayant *present participle of* **avoir** 10

B

le **baccalauréat** baccalaureate (*degree*) 10

le **bain** bath 6; **le maillot de bain** swimsuit 5; **la salle de bains** bathroom 10

la **banane** banana 7

la **bande** group 2; **les bandes dessinées** cartoon strips 6

la **banlieue** suburb 4

la **banque** bank 2

le **baptême** baptism 3

le **bas** lower part, bottom 7

le **basket** basketball 3; **jouer au basket** to play basketball 3

le **bateau** ship 10

le **bâtiment** building 3

beau, bel, belle (*m pl.* **beaux**) beautiful 3; **faire beau** to be beautiful (*weather*) 11

beaucoup (de) many P; a great deal, a lot 2

le **bébé** baby 5

beige beige 5

bel (*see* **beau**)

belge Belgian 2

besoin: avoir besoin de to need 2

bête stupid 10

le **beurre** butter 3

la **bibliothèque** library 2

bien (*adv.*) well P; very, very much, quite 2; **aimer bien** to like very much 2; **s'amuser bien** to have a good time 4; **aussi bien que** as well as 3; **moins bien que** not as well as 3; **bien sûr** of

bien (*cont.*)
course **4**; **c'est bien
fine 10**; **ou bien** or
else **6**
bien que (*conj.*) although **9**
le **bien** good **5**
bientôt soon **11**
le **billet** ticket **10**
la **biologie** biology **4**
la **blague** joke **4**
blanc, blanche white **5**
bleu,-e blue; **bleu clair**
light blue **5**; **bleu
foncé** dark blue **5**
blond,-e blond **3**
le **bœuf** ox **10**
boire to drink **11**
bon, bonne good, fine **P**;
bonne fête happy
birthday **2**
le **bonbon** candy **6**
bord: à bord on board **11**
la **boucherie** butcher shop **3**
la **boulangerie** bakery (*for
bread*) **3**
le **boulevard** boulevard **2**
le **bout** end **8**
la **bouteille** bottle **7**
brésilien,-ne Brazilian **2**
la **Bretagne** Brittany **3**
le **brouillard** fog **10**
la **brousse** brush (*plant*) **5**
le **bruit** noise **7**
brûler to burn **3**
brun,-e brown, dark **3**
la **bûche** log **6**
le **but** purpose, goal **11**

C

le **cadeau** (*pl.* **cadeaux**) gift **2**
le **café** café **P**; coffee **6**
le **cahier** notebook **11**
le **calcul** calculation **11**
calculer to figure **11**
le **calme** calm **11**
cambodgien,-ne Cambo-
dian **9**
la **campagne** country(side) **P**

le **camping: faire du camping** to go camping **3**
le **Canada** Canada **P**
canadien,-ne Canadian **P**
le **canard** duck **3**
le **cancer** cancer **8**
capable capable **3**
le **capitaine** captain **11**
la **capitale** capital **2**
la **capsule** capsule **7**
le **car** excursion bus **4**
car (*conj.*) because **10**
le **caractère** character **10**
le **caramel** caramel **6**
carbonique carbonic **11**
le **carnaval** carnival **2**
la **carotte** carrot **2**
la **carte** map **2**
le **cas** case **3**; **en tout cas**
at any rate **11**
la **cassette** cassette **2**
la **catastrophe** catastrophe **8**
la **cathédrale** cathedral **4**
causer to cause **7**
la **cave** cave **7**
cela that **2**; **cela veut
dire** that means **7**
célèbre famous **3**
célébrer to celebrate **6**
la **célébrité** celebrity **4**
celle (*see* **celui**)
celte Celtic **7**
celui, celle (*m pl.* **ceux**)
the one; **celui-ci** the
latter, **celui-là** the
former **11**
le **centigrade** centigrade **2**
le **centre** center **P**; **le centre commercial** shop-
ping center **2**
les **céréales** (*f*) grain **5**
la **cerise** cherry **7**
certain,-e certain **8**;
(*noun*) some (people) **4**
ceux (*see* **celui**)
la **chaise** chair **2**
la **chambre** room **P**
le **chameau** camel **10**
les **champs** (*m*) fields **3**
la **chance** luck **P**; **avoir de**

la **chandelle** candle **3**
changer to change **4**
la **chanson** song **2**
chanter to sing **P**
le **chanteur, la chanteuse**
singer **4**
le **chapitre** chapter **P**
chaque each, every **P**
chargé,-e supposed to **11**
le **chat** cat **3**
le **château** castle, palace **4**
chaud,-e warm, hot; **faire
chaud** to be warm,
hot (*weather*) **3**
chaudement warmly **6**
le **chauffeur** driver **4**
la **chaussette** sock **6**
les **chaussures** (*f*) shoes **2**;
**les chaussures de
marche** hiking boots **2**
le **chef** chief, person in
charge **9**
la **cheminée** fireplace **2**
la **chemise** shirt **5**
cher, chère expensive,
dear **2**
chercher to look for **7**
le **cheval** (*pl.* **chevaux**)
horse **3**
les **cheveux** (*m*) hair **3**
chez at, to someone's
home, office, business,
city, region, country **P**
chic! great! **4**
le **chien** dog **2**
la **chimie** chemistry **P**
chimique chemical **7**
la **Chine** China **9**
chinois,-e Chinese **2**
le **chocolat** chocolate **2**
choisir to choose **P**
le **choix** choice **P**
le **chômage** unemployment **8**
la **chose** thing **P**; **autre
chose** something else
4; **quelque chose**
something **2**
le **ciel** sky, heaven **9**
le **cinéma** movies **2**

la **circulation** traffic **4**
la **civilisation** civilization **7**
clair,-e light (*color*) **5**
le **clan** clan **5**
la **clarinette** clarinet **6**
classique classical **8**
le **climat** climate **3**
le **cochon** pig **10**
le **code** code **4**
le **cœur** heart **7**
la **coiffure** hairdressing **2**
le **coin** corner **3**
la **colère** anger; **se mettre en colère** to get angry **10**
collaborer to collaborate **11**
la **collection** collection **2**
collectionner to collect **2**
la **colline** hill **4**
la **collision** collision **11**
la **colonie: la colonie de vacances** summer camp **3**
combien how many **P**
la **comédie** comedy **P**
le **commandement** commandment **7**
commander to command, lead **10**
les **commandes** (*f*) controls **11**
comme like, as **2**
la **commémoration** observance **6**
commencer to begin **4**
le **commerce** business **2**
commercial,-e commercial **2**
la **communauté** community **9**
communiquer to communicate **3**
la **compagnie** company **9**
le **compagnon** companion **11**
la **comparaison** comparison **3**
comparer to compare **10**
la **compétition** match, game **P**
complètement completely **5**
le **complexe** complex **3**
compliqué,-e complicated **4**
composer to compose **8**
comprendre to understand **2**
compris *past participle of*

comprendre 2
compte: se rendre compte to realize **5**
compter to count, matter **5**
concentré,-e concentrated **9**
la **concession** compound **3**
le **concours** contest **P**
conduire to drive **4**; le **permis de conduire** driver's license **4**
conduit *past participle of* **conduire 4**
la **conférence** meeting **4**
la **confiance** confidence **7**
conforme (à) in accordance (with) **11**
confortable comfortable **P**
la **connaissance** acquaintance **2**; consciousness **11**; **faire la connaissance de** to become acquainted with **2**
connaître to know, be acquainted with **6**
conquis,-e conquered **7**
consacré,-e devoted **11**
le **conseil** advice **11**
conseiller to advise **11**
conserver to preserve **6**
considérer to consider **9**
la **constitution** constitution **6**
la **construction** construction **11**
construire to build, construct **4**
construit *past participle of* **construire 4**
consulter to consult **4**
le **contact** contact **11**
content,-e happy, pleased **P**
continuer to continue **P**
le **contraire** opposite **5**
contre against **8**
contribuer to contribute **8**
la **conversation** conversation **2**
le **copain** (*m*), la **copine** (*f*) friend, chum **2**
le **cor** horn **6**
le **corbeau** crow **10**
le **corps** body **7**
correspondre to corre-

spond **10**
la **corrida** bullfight **10**
le **corsage** blouse **5**
le **costume** costume **2**
la **côte** coast **10**
le **côté** side **2**; **à côté de** next to **2**
la **couche** layer **10**
se coucher to go to bed **4**
le **coucher: le coucher de soleil** sunset **6**
la **couleur** color **P**
le **courage** courage **8**
courageux, courageuse brave **3**
courir to run **8**
le **courrier** mail **3**
le **cours** course **P**
la **course** race **P**; **faire des courses** to go shopping, do errands **2**
court,-e short **5**
couru *past participle of* **courir 8**
le **cousin**, la **cousine** cousin **2**
coûter to cost **11**
la **coutume** custom **9**
couvert,-e covered **10**
la **cravate** necktie **5**
le **crayon** pencil **3**
la **création** creation **8**
la **créature** creature **11**
la **crèche** nativity scene **6**
créer to create, develop **9**
créole creole **9**
le **cri** noise, cry, sound **3**
le **crime** crime **8**
croire to believe, think **10**
croyant *present participle of* **croire 11**
cru *past participle of* **croire 10**
cruel,-le cruel **6**
la **cuisine** food, cooking **P**; kitchen **10**; **faire la cuisine** to cook **3**
le **cultivateur** farmer **3**
cultiver to grow **5**; to cultivate **9**
la **culture** culture **9**

curieux, curieuse curious **7**
la curiosité curiosity **7**

D

la dame lady **2**
le danger danger **7**
dangereux, dangereuse dangerous **9**
dans in **P**; inside **6**
la danse dance **9**
danser to dance **3**
le danseur, la danseuse dancer **P**
se débrouiller to manage, get along **4**
le début beginning **6**
décembre (*m*) December **6**
décider to decide **5**
la décision decision **5**
le décorateur decorator **4**
décorer to decorate **2**
décourager to discourage **9**
la découverte discovery **8**
découvrir to discover **9**
le défaut fault **10**
le défilé parade **6**
le degré degree **2**
dehors outside, outdoors **3**
déjà already, yet **P**
déjeuner to have breakfast **4**
le déjeuner: le petit déjeuner breakfast **2**
le delta delta **10**
demain tomorrow **2**
demander to ask **4**
déménager to move **3**
demi,-e half **3**
demi-pensionnaire (*m/f*) day student **3**
le dentiste dentist **2**
le départ departure **4**
le département department **7**
se dépêcher to hurry (up) **4**
dépendre to depend **7**
depuis for, since (*time*) **P**

déraciné,-e uprooted **9**
dérivé,-e derived **9**
dernier, dernière last **2**
derrière behind, in back of **P**
descendre to go down **2**
le désert desert **5**
désirer to want, wish **3**
le dessert dessert **4**
le dessin drawing **3**
le dessinateur designer **4**
dessiner to draw **3**
dessous: au-dessous de below **2**
détester to dislike **2**
détruit *past participle of* **détruire** to destroy **7**
devant in front of **2**
devenir to become **3**
deviner to guess **7**
devoir to have to, must **11**; to owe **11**
les devoirs (*m*) homework **2**
le dialecte dialect **9**
le dieu god **6**
la différence difference **11**
différent,-e different **6**
difficile difficult **3**
difficilement with difficulty **3**
la difficulté difficulty **P**
la dinde turkey **6**
le dîner dinner **4**
dire to say, tell **3**; **cela veut dire** that means **7**; **c'est-à-dire** that is (to say) **3**
directement directly **4**
la discipline discipline **5**
discuter to discuss, talk **8**
le disque record **2**
distinguer to distinguish **5**
dit (*past participle* of **dire**)
diverse various **4**
la diversité diversity **4**
diviser to divide **11**
la djellaba robe worn by North African men **2**
domestique domestic **10**

dommage: c'est dommage that's too bad **6**
donner to give **P**
dormir to sleep **3**
le dos back **10**; **le sac à dos** knapsack **10**
le doute doubt **8**
douter to doubt **11**
doux, douce sweet **8**; **des mots doux** sweet nothings **8**
le drapeau (*pl.* **drapeaux**) flag **5**
la drogue drug **7**
le droit right **5**
droit,-e (*adj.*) right **5**
dur (*adv.*) hard **3**
le duvet down **2**; **une veste en duvet** down jacket **2**
dynamique dynamic **2**

E

l'eau (*f*) water **4**
l'école (*f*) school **P**; **l'école polyvalente** Canadian secondary school **P**
l'écologie (*f*) ecology **P**
l'écologiste (*m/f*) ecologist **7**
l'économie (*f*): **faire des économies** to save **11**
économique economical **4**
l'Ecosse (*f*): **la Nouvelle Écosse** Nova Scotia **9**
écouter to hear **2**
écrire to write **8**
l'éducateur (*m*) educator **P**
l'effort (*m*) effort **8**
effrayant,-e frightening **9**
également also, as well **11**
l'église (*f*) church **3**
égoïste egotistical **9**
l'élection (*f*) election **8**
électrique electric **2**
élégant,-e elegant **3**
l'éléphant (*m*) elephant **10**
l'élève (*m/f*) student **P**

élever to raise **5**

embêtant,-e annoying **2**

embêter to annoy **5**

embrasser to embrace, kiss **2**

emmener to take (someone) **4**

empêcher to prevent **8**

l'emploi (*m*): **l'emploi du temps** schedule **P**

en (*prep.*) in **P**; **en +** *means of transportation* by (car, train, etc.) **4**; **en plus** in addition to **4**; **en revanche** on the other hand **5**; *see also* **grève, panne, route; en +** *present participle* while (doing something) **10**

en (*partitive pronoun*) some, of it, of them **7**

encore still **P**; yet **3**

encourager to encourage **5**

l'énergie (*f*) energy **11**

énergique energetic **3**

l'enfance (*f*) childhood **6**

l'enfant (*m/f*) child **5**

énorme enormous **10**

enseigner to teach **10**

ensemble together **3**

ensuite then **3**

entendre to hear **2**

s'entendre to get along **8**

l'enterrement (*m*) burial **3**

enthousiaste enthusiastic **3**

entourer to surround **11**

entre between **2**

l'entrée (*f*) entrance **4**

entrer to enter **P**

l'environnement (*m*) environment **7**

épais,-se thick **10**

l'épicerie (*f*) grocery **3**

les épinards (*m*) spinach **3**

l'équipe (*f*) team **3**

l'erreur (*f*) mistake **11**

l'éruption (*f*) eruption **7**; **faire éruption** to erupt **7**

l'espace (*m*) space **11**

l'Espagne (*f*) Spain **2**

espagnol,-e Spanish **2**

l'espèce (*f*) type **11**

espérer to hope **4**

l'espion (*m*) spy **11**

l'espoir (*m*) hope **8**

essayer to try **4**

l'essentiel (*m*) essential **8**

l'estomac (*m*) stomach **P**

établi,-e established **11**

l'étage (*m*) floor (*in a building*) **P**

étant *present participle of* **être 10**

l'état (*m*) state; **les États-Unis** United States **4**

l'été (*m*) summer **2**

été *past participle of* **être 2**

l'étoile (*f*) star **11**

étranger, étrangère foreign **P**; (*noun*) foreigner **9**

être to be **P**

l'étude (*f*) study **P**

l'étudiant (*m*), **l'étudiante** (*f*) student **P**

étudier to study **11**

eu: il y a eu there was, there were **9**

l'Europe (*f*) Europe **4**

évanouir to faint **11**

l'événement (*m*) event **8**

évident,-e evident **4**

évoquer to evoke **9**

exactement exactly **5**

l'examen (*m*) exam, test **P**

l'excursion (*f*) trip **4**; **faire des excursions** to go on trips **4**

exister to exist **4**

l'expérience (*f*) experience **10**; experiment **11**

l'explication (*f*) explanation **6**

expliquer to explain **P**

l'exploit (*m*) exploit **8**

l'exploration (*f*) exploration **11**

explorer to explore **11**

exposé,-e exhibited **8**

l'exposition (*f*) fair, exposition **4**; **l'exposition universelle** world's fair **4**

l'expression (*f*) expression **10**

exprimer to express **9**

extraordinaire extraordinary **11**

extra-terrestre from outer space **11**

extrêmement extremely **3**

F

la fable fable **10**

fabriquer to build, manufacture, make **11**

face: en face de in the face of **11**

facile easy **P**

facilement easily **3**

la façon manner, way **9**; **de toute façon** in any event **11**

le facteur letter carrier **3**

la faim hunger **P**

faire to do **P**; to make **6**; to engage in an activity or sport **8**; **il fait +** *expressions of weather* **3**; **se faire du souci** to be worried, concerned **8**; *see also* **ascension, attention, camping, connaissance, cuisine, économie, éruption, excursion, guerre, lit, marché, ménage, naufrage, numéro, partie, peur, pique-nique, promenade, ski, sieste, sport, tour, vaisselle, vélo, vendanges**

fait *past participle of* **faire P**

fallu: il a fallu *passé
 composé* of **il faut** 9
familial,-e family (*adj.*) 9
la **famille** family P
fascinant,-e fascinating 4
fasciné-e fascinated 11
fatigant,-e tiring 4
fatigué-e tired P
faudra: il faudra *future of*
 il faut 10
faut: il faut it is necessary to, one must P
faux false P
favori, favorite favorite 5
la **femme** woman 5
la **fenêtre** window 9
fera *future of* **faire** 7
la **ferme** farm 3
fermer to close 9
féroce ferocious 10
le **festival** festival 2
la **fête** holiday P; birthday
 2; **bonne fête** happy
 birthday 2
fêter to celebrate 6
le **feu** (*pl.* **feux**) fire 6; **les
 feux d'artifice** fire-
 works 6
le **feuilleton** serial 5
fier, fière proud 9
la **fille** girl, daughter 2
le **film** film, movie 2
le **fils** son 5
la **fin** end 3
finir to finish P; **finir par**
 (+ *infinitive*) to end
 up by P
fixé-e set 11
flexible flexible P
la **flûte** flute 6
la **fois** time P; **à la fois** at
 the same time 8; **une
 fois** once 3; **une fois
 de plus** once again 11
la **folle** crazy woman 4
foncé dark (*color*) 5
fonctionner to function,
 work 11
le **football** soccer P
la **forêt** forest 7

la **formation** development 6
former to form 10
formidable terrific 2
fort,-e strong 3
fou, folle (*adj.*) crazy 4;
 (*noun*) crazy person 4
les **fraises** (*f*) strawberries 2
le **franc** franc 11
francophone French-
 speaking 2
frapper to impress, strike 5
le **frère** brother P
le **frigo** refrigerator 10
froid,-e (*adj.*) cold 2; **faire
 froid** to be cold
 (*weather*) 5
le **froid** (*noun*) cold
 (*weather*) 10
le **fromage** cheese 2
le **fruit** fruit 3
fumer to smoke 9
la **fusée** rocket 11
le **futur** future 7

G

gagner to earn 2; to win
 (*a game*) 3
la **galaxie** galaxy 11
le **garage** garage P
le **garçon** boy 3
la **gare** railroad station 10
gaspiller to waste 5
gauche left 4
géant,-e giant 11
généalogique genealogi-
 cal 9
général,-e general 2
généralement generally 3
la **générosité** generosity 5
les **gens** (*m*) people 3; **tous
 les gens** everyone 6
gentil,-le nice 2
le **geste** gesture 8
la **girafe** giraffe 10
la **glace** ice 2; ice cream 4
le **golfe** gulf 9
la **gorge** throat 6; **avoir mal**

à la gorge to have a
 sore throat 6
le **gorille** gorilla 10
le **gouvernement** government 8
grâce: l'action de grâce
 thanksgiving 6; **grâce
 à** thanks to 8
grand,-e big P; great 2;
 tall 3
la **grand-mère** grand-
 mother 2
les **grands-parents** (*m*) grand-
 parents 6
grave serious 11
gravement seriously 7
la **grève** strike 8; **se mettre
 en grève** to go on
 strike 11
gris,-e gray 5
le **groupe** group 3
la **guerre** war 8
le **guide** guide 10
la **guitare** guitar 2

H

s'habiller to dress, get
 dressed 4
l'**habitant** (*m/f*) inhabit-
 ant 10
habité,-e inhabited 10
habiter to live P
l'**habitude** (*f*) habit 4;
 d'habitude usually 2
s'habituer to become ac-
 customed to 9
la **haie** hedge 3
handicapé,-e handi-
 capped 8
le **hangar** shed 3
hanté,-e haunted P
haricots: les haricots verts
 green beans 3
haut,-e (*adj.*) high, tall 4;
 (*adv.*) **là-haut** up
 there 11
le **haut** height 10

l'herbe (*f*) grass **10**
l'héritage (*m*) heritage **7**
hésiter to hesitate **10**
l'heure (*f*) hour, time **3**; à l'heure per hour **7**; à quelle heure at what time **3**; il y a une heure one hour ago **11**
heureusement fortunately **3**
heureux, heureuse happy **2**
le hibou owl **8**
hier yesterday **2**
l'hippopotame (*m*) hippopotamus **10**
l'histoire (*f*) history **P**; story **8**
historique historical **9**
l'hiver (*m*) winter **6**
l'homme (*m*) man **2**
honnête honest **3**
honnêtement honestly **3**
l'honneur (*m*) honor **4**
l'hôpital (*m*) (*pl.* hôpitaux) hospital **7**
l'hôtel (*m*) hotel **4**
humain,-e human **10**
l'humanité (*f*) humanity **8**

ici here **P**; ici + *name* this is . . . speaking **11**
idéal,-e ideal **10**
l'idée (*f*) idea **2**
identifier to identify **3**
l'identité (*f*) identity **5**
l'idiot (*m*) fool **11**
l'île (*f*) island **7**
imaginaire imaginary **8**
imaginer to imagine **2**
immédiatement immediately **9**
l'immensité (*f*) immensity **11**
l'impatience (*f*) impatience **6**

impatient,-e impatient **6**
l'importance (*f*) importance **5**
important,-e important **P**; considerable **9**
importe: n'importe où anywhere **4**; n'importe quoi anything **11**
l'impression (*f*) impression **5**
imprudent,-e imprudent **7**
impulsif, impulsive impulsive **3**
l'indépendance (*f*) independence **2**
indépendant,-e independent **3**
indien,-ne Indian **9**
indiquer to indicate **11**
l'individu (*m*) individual **5**
indochinois,-e Indochinese **9**
l'infirmière (*f*) nurse **2**
l'inflation (*f*) inflation **8**
l'influence (*f*) influence **9**
l'information (*f*) information **11**
informé,-e informed **8**
l'ingénieur engineer **2**
l'inondation (*f*) flood **8**
insister to insist **10**
inspecter to inspect **11**
s'installer to settle **9**
l'instituteur (*m*), l'institutrice (*f*) elementary school teacher **3**
l'institution (*f*) institution **2**
l'instrument (*m*) instrument **6**; jouer d'un instrument to play an instrument **6**
l'insulte (*f*) insult **10**
l'intention (*f*) intention **8**
interdit *past participle of* interdire to forbid **11**
intéressant,-e interesting **2**
intéresser to interest **8**; s'intéresser à to get

interested in **11**
l'intérieur (*m*) interior **3**; à l'intérieur inside **3**
interne student who lives at school **3**
interplanétaire interplanetary **11**
l'interruption (*f*) interruption **7**
inventer to invent **8**
l'invention (*f*) invention **8**
l'invité (*m*) guest **8**
inviter to invite **2**
irai *future of* aller **7**
irlandais,-e Irish **2**
l'Italie (*f*) Italy **2**
italien,-ne Italian **2**

jamais: ne . . . jamais never **P**
la jambe leg **8**
le jambon ham **8**
janvier (*m*) January **8**
le Japon Japan **2**
japonais,-e Japanese **2**
le jardin garden **P**
jaune yellow **5**
les jeans (*m*) blue jeans **2**
jeter to throw (out) **7**
le jeu game **11**
jeune young **3**; les jeunes (*m*) young people **P**
la jeunesse youth **2**
la joie joy **6**
joli,-e pretty **P**
le jongleur juggler **P**
jouer to play **P**; jouer à to play (a game) **2**; jouer de to play (an instrument) **6**
le jour day **P**
le journal (*pl.* journaux) newspaper **P**
la journée day **3**
joyeux: joyeux Noël Merry Christmas **6**

juillet (*m*) July **6**
juin (*m*) June **6**
la jument mare **10**
la jupe skirt **5**
jusqu'à until **3**; up to **4**
juste just **3**

K

le kilo (kilogramme) kilo-gram (*2.2 pounds*) **3**
le kilomètre (km) kilometer (*.62 miles*) **4**

L

le lac lake **7**
laisser to permit, allow **4**; to leave (behind) **7**
le lait milk **3**
le langage language **10**
la langue language **2**
laotien,-ne Laotian **9**
se laver to get washed, wash up **4**
la leçon lesson **3**
le lecteur reader **8**
la lecture reading **4**
le légume vegetable **4**
lentement slowly **4**
la lettre letter **P**
se lever to get up **4**; to rise **11**
la liberté (*f*) freedom, lib-erty **2**
la librairie bookstore **2**
libre free **P**
lieu: avoir lieu to take place **6**
la ligne line **4**
limiter to limit **7**
le lion lion **10**
lire to read **2**
le lit bed **5**; **faire son lit** to make one's bed **5**
le livre book **2**
le logement housing **11**

loin (de) far (from) **P**; **plus loin** farther **5**
long, longue long **3**
longtemps (for) a long time **P**
louer to rent **4**
lu *past participle of* **lire 2**
lui (to) him, her **2**
lunaire lunar **11**
la lune moon **11**
les lunettes (*f*) eyeglasses **5**
lutter to fight **8**
le lycée French secondary school **3**

M

la machine machine **11**
le magasin store **2**
mai (*m*) May **10**
le maillot: maillot de bain swimsuit **5**
la main hand **5**
maintenant now **P**
la mairie town hall **3**
la maison house, home **P**; **à la maison** at home **2**
le maître master **6**
la majorité majority **9**
le mal (*noun*) evil **5**; **avoir mal à** to hurt, ache **P** (*see* **corps, estomac, gorge, tête, yeux**)
mal (*adv.*) bad, badly **4**
malade (*adj.*) sick, ill **6**; (*noun*) **les malades** sick people **8**
la maladie illness **8**
le malentendu misunder-standing **9**
malgré in spite of **6**
malheureusement unfor-tunately **8**
la maman mother **2**
manger to eat **P**
le manteau coat **5**
la maquette model **11**
le marathon marathon **8**

le marchand shopkeeper **2**
le marché market **2**; **faire notre marché** to do our shopping **2**; **le marché aux puces** flea market **2**
marcher to walk **4**
marécageux, marécageuse swampy **7**
le mariage marriage, wed-ding **3**
se marier to get married **7**
le Maroc Morocco **2**
marquer to commemorate **6**; to distinguish **9**
marre: en avoir marre to be fed up **8**
marron brown **5**
martiniquais,-e from Mar-tinique **7**
la Martinique Martinique **7**
le masque mask **9**
le match match, game **P**
les mathématiques (*f*) math-ematics
le matin morning **P**; **tous les matins** every morn-ing **7**
la Mauritanie Mauritania **2**
mauritanien,-ne Maurita-nian **2**
mauvais,-e bad; **Il fait mauvais.** The weather is bad. **6**
le mécanicien mechanic **7**
le médecin doctor **2**
les médicaments (*m*) medi-cine **10**
meilleur,-e better **3**; best **10**; **le (la) meilleur(e)** the best **4**
le membre member **5**
même (*adj.*) same **P**; **soi-même** oneself **3**; (*adv.*) even **2**; **quand même** anyway **11**
la mémoire memory **10**
menacer to threaten **7**
le ménage: faire le ménage to do the housework **3**

le mensonge   untruth, lie 8
merci   thank you 6
la mer   sea 11
la mère   mother P
la merveille   marvel P
la messe   mass 6
messieurs   gentlemen 11
mesurer   to measure 10
le mètre   meter 8
le métro   subway 4; en
métro   by subway 4
mettre   to put, put on 5;
se mettre en colère   to
get angry 10
mexicain,-e   Mexican 2
le Mexique   Mexico 2
midi (m)   noon 2
mieux (adv.)   better 3; le
mieux   the best 4; il
vaut (vaudrait) mieux
it is (would be) better 11
le milieu   middle 3
militaire   military 6
mille   thousand 4
minéral,-e   mineral 7
le ministère   ministry 11
minuit (m)   midnight 4
la minute   minute 4
mis   past participle of
mettre 5
moderne   modern 2
modeste   modest 3
moi   I, me P; moi-même
myself 11; chez moi
at (to) my home 2; être
à moi   to be mine 11
moins   less 2; fewer 8; au
moins   at least P; le
moins   the least 4;
moins bien   not as
well 4
le mois   month 4
le moment   moment 4
le monde   world P; tout le
monde   everyone P;
tout un monde nou-
veau   an entirely new
world 9
le moniteur, la monitrice
counselor 3

le monstre   monster 11
la montagne   mountain P
monter   to go up 6
montrer   to show P
le monument   monument 4
se moquer de   to make fun
of 11
le mot   word 8; des mots
doux   sweet nothings 8
le moto   moped 2
mourir   to die 7
le mouvement   movement 11
le moyen   means 4; le
moyen de transport
the means of transpor-
tation 4
la mule   mule 10
le musée   museum 4
musical,-e   musical P
le musicien   musician 8
la musique   music P
mystérieusement   mysteri-
ously 11

N

nager   to swim 3
national,-e (m pl.
nationaux)   national 7
la nationalité   nationality 2
la natte   pad, mattress 3
la nature   nature 6
naturel,-le   natural 3
naturellement   naturally 3
le naufrage: faire naufrage
to be shipwrecked 10
naufragé,-e   ship-
wrecked 10; (noun)
one who is ship-
wrecked 10
la navigation   navigation 11
ne: ne ... personne   no
one 6;
ne ... plus   no longer,
no more 11;
ne ... rien   nothing 6
né,-e   born 9
nécessaire   necessary 11
la neige   snow 6
neiger   to snow 10

le Noël   Christmas 6
noir,-e   black 5
le nom   name 2
le nombre   number 3
nombreux, nombreuse   nu-
merous 4
normal,-e   normal 11
la nostalgie: avoir la
nostalgie du pays   to
be homesick P
la note   note 9; mark 7
noter   to check 11
la nourriture   food 9
nouveau, nouvel,
nouvelle (m pl.
nouveaux)   new P
les nouvelles (f)   news 8
nucléaire   nuclear 11
la nuit   night 5
le numéro   number 9; faire
son numéro   to put on
one's act P

O

obéir   to obey 5
l'objet (m)   object 2
l'obligation (f)   obligation 9
obligé,-e (de)   obliged (to) 4
l'obscurité (f)   obscurity 11
l'observatoire (m)   observa-
tory 11
observer   to observe 10
l'occasion (f)   occasion,
opportunity 7
l'occupation (f)   occupation 5
occuper   to occupy 5;
s'occuper de   to take
care of 5
l'océan (m)   ocean 7
octobre (m)   October 6
l'oie (f)   goose 10
l'oiseau (m) (pl. oiseaux)
bird 10
on   one, we, they P
l'oncle (m)   uncle 2
optimiste   optimistic 3
l'orage (m)   storm 8

orange (*adj.*) orange; (*noun*)
l'**orange** (*f*) orange **6**
ordinaire ordinary **8**
l'**ordinateur** (*m*) computer **10**
organiser to organize **P**
oriental,-e (*m pl.*
orientaux) Oriental **9**;
(*noun*) Oriental people **9**
oublier to forget **2**
outre-mer overseas **7**
l'**ouvrier**, l'**ouvrière**
worker **2**
l'**oxygène** (*m*) oxygen **10**

P

le **pain** bread **2**
la **pair** pair **2**
la **paix** peace **8**
le **palais** palace **4**
panne: en panne out of
order **10**; **tomber en**
panne to break
down **10**
le **pantalon** pants **5**
la **panthère** panther **10**
le **papier** paper **7**
par by **3**; per **3**; **par**
exemple for
example **P**
paralysé,-e paralyzed **8**
le **parc** park **4**
parce que because **2**
parfait,-e perfect **3**
parfaitement perfectly **3**
le **parfum** perfume **8**
parier to bet **4**
parisien,-ne Parisian **2**
parler to speak, talk **P**
parmi among **8**
la **part** part **11**
partager to share **5**
participer to participate,
take part **3**
particulier, particulière
particular **P**
particulièrement particularly **9**

la **partie** part, section **4**; **en**
partie partly **5**; **faire**
partie de to be part
of **5**
partir to leave, depart **3**
partout everywhere **4**
le **passé** past **P**
passé,-e last; past **2**
passer to pass **2**; to pass
by **6**; to stop (by) **4**; to
spend (*time*) **2**; to show
8; **se passer** to happen **8**
le **passe-temps** pastime **11**
passif, passive passive **7**
passionnant,-e fascinating **2**
la **patience** patience **2**
patient,-e patient **3**
patiner to skate **8**
la **pâtisserie** pastry shop **10**
les **pâtisseries** (*f*) pastries **6**
la **patrie** homeland, coun-
try **9**
le **patron, la patronne** patron **6**; boss, superior **6**
le **pavillon** pavilion **P**
payer to pay **4**
le **pays** country, land **P**;
avoir la nostalgie du
pays to be homesick **P**
pédaler to bike, pedal **8**
se **peigner** to comb one's
hair **4**
pendant during **2**; for (*a*
period of time) **9**
penser to think **3**; **penser**
à to think about, have
one's mind on **5**;
penser de to think of,
have an opinion
about **11**
perdre to lose **2**
la **période** period **9**
périodiquement periodi-
cally **7**
le **périodique** periodical,
magazine **8**
permettre to allow, permit **5**

permis *past participle of*
permettre 4
le **permis** license, permit **4**
le **personnage** character (*in*
a story, etc.) **10**
la **personnalité** personality **3**
la **personne** person, individual **4**; **les personnes**
people **3**; **ne . . .**
personne no one **6**
petit,-e little, small **P**; le
petit déjeuner break-
fast **2**; (*noun*) **les**
petits small children **5**
pétrifié,-e petrified **11**
peu (de) little, few **P**; **un**
peu a little **2**;
attendre un peu to
wait a while **9**
la **peur** fear **7**
la **pharmacie** pharmacy,
drugstore **2**
la **photo** photograph **4**
photographier to photograph **10**
la **photothèque** photo library **11**
la **physique** physics **P**
le **piano** piano **6**; **jouer du**
piano to play piano **6**
la **pièce** play (*on stage*) **4**;
room (*in a house*) **P**
le **pied** foot **4**; **à pied** on
foot **4**
la **pierre** stone **7**
le **piéton** pedestrian **4**
le **pionnier** pioneer **P**
la **pipe** pipe **11**
le **pique-nique** picnic; **faire**
un pique-nique to go
on a picnic **6**
la **piscine** swimming pool **P**
la **place** city square **2**;
place **4**
la **plage** beach **P**
le **plaisir** pleasure **3**
plaît: s'il vous plaît
please **2**
le **plan** map **4**

planétaire planetary 11
le planétarium planetarium 11
la planète planet 11
la plante plant 7
plein,-e full 7
pleurer to cry 11
pleut: il pleut it's raining 8
la pluie rain 8
plupart: la plupart (de) most (of) 9
plus (de) more (than) P; **le (la) plus** the most 4; **de plus en plus** more and more 9; **plus . . . plus** the more . . . the more 11; **ne . . . plus** no longer, no more 11; **une fois de plus** once more 11
plusieurs several 2
plutôt (que) rather (than) 3
le poème poem 2
le poisson fish 3
poli,-e polite 3
poliment politely 3
la politesse politeness 8
politique political 8
polonais,-e Polish 2
polynésien,-ne Polynesian 9
la pomme apple 2; **la pomme de terre** potato 2
populaire popular 10
la population population 3
le port port 2
la porte door 9
porter to wear 2
portugais,-e Portuguese 2
le Portugal Portugal 2
poser to ask (*a question*) P; to pose, raise (*a problem*) 11
la position position 11
la possession possession 7
possible possible P

la poste post office 2
la poterie pottery 8
la poubelle garbage pail 8
le poulain foal 10
pour for P; in order to P
pourra *future of* **pouvoir** 7
pourtant however 9
pouvoir to be able, can P
pratique practical P
pratiquement practically 5
pratiquer to practice, engage in 7
précis,-e exact 9
la prédiction prediction 7
préféré,-e favorite P
la préférence preference 2
préférer to prefer 4
préhistorique prehistoric 7
premier, première first 9
premièrement firstly, in the first place 3
prendre to take P; to have (*something to eat or drink*) 2
préparer to prepare P; **se préparer** to get ready 4
près (de) near P; nearly 9
présenter to present P; to introduce 9
le président president 8
presque almost 9
pressé,-e in a hurry 7
prêt,-e ready P
prêter to lend 4
prier to pray 6
le prince prince 2
principal,-e main 3; principal 3
principe: en principe in principle 8
le printemps spring 4
la priorité priority P
pris *past participle of* **prendre** 2
la prise capture, taking 6

la prison prison 9
privé,-e private P
probablement probably 6
le problème problem P; **poser un problème** to pose, raise a problem 11
prochain,-e next P
le produit product 6
le professeur teacher, professor 2
la profession profession P
profond,-e deep, profound 9
le programme program 4
le projet project 3
la promenade walk 4; **faire une promenade** to take a walk 4
se promener to stroll, take a walk 10
promettre (de) to promise 5
promis *past participle of* **promettre** 5
propos: à propos by the way 7
propre (one's) own 10
la propulsion propulsion 11
la protection protection 9
protéger to protect 7
prouver to prove 8
le proverbe proverb 9
la province province 4; **en province** away from the city 4
les provisions (*f*) supplies P
prudent,-e prudent, careful 3
psychologue (*m/f*) psychologist 10
pu *past participle of* **pouvoir** 2
le public public 11
la publicité advertising 3
publier to publish 11
puis then 9
le pull (pullover) sweater 2
le pyjama pajamas 5

royal,-e royal **2**
la **rue** street **P**
la **ruine** ruin **4**
  rural,-e rural **3**
  russe Russian **2**
la **Russie** Russia **9**

S

le **sable** sand **10**
  sachant *present participle of* **savoir 10**
  sacré,-e sacred **9**
le **sacrifice** sacrifice **6**
  sain: sain et sauf safe and sound **11**
le **saint** saint **3**
la **saison** season **2**
la **salle** room **3**; **la salle de bains** bathroom **10**; **la salle de lecture** reading room **4**; **la salle de réunion** meeting room **7**
  sans without **P**
la **santé** health **7**
  satisfait,-e satisfied **11**
la **sauce** sauce **6**
  sauvage wild **10**
  sauver to save **10**
  savoir to know **P**
le **saxophone** saxophone **6**
la **scène** scene **2**
la **science** science **P**
  scientifique scientific **11**
  scolaire academic **3**; school (*adj.*) **7**
se himself, herself, oneself **4**
la **sécheresse** drought **8**
  secondaire secondary **P**
  seconde secondly **11**
  sélectionné,-e selected **11**
  selon according to **10**
la **semaine** week **P**
le **Sénégal** Senegal **2**
la **sensation** feeling, sensation **11**

sensationnel,-le sensational **11**
  sentir to smell **8**; **se sentir** to feel **5**
  séparer to separate **5**
  septembre (*m*) September **3**
  sera *future of* **être 7**
la **série** series **8**
  sérieusement seriously **3**
  sérieux, sérieuse serious **2**
le **serpent** snake **10**
  seul,-e alone **4**; lonely **5**
  seulement only **P**
  sévère strict **3**
le **short** shorts **5**
  si if **P**; yes **P**; **mais si** but of course **2**; so **6**
le **siècle** century **4**
la **sieste** nap **3**
le **signe** sign **7**
  simple simple **3**
  simplement simply **8**
  sincère sincere **3**
  sincèrement sincerely **3**
le **singe** monkey, ape **10**
  sinon if not **10**
  situé,-e located **4**
le **ski** skiing **P**; **le ski nautique** waterskiing **8**; **faire du ski** to go skiing **P**
le **skieur** skier **5**
  social,-e (*m pl.* **sociaux**) social **8**
la **sœur** sister **P**
  soi-même oneself **11**
le **soir** evening **P**; **ce soir** tonight **3**; **hier soir** last night **3**
  solaire solar **11**
le **soleil** sun **4**
la **solution** solution **3**
le **sommeil** sleep **P**; **avoir sommeil** to be sleepy **P**
le **sommet** summit **11**
le **sondage** poll **4**
la **sorte** type, kind **3**; **toutes sortes de** all sorts of **6**

  sortir to go out **3**
le **souci** concern **9**; **se faire du souci** to worry **9**
la **soucoupe: la soucoupe volante** flying saucer **11**
  soudain suddenly **11**
  souhaiter to wish **6**
  sourd,-e deaf **10**
  sous under **P**
le **sous-sol** basement **P**
le **souvenir** souvenir **P**; remembrance, memory **7**
  souvent often, frequently **P**
  spatial,-e (*m. pl.* **spatiaux**) space **11**
  spécial,-e (*m. pl.* **spéciaux**) special **P**
  spécialisé,-e specialized **8**
la **spécialité** specialty **P**
le **spectacle** show **P**
le **sport** sport, sports **2**; **les articles de sport** sporting goods **2**; **faire du sport** to engage in sports **8**; **le terrain de sport** athletic field **3**; **la voiture de sport** sports car **P**
  sportif, sportive athletic **3**; **les équipes sportives** sports teams **3**
le **stade** stadium **8**
la **station** station **4**
la **statue** statue **2**
  stricte strict **5**
la **stupidité** stupidity **11**
le **style** style **9**
le **stylo** pen **5**
le **succès** success **7**
le **sud** south **7**
  suffit: il suffit de + *infinitive* all one has to do is . . . **P**
la **suggestion** suggestion **3**
la **Suisse** Switzerland **2**
  suisse Swiss **3**
  suite: tout de suite at once, immediately **2**

suivant,-e following, next **3**

suivre to follow **11**

le sujet subject **P**; **au sujet de** about **5**

la supériorité superiority **3**

le supermarché supermarket **10**

sur on **P**

sûr,-e sure, certain **P**; **bien sûr** of course **P**; **être sûr de vous** to be sure of oneself **10**

surpris,-e surprised **11**

surtout especially **4**; primarily **7**

le symbole symbol **8**

sympathique friendly, likeable, nice **P**

le système system **10**

T

la table table **6**

le tableau (*pl.* **tableaux**) picture, painting **8**

tahitien,-ne Tahitian **9**

le tambour drum **6**

la tante aunt **2**

taquiner to tease **10**

tard late **3**; **plus tard** later **2**

la tarte tart, pie **2**

le taureau (*pl.* **taureaux**) bull **10**

le taxi taxi **4**

technique technical **8**

le téléphone telephone **2**

téléphoner to telephone, call **2**

le téléscope telescope **11**

la télévision television **4**

la température temperature **2**

la tempête storm **10**

le temple temple **7**

le temps time **P**; weather **7**; **Quel temps fait-il?** What's the weather like? **7**; **de temps en temps** from time to time **2**; **en ce temps-là** then, at that time **6**; **en même temps** at the same time **8**; **tout le temps** all the time, always **2**

le tennis tennis **3**; **jouer au tennis** to play tennis **3**

le terrain: le terrain de sport athletic field **3**

la terre earth **8**; **la pomme de terre** potato **2**; **le tremblement de terre** earthquake **8**

terrible terrible, dreadful, awful **7**

le territoire territory **9**

le testament last will **5**

la tête head **2**; **avoir mal à la tête** to have a headache **2**

têtu,-e stubborn **2**

le thé tea **2**

le théâtre theater **P**

le tigre tiger **10**

le timbre postage stamp **7**

timide timid **9**

toi you **P**; **chez toi** at, to your home **P**; **être à toi** to be yours **11**

la tomate tomato **2**

tomber to fall **7**

tôt early **4**

toujours always **P**; still **11**

la tour tower **4**

le tour: faire le tour du monde to go around the world **7**

touriste (*m/f*) tourist **2**

le tournant turn **6**

la tournée tour **9**

tourner to turn **4**

tout,-e (*adj.*) (*pl.* **tous,** **toutes**) all **6**; every **7**; **de toute façon** in any event **11**; **en tout cas** at any rate **11**; **tout le monde** everyone **2**; **tout le temps** all the time **2**

tout (*adv.*): **tout de suite** immediately, at once **2**

tout (*pronoun*) all, everything **P**

la trace trace, remains **7**

la tradition tradition **9**

traditionnel,-le traditional **2**

le train train **2**; **être en train de** + *infinitive* to be in the act of . . . **3**

traiter to treat **5**

tranquille quiet, peaceful **4**

tranquillement quietly **7**

transformer to transform **10**

transplanté,-e transplanted **9**

la transportation transportation **4**

le travail work **2**

travailler to work **P**

traverser to cross **P**

triste sad **2**

le trombone trombone **6**

la trompette trumpet **6**

le trône throne **4**

trop too **2**; **trop de** too much, too many **P**

le trou hole **11**

la troupe (theatrical) troupe **9**

le troupeau (*pl.* **troupeaux**) herd **10**

trouver to find **P**; to consider **2**

la Tunisie Tunisia **2**

tunisien,-ne Tunisian **2**

typique typical **2**

typiquement typically **10**

U

l'université (f) university **P**
l'usine (f) factory **P**
utile useful **P**
utiliser to use, utilize **4**
l'utilité (f) usefulness **P**

V

le vaisseau ship **11**; le vaisseau spatial spaceship **11**
la vaisselle: faire la vaisselle to do the dishes **3**
la valeur value **2**
valoir: valoir mieux to be better **11**; il vaudrait mieux it would be better **11**
varié,-e varied **2**
la variété variety **P**; le spectacle de variété variety show **P**
vaudra *future of* valoir **11**
vécu *past participle of* vivre **9**
la végétation vegetation **5**
le vélo bike **P**; en vélo by bike **4**; la course de vélo bike race **P**
les vendanges (f) grape harvest **3**
vendre to sell **2**
venir to come **3**; venir de + *infinitive* to have just . . . **3**
le vent wind **11**

venu *past participle of* venir **3**
la véranda veranda **3**
le verbe verb **5**
véritable real **7**
la vérité truth **3**
vers toward **6**
la version version **P**
vert,-e green **5**
la veste jacket **2**
les vestiges (m) remains **7**
les vêtements (m) clothing **2**
veuille *subjunctive of* vouloir **10**
la viande meat **2**
la victime victim **5**
la victoire victory **4**
la vie life **2**
vietnamien,-ne Vietnamese **4**
vieux, vieil, vieille old **2**; les vieux old people **9**
les vignes (f) vineyards **3**
le village village **P**
la ville city **P**; en ville in the city, in town **P**
le vin wine **3**
le violon violin **6**
la visite visit, trip **7**; avoir de la visite to have visitors **7**
visiter to visit, tour **P**
le visiteur visitor **10**
la vitamine vitamin **11**
vite quickly, fast **4**
la vitesse speed **7**; (à) grande vitesse (at) high speed **7**
vivre to live **5**
voici here is (are) **P**
voilà here is (are), there is (are) **P**

voir to see **P**
le voisin, la voisine neighbor **3**
la voiture car **2**; en voiture by car **4**; la voiture de sport sports car **4**
volant,-e flying **11**
le volcan volcano **7**
voudrait *conditional of* vouloir **8**
vouloir to want, wish **P**; cela veut dire that means **7**
voulu *past participle of* vouloir **11**
le voyage trip **P**; faire un voyage to take a trip **P**; partir en voyage to leave on a trip **3**
voyager to travel **P**
vrai,-e true **P**
le vrai the truth **5**
vraiment really **3**
vu *past participle of* voir **10**

Y

y there **8**; it, about it **8**; il y a there is, there are **P**; il y a + *expression of time* . . . ago **9**
les yeux (m) eyes **7**

Z

le Zaïre Zaire **9**
le zèbre zebra **10**
le zoo zoo **10**

Vocabulaire anglais-français

This includes the vocabulary in each *Vocabulaire du chapitre*, as well as items from the *Explorations*.

A

about au sujet de **5**
absolutely absolument **3**
academic scolaire **3**
acid l'acide (*m*) **11**
acrobat l'acrobate (*m*) **P**
act l'acte (*m*) **8**; le numéro **1**; **to put on an act** faire son numéro **P**
to adopt adopter **2**
to advise conseiller **11**
affectionately affectueusement **2**
agreement l'accord (*m*) **8**
air l'air (*m*) **7**
Algerian algérien,-ne **2**
all tout,-e **6**
to allow laisser **4**; permettre **5**
almost presque **9**
although bien que **10**
American américain,-e **2**
among parmi **8**
amphitheatre l'amphithéâtre (*m*) **P**
angry: to get angry se mettre en colère **10**
to answer répondre **2**
antelope l'antilope (*f*) **10**
anywhere n'importe où **4**
ape le singe **10**
around autour de **3**
arrival l'arrivée (*f*) **4**
as: as soon as dès que **5**
to ask demander **10**
assistant l'assistant(e) **10**
astronaut l'astronaute (*m/f*) **11**
at least au moins **P**
athlete l'athlète (*m*) **8**

athletic field le terrain de sport **3**
atmosphere l'ambiance (*f*) **P**
to attract attirer **11**

B

baby le bébé **5**
back le dos **10**
bad: it's too bad c'est dommage **6**
bakery la boulangerie **3**
baptism le baptême **3**
to bathe se laver **4**
bathing suit le maillot de bain **5**
beam le rayon **11**
to become devenir **3**; **to become ill** tomber malade **7**
bed: to go to bed se coucher **4**
to behave oneself se conduire **4**
beige beige **5**
Belgian belge **2**
to belong to appartenir à **9**
below au-dessous **2**
best (*adj.*): **the best** le (la) meilleur(e) **4**
best (*adv.*): **the best** le mieux **4**
to bet parier **4**
better (*adj.*) meilleur,-e **3**
better (*adv.*) mieux **3**
bird l'oiseau (*m*) **10**
black noir,-e **5**
blouse la chemise **5**; le corsage **5**

blue bleu,-e **5**
board: on board à bord **11**
bookstore la librairie **2**
born né,-e **9**
boss le patron, la patronne **6**
Brazilian brésilien,-ne **2**
to break down tomber en panne **11**
to breathe respirer **7**
to bring back rapporter **P**
to bring up élever **5**
brown marron **5**
to build construire **4**
building le bâtiment **3**
bus le car **4**
butcher shop la boucherie **3**
by: by the way à propos **7**

C

cafeteria la cafétéria **P**
cake: Yule log cake la bûche de Noël **6**
to calculate calculer **11**
Cambodian cambodgien,-ne **9**
camel le chameau **10**
Canadian canadien,-ne **2**
cancer le cancer **8**
candy le bonbon **6**
captain le capitaine **11**
caramel le caramel **6**
carnival le carnaval **2**
cat le chat **3**
catastrophe la catastrophe **8**
to cause causer **7**
celebration la fête **6**
center le centre **4**
to change changer **4**

charter bus le car **4**
chemical chimique **7**
childhood l'enfance (f) **6**
Chinese chinois,-e **2**
Christmas Noël (m) **6**;
    Christmas feast le
    réveillon **6**
clan le clan **5**
clarinet la clarinette **6**
climate le climat **9**
to **climb** monter **6**
to **close** fermer **9**
close up de près **11**
clothing les
    vêtements (m) **2**
club le club **9**
coast la côte **10**
coat(ing) la couche **10**
collection la collection **2**
colt le poulain **10**
to **comb one's hair** se
    peigner **4**
to **come** venir **3**
to **come back** revenir **3**
comfortable confortable **P**;
    à l'aise **2**
commandment le com-
    mandement **7**
commercial commercial,-e **6**
to **communicate**
    communiquer **3**
community la
    communauté **9**
companion le
    compagnon **11**
compound la concession **3**
computer l'ordinateur (m) **11**
confidence la confiance **7**
consciousness: to regain
    consciousness reprendre
    connaissance **11**
considered considéré,-e **9**
to **construct** construire **11**
to **consult** consulter **4**
to **contribute** contribuer **8**
conversation la conversa-
    tion **3**
cooperation la
    coopération **2**
corner le coin **8**

costume le costume **9**
counselor le moniteur, la
    monitrice **3**
to **count** compter **5**
country la patrie **9**
courage le courage **8**
cow la vache **3**
crazy person le fou, la
    folle **4**; **like a crazy per-**
    son comme un fou
    (une folle) **4**
to **create** créer **9**
crossing le passage **4**
to **cry** pleurer **11**
to **cultivate** cultiver **3**
to **cycle** pédaler **8**

D

dark foncé,-e **5**
day la journée **8**
deaf sourd,-e; **deaf person**
    un sourd, une sourde **10**
to **deal with** traiter **5**
decision la décision **P**; **to**
    make decisions pren-
    dre des décisions **P**
to **decorate** décorer **2**
deed l'acte (m) **8**
deep profond,-e **9**
despite malgré **2**
detective le détective **P**
to **die** mourir **7**
directly directement **4**
discouraged: to get discour-
    aged être découragé,-e **9**
to **discover** découvrir **9**
discovery la découverte **8**
to **do: all you have to do is**
    il suffit de (+ infinitive) **P**
donkey l'âne (m) **3**
to **doubt** douter **11**
down: down jacket la
    veste en duvet **2**
dreadful terrible **10**
dress la robe **5**
dressed: to get dressed
    s'habiller **4**
to **drive** conduire **4**

driver le chauffeur **4**;
    driver's license le
    permis de conduire **4**
drought la sécheresse **8**
drum le tambour **6**
duck le canard **3**

E

early tôt **4**
earth la terre **9**
earthquake le tremblement
    de terre **8**
ecologist l'écologiste
    (m/f) **7**
ecology l'écologie (f) **1**
economical économique **4**
to **economize** économiser **4**
educator l'éducateur (m) **P**
effort l'effort (m) **8**
electric électrique **6**
elephant l'éléphant (m) **10**
end (noun) le bout **8**
end (verb): **to end up by**
    finir par (+ infinitive) **P**
English anglais,-e **2**
to **enjoy** apprécier **P**
environment
    l'environnement (m) **7**
essential: the essential
    thing l'essentiel (m) **P**
event l'événement (m) **8**
evil le mal **5**
exhibit l'exposition (f) **4**
to **expect** attendre **2**
to **express** exprimer **9**
eyeglasses les
    lunettes (f) **5**

F

to **faint** s'évanouir **11**
fair l'exposition (f) **4**
to **fall** tomber **7**; **to fall in**
    love tomber amoureux
    (amoureuse) **7**
falsehood le mensonge **8**
farm la ferme **3**

farmer   le cultivateur 3
fast   vite 4
favorite   favori, favorite 5
fed up: to be fed up   en
   avoir marre 8; **I'm fed
   up.** J'en ai marre. 8
to feel   se sentir 5
fields   les champs (m) 3
fire   le feu 6
fireworks   les feux
   d'artifice (m) P
first: at first   d'abord P
flag   le drapeau 6
flea market   le marché aux
   puces 2
flood   l'inondation (f) 8
flute   la flute 6
flying saucer   la soucoupe
   volante 11
foal   le poulain 10
fog   le brouillard 10
food   la nourriture 9
fool   l'idiot (m) 11; **you
   fools** espèce d'idiots 11
foreign   étranger,
   étrangère P
formerly   autrefois 4
fortunately
   heureusement 3
friendly   accueillant,-e 5
friendship   l'amitié (f) 9
frightening   effrayant,-e 9
from (time)   dès 9
full   plein,-e 7
funeral   l'enterrement (m) 3
future   l'avenir (m) 7

G _____

garbage can   la poubelle 8
German   allemand,-e 2
gesture   le geste 8
to get along   se débrouiller 4;
   s'entendre 8
to get ready   se préparer 4
to get settled   s'installer 9
to get together   se
   retrouver 9
to get up   se lever 4
to get used to   s'habituer à 9

gift   le cadeau 2
giraffe   la girafe 10
to give back   redonner 8
glasses: eyeglasses   les
   lunettes (f) 5
to go down   descendre 2
to go out   sortir 3
to go up   monter 6
good (noun)   le bien 5
good time: to have a good
   time   s'amuser 4
gorilla   le gorille 10
grape harvest   les
   vendanges (f) 3
grass   l'herbe (f) 10
gray   gris,-e 5
great!   chic! 4
green   vert,-e 5
grocery store
   l'épicerie (f) 3
to grow   cultiver 3
grown-ups   les
   grands (m) 6

H _____

hair: to comb one's hair
   se peigner 4
hand: on the other hand
   en revanche 5
to happen   se passer 6
to harm   faire du mal 7
harvest   la récolte 8
haunted   hanté,-e P
to have to   devoir 11
to hear   entendre 2
heaven   le ciel 9
hedge   la haie 3
herd   le troupeau 10
heritage   l'héritage (m) 7
herself   elle-même 10
to hesitate   hésiter 10
high   haut,-e 4
highway   l'autoroute (f) 4
hiking boots   les chaussures
   de marche (f) 2
hill   la colline 4
hippopotamus
   l'hippopotame (m) 10

historical   historique 9
to hit   frapper 5
hobby   le passe-temps 11
hole   le trou 11
homeland   la patrie 9
homesick: to be homesick
   avoir la nostalgie du
   pays P
hope   l'espoir (m) 8
horn   le cor 6
horse   le cheval 3
hospitable   accueillant,-e 5
human   humain,-e 10
to hurry   se dépêcher 4

I _____

ice   la glace 2
ice cream   la glace 2
identity   l'identité (f) 5
ill: to become ill   tomber
   malade 7
illness   la maladie 8
to imagine   imaginer 2
immensity   l'immensité
   (f) 11
inside   à intérieur 3
to inspect   inspecter 11
interruption
   l'interruption (f) 7
to interview   interviewer P
Irish   irlandais,-e 2
Italian   italien,-ne 2

J _____

jacket   la veste 2
Japanese   japonais,-e 2
joke   la blague 11
joyful   joyeux, joyeuse 6
juggler   le jongleur P
just (adj.)   juste 3
just (adv.): to have just
   venir de + infinitive 3

K _____

to kiss   embrasser 2
to know   connaître 6

L

land la terre **9**
language le langage **10**
Laotian laotien,-ne **9**
late tard **4**
to laugh rire **11**; **to laugh at** se moquer de **11**
layer la couche **10**
least: at least au moins **P**; **the least** le moins **4**
to leave partir **3**
to lend prêter **4**
to let laisser **4**
letter carrier le facteur **3**
license le permis **4**
lie le mensonge **8**
light clair,-e **5**
line la ligne **4**
lion le lion **10**
to live vivre **5**
long: a long time longtemps **7**
longer: no longer ne . . . plus **7**
to look (for) chercher **P**
to lose perdre **2**
love l'amour (m) **7**; **to fall in love** tomber amoureux (amoureuse) **7**

M

machine l'appareil (m) **11**
mail le courrier **3**
mailman le facteur **3**
man l'homme (m) **5**
to manage se débrouiller **4**
manger la crèche **6**
manner la façon **9**
to manufacture fabriquer **11**
many nombreux, nombreuse **4**
map le plan **4**
marathon le marathon **8**
mare la jument **10**
Mars Mars **11**
mask le masque **9**

N

Mass la messe **6**
master le maître **10**
to matter compter **5**
mattress la natte **3**
to mean vouloir dire **8**
means le moyen **4**; **means of transportation** le moyen de transport **4**
to meet rencontrer **3**
merry joyeux, joyeuse **6**
Mexican mexicain,-e **2**
misunderstanding le malentendu **9**
monkey le singe **10**
moon la lune **11**
more: no more ne . . . plus **7**; **the more** plus **11**
most la plupart **9**; **the most** (adv.) le plus **4**
must devoir **11**; **one must not** il ne faut pas **9**

N

nap: to take a nap faire la sieste **3**
national national,-e **7**
nativity scene la crèche **6**
to need: I would need il me faudrait **8**
negotiation la négociation **2**
neighbor le voisin **3**; la voisine **7**
neighborhood le quartier **2**
new: New Year's feast le réveillon **6**
newspaper le journal **2**
no: no more, no longer ne . . . plus **7**
noise le cri **3**; le bruit **7**
not: not yet pas encore **3**
Nova Scotia la Nouvelle Écosse **10**
numerous nombreux, nombreuse **4**

O

okay: It's okay. Ça peut aller **P**
only ne . . . que **8**
opposite le contraire **5**
orange orange **5**
ordinary ordinaire **8**
Oriental oriental,-e **9**; **Oriental people** les Orientaux **9**
other: on the other hand en revanche **5**
outside dehors **3**
to owe devoir **11**
own propre **10**

P

pad la natte **3**
pal le copain **2**; la copine **P**
palace le palais **4**
panther la panthère **10**
pants le pantalon **5**
parade le défilé **6**
paralyzed paralysé,-e **8**
part: to take part participer **4**; **part of** une partie de **5**
peace la paix **8**
peaceful tranquille **4**
to pedal pédaler **8**
pedestrian le piéton **4**
people les gens (m) **5**
perfume le parfum **8**
to permit permettre **5**
piano le piano **6**
pig le cochon **3**
pink rose **5**
pioneer le pionnier **P**
planet la planète **7**
play la pièce **4**
to play (an instrument) jouer de **6**; **to play the flute** jouer de la flute **6**; **to play piano** jouer du piano **6**

to poison   empoisonner 7
Polish   polonais,-e 2
political   politique 9
Polynesian   polynésien,-ne 9
poor: the poor   les pauvres (*m*) 6
poorly   mal 4
Portuguese   portugais,-e 2
practical   pratique 4
to pray   prier 6
to prevent   empêcher (de) 8
private   privé,-e P
to produce   produire 11
to promise   promettre 5
to protect   protéger 7
psychologist   le (la) psychologue 10
pullover   le pull 5
to put   mettre 5; to put on mettre 5
pajamas   le pyjama 5

Q

R

S

T

Tahitian tahitien,-ne **9**
to take (someone) emmener **4**
to take care of s'occuper de **5**
to take a nap faire la sieste **3**
to take part participer **4**
taxi le taxi **4**
to teach enseigner **10**
teacher (*of young children*) l'instituteur, l'institutrice **3**
to tease taquiner **10**
telescope le télescope **11**
to tell raconter **2**; dire **8**
tempest la tempête **10**
thanks to grâce à **8**
that: so that pour que **11**
there: up there là-haut **11**
thick épais, épaisse **10**
to throw jeter **7**; **to throw away** jeter **7**
tie la cravate **5**
tiger le tigre **10**
time: a long time longtemps **7**; **at that time** en ce temps-là **6**; **for a long time** (depuis) longtemps **4**; **to have a good time** s'amuser **4**
together: to get together se retrouver **9**
too: it's too bad c'est dommage **6**
town hall la mairie **3**
trace le vestige **7**
traffic la circulation **4**
transplanted transplanté,-e **9**

transportation le transport **4**
to treat traiter **5**
trip l'excursion (*f*) **4**
trombone le trombone **6**
trumpet la trompette **6**
truth la vérité **8**
to try essayer **4**
Tunisian tunisien,-ne **2**
turkey la dinde **6**

U

unemployment le chômage **8**
unfortunately malheureusement **8**
untamed sauvage **10**
up: up there là-haut **11**; **to get up** se lever **4**; **to go up** monter **6**; **to wake up** se réveiller **4**
uprooted déraciné,-e **9**
used to: to get used to s'habituer à **9**
useful utile **P**
usually d'habitude **6**
to utilize utiliser **7**

V

veranda la véranda **3**
vestige le vestige **7**
victim la victime **8**
Vietnamese vietnamien,-ne **4**

vineyards les vignes (*f*) **3**
violin le violon **6**

W

to wait (for) attendre **2**
to wake up se réveiller **4**
war la guerre **8**
to wash se laver **4**
to waste gaspiller **5**
way la façon **9**; **by the way** à propos **7**
to wear porter **5**
wedding le mariage **3**
what quoi **P**
white blanc, blanche **5**
wild sauvage **10**
wine le vin **3**
to wish souhaiter **6**
woman la femme **5**
world le monde **9**; **an entirely new world** tout un monde nouveau **9**
worried: to be worried se faire du souci **9**
wrong: to be wrong avoir tort **10**

Y

year: New Year's feast le réveillon **6**
yellow jaune **5**

Z

zebra le zèbre **10**

Index

holidays (cont.)
  Moslem lands, 143
  Quebec, 148
  Switzerland, 132–133

I

"if" clauses, 200, 205
imperative
  with object pronouns, 234
  of -re verbs, 19
  of reflexive verbs, 80
imperfect tense, 135
  of **être,** 135
  vs. *passé composé,* 145
  in **si** clauses, 200
  use, 135, 140
indirect object pronouns, 122
Indochinese in Quebec, 243–244
infinitive
  with object pronouns, 23, 122
  with **pour,** 261
  reflexive verbs, 74, 79
  vs. subjunctive, 228, 286

J

jouer
  with musical instruments, 134

L

leur, 122
Louisiana, 224, 225, 226, 241
lui, 122

M

maps
  Africa, 102, 233
  France, 48

French Antilles (Guadeloupe, Martinique), 170
  Paris subway, 97
  Switzerland, 142, 312
Marseille, 2
Martinique, 163, 164, 170 (map)
Mauritania, 38, 65–66, 103, 107, 124, 128
mettre, 110
Montreal, 20, 171
Morocco, 310–311
musical instruments, 134

N

nationality
  adjectives and nouns, 32–33
negation
  ne . . . personne, 150
  ne . . . rien, 150
  negative expressions, 154
  reflexive verbs, 80
numbers over 1,000, 229

O

object pronouns, 23, 27, 122, 177
  in the imperative, 234

P

Paris, 20, 70–73, 75, 76, 77, 83, 90, 93, 96–97, 236
  monuments, 72–73, 75
participles
  agreement of past participle of reflexive verbs, 105
  present, 257, 261
partir, 61
passé composé
  formed with **être,** 61
  vs. imperfect, 145

-re verbs, 19
  reflexive verbs, 105
penser, 271
  followed by subjunctive, 282
permettre, 110
possession, 294
pouvoir
  conditional, 195
  subjunctive, 262
prendre
  subjunctive, 262
present participle, 257
  irregular, 257
present tense
  reflexive verbs, 80
  regular -re verbs, 19
  in **si** clauses, 205
produire, 279
promettre, 110
pronouns
  ce qui, ce que, 178
  demonstrative, 291
  emphatic, 27, 206
  en, 174, 177, 210
  lui, leur, 122
  object, 23, 27, 122, 177
  position with infinitive, 23
  in commands, 234
  reflexive, 80
  relative, 28, 178, 182, 291
  reviewed, 23, 27, 127, 238
  y, 206
proverbs, 203, 235

Q

que (*conjunction*)
  with clauses in the subjunctive, 223
que (*relative pronoun*), 28
  ce que, 178
  qui and **que,** 182, 291
Quebec 38, 148, 197, 243–244
qui (*relative pronoun*), 28
  ce qui, 178

R

reflexive verbs, 74, 80–81, 84
  conjugation, 79, 328–329
  imperative, 80
  infinitive, 74, 79
  negative, 80
  passé composé, 105
relative pronouns, 28, 31, 182, 291

S

savoir
  vs. **connaître**, 144
  present participle, 257
  subjunctive, 251
schools
  in Canada, 216
  in France, 52
  in Mauritania, 113
Senegal, 308–309
shopping, 16–17, 93, 310–311
si clauses
  with the imperfect, 205
  with the present, 205
sortir, 61
space exploration, 280–281
sports, 56
student life in Canada, 2–6
subjunctive
  formation, 223, 266
  vs. infinitive, 228, 286
  irregular, 251, 256, 266
  uses
    to express doubt, 282
    to express emotion, 223, 251, 282, 299
    to express judgment, 295
    after **avoir peur**, 251, 262
    after **il faut**, 251, 262, 299
    after **penser** and **croire**, 282
    after **vouloir**, 251, 262

superlative
  of adjectives, 89
  of adverbs, 89
Switzerland, 142 (map), 312 (map)

T

tenses
  conditional, 195, 200
  future, 162, 169
  imperative, 19, 80, 234
  imperfect, 135
    vs. *passé composé*, 145
  passé composé
    with **être**, 61, 64, 105
    reflexive verbs, 105
  present
    -re verbs, 19
time
  expressions, 233, 242
  with the imperfect, 135, 140, 145
  time zones, 324
tout, 133
toys, 314–316
transportation, 70, 86, 88, 166
  in Paris, 96–97

V

vendre, 19
venir, venir de, 47
verbs
  irregular
    conjugations, 328–333
    conduire, 85
    connaître, 141
    courir, 190
    croire, 267
    devoir, 287
    dire, 211
    écrire, 216
    mettre, 110
    partir, 61
    savoir, 10
    sortir, 61

venir, 47
vivre, 239
voir, 267
vouloir, 195, 251, 262
reflexive, 74, 79, 80–84, 105
  conjugations, 328–329
regular
  conjugations, 328–329
spelling changes
  se lever, 80
subjunctive 223, 251, 266, 282, 299
tenses
  conditional, 195, 200
  future, 162, 169
  imperfect, 135, 140, 145
  passé composé, 145
    with **être**, 61, 64, 105
    of **-re** verbs, 19
    reflexive verbs, 105
  present
    reflexive verbs, 80
    regular verbs, 328–329
Versailles, 92
village life in France, 43–45, 49, 57
vivre, 239
voir, 267
vouloir
  conditional, 195
  followed by the subjunctive, 251, 262
  subjunctive, 262

W

weather, 323

Y

y, 206
  contrasted with emphatic pronouns, 206
  contrasted with **en**, 210, 238